Grundwissen
Geschichte

Von Oberstudiendirektor Dr. Karl Kunze
und Studiendirektor Dr. Karl Wolff

ERNST KLETT STUTTGART

Dieses „Grundwissen Geschichte" ist eine bearbeitete und erweiterte Auflage des Buches „Das historische Grundwissen".

Stoffaufteilung: K. Kunze, Doppelseiten 1—40; K. Wolff, Doppelseiten 41—87

4. Auflage   4²⁵ 24 23 22 21 | 1984 83 82 81 80 79

Alle Drucke dieser Auflage können im Unterricht nebeneinander benutzt werden. Die letzte Zahl bezeichnet das Jahr dieses Druckes. Die vorliegende 4. Auflage ist eine teilweise Neubearbeitung der bisherigen 3. Auflage. Sie hat eine neue Bestellnummer erhalten und kann neben der früheren Auflage (ISBN 3-12-402900-3) bedingt verwendet werden.

® Ernst Klett Verlag, Stuttgart 1964.

Druck: Ernst Klett, Stuttgart, Rotebühlstraße 77
ISBN 3-12-402910-0

Verzeichnis der Doppelseiten

Nach den Ergebnissen der Urgeschichtsforschung liegen die frühesten Zeugnisse menschlicher Existenz ca. 500 000 bis 600 000 Jahre zurück. Die zeitliche Einteilung der Urgeschichte erfolgt nach dem Material der charakteristischen Geräte. Man unterscheidet Steinzeit, Bronzezeit und Eisenzeit. Die Steinzeit umfaßt über 99% der Menschheitsgeschichte. Der Mensch ist zunächst nur Sammler und Wildbeuter. Erst spät entwikkeln sich aus dieser Grundkultur die Mittelkulturen des höheren Jägertums (seit 100 000), der Pflanzer (seit 20 000) und der Hirten (seit 10 000). In der Jungsteinzeit (5000 v. Chr.) beginnt die Geschichte des Bauerntums durch die Verbindung von Getreide- und Fruchtanbau, Viehzucht und die Erfindung des Pfluges in den Flußtälern des Orients.

Erst als nomadisierende Hirtenvölker in die Flußoasen eindringen und die Bauernbevölkerung unterwerfen, entstehen fast spontan im ausgehenden 4. vorchristlichen Jahrtausend die Hochkulturen im Niltal und in Mesopotamien und später in den Tälern des Indus (2500 v. Chr.) und des Hoangho (1500 v. Chr.). Auch auf der Insel Kreta bildet sich im 3. Jahrtausend eine Hochkultur. Gemeinsames Kennzeichen dieser Hochkulturen sind gottunmittelbares Herrschertum, Erfindung der Schrift, großartige Schöpfungen auf den Gebieten der Architektur, Plastik und Malerei, ein Rechtssystem, differenzierte Göttervorstellungen und religiöse Kulte.

Sicherlich hat der Zwang zur Gemeinschaftsarbeit an Dämmen und Bewässerungsanlagen in den Flußoasen zur Staatenbildung angeregt. Die revolutionäre Umwälzung auf allen Lebensgebieten jedoch, die mit dem Erwachen der Hochkulturen verbunden ist, „der Sprung des Menschen in die Geschichte" (Jaspers), kann nicht nur als Wirkung solcher Ursachen erklärt werden.

Die Geschichte des Altertums umfaßt den Zeitraum vom Beginn der Hochkulturen bis zum Zusammenbruch des römischen Reiches.

Schauplatz ist der Mittelmeerraum mit den angrenzenden Gebieten. Das Mittelmeer begünstigt den Kulturaustausch und wechselseitige geistige Befruchtung. Charakteristisch ist die riesige Ost-West-Ausdehnung von den Säulen des Herakles (Gibraltar) bis zum persischen Meerbusen. Kernräume sind die Flußoasen Mesopotamiens und Ägyptens, Kreta, Kleinasien, Syrien, die drei südlichen europäischen Halbinseln Griechenland, Italien, Spanien und später Gallien und Germanien.

Die Bevölkerung gliedert sich in zwei Hauptschichten: die altmediterrane Bevölkerung, zu der die Sumerer, Semiten, Hamiten, Pelasger, Karer, Iberer, Ligurer, Etrusker und die italische Urbevölkerung gezählt werden, und die indogermanischen Einwanderer, zu deren westlichen Gruppen die Hethiter, Griechen, Illyrer, Italiker, Kelten und Germanen, und zu deren östlichen Gruppen Inder, Meder, Perser, Skythen und Thrako-Phryger gehören.

2 Ägypten

Der Lebensraum Altägyptens ist das etwa 1000 km lange, aber nur 10 bis 20 km breite Niltal vom Delta bis zum ersten Katarakt (Assuan). Das Land verdankt seine Fruchtbarkeit den alljährlich von Juni bis Oktober dauernden Überschwemmungen. Gegen Eindringlinge ist Ägypten geschützt, im Osten und Westen durch breite Wüstengürtel, im Norden durch die See und das Sumpfdickicht des Nildeltas und im Süden durch die Stromschnellen, die den Fluß für die Schiffahrt unbrauchbar machen. Die schmale Landenge von Suez, die Ägypten mit Vorderasien verbindet, kann leicht abgeriegelt werden. Auch dank dieser geographischen Abgeschlossenheit verläuft die Geschichte Ägyptens, im Gegensatz zu der Mesopotamiens, geradlinig, und Kultur und Kunst können ihre Formen so rein und unbeeinflußt entwickeln wie nirgends in der alten Welt. Im 4. Jahrtausend bilden sich viele Kleinstaaten, aus denen die Reiche von Ober- und Unterägypten hervorgehen. Der oberägyptische König Menes vereinigt um 2850 beide Reiche.

2850—2200	Altes Reich von Memphis
um 2500	Pyramiden der Cheops, Chephren und Mykerinos
2050—1700	Mittleres Reich von Theben
1700—1570	Fremdherrschaft der Hyksos über Ägypten und Syrien
1570—1085	Neues Reich von Theben
um 1400	König Amenophis IV. (Echnaton)
um 1200	Abwehr der Seevölker durch Ramses III.
nach 1000	Fremdherrschaft der Libyer, Äthiopier, Assyrer, Perser und Griechen bis zur Eingliederung in das römische Imperium

1 Welches sind die Merkmale des ägyptischen Staates? **2** *Welche Ursachen tragen zum Untergang des Alten Reiches bei?* **3** *Wodurch unterscheidet sich das Neue Reich wesentlich von dem Alten und Mittleren Reich?* **4** *Wodurch ist die Regierungszeit Echnatons gekennzeichnet?* **5** *Welche Gründe führen zum Verfall des Neuen Reiches?* **6** *Welches sind die großen Kulturleistungen der Ägypter?*

1 An der Spitze des Staates steht als absoluter Herrscher der Pharao, die sichtbare Verkörperung des Falken- und Himmelsgottes Horus, umgeben von einem glänzenden Hofstaat. Er ist kein Despot im modernen Sinn, sondern gilt als auf Erden residierender Gott. So wird der Pharao Inbegriff aller staatlichen und sittlichen Ordnung. Ein straff organisierter, zentralistisch aufgebauter Beamtenapparat, der sich aus wohlausgebildeten Schreibern zusammensetzt, verwaltet das in Gaue unterteilte Land. Die Priesterschaft, der vom Herrscher große Tempelgüter verliehen werden, gewinnt politisch an Bedeutung. Die Rechtspflege ist wohlgeordnet; die Besteuerung besteht in der Abgabe von Vieh und Korn. Die Masse des Volkes besitzt keinerlei politische Rechte; sie ist verpflichtet, auf den Domänen des Königs und der Priester sowie bei den staatlichen Bauten Dienste zu leisten.

2 Der Pharao belohnt treue Beamte mit steuerfreien Landlehen. Diese Lehen werden erblich; so werden aus beamteten Gauverwaltern erbliche Gaufürsten, die nicht mehr die Interessen des Herrschers verfolgen, sondern ihre eigenen. Ebenso entzieht sich die Priesterschaft der königlichen Oberhoheit. Aus dem zentralistischen Beamtenstaat wird allmählich ein Feudalstaat. Das Reich löst sich in Fürstentümer auf.

3 Dem Alten und Mittleren Reich fehlt das Streben nach Ausdehnung der Herrschaft durch Krieg. Das Mittlere Reich mit der Residenz Theben (heute Karnak und Luxor) bringt einen Aufstieg von Literatur und Kunst (Roman von Sinuhe, Kolossalstatuen der Könige in Luxor). Durch den Freiheitskampf gegen die Hyksos wird das Neue Reich zu einer Militärmacht, deren Vormachtstellung nach kriegerischen Auseinandersetzungen von Hethitern und Babyloniern anerkannt wird. Zeitweilig gehören sogar Syrien, Zypern und der Sudan zum ägyptischen Machtbereich. Die einströmenden Tribute und Beutegüter fördern die Geldwirtschaft und den privaten Handel.

4 Echnaton (Amenophis IV. 1372—1354), der Gemahl Nofretetes, versucht, die Vielgötterei durch die Verehrung des Sonnengottes Aton zu ersetzen. In seiner neuen Residenz Amarna regt er eine von Starrheit befreite, lebensnahe Kunst an. Während der Regierungszeit dieses „Ketzerkönigs" gehen weite Teile des Reiches verloren.

5 Langdauernde Kriege gegen Syrer und Hethiter, Abwehr der Seevölker und Libyer, Überfremdung des Heeres durch auswärtige Söldner, maßlose Bauleidenschaft der Pharaonen, unermeßliche Stiftungen zugunsten der Priesterschaft und Korruption der Beamtenschaft erschüttern die wirtschaftliche Lage und die Finanzkraft des Staates. Aufstände brechen aus, und die Staatsmacht geht auf libysche Söldnerführer über.

6 Im 3. Jahrtausend entwickeln die Ägypter die Hieroglyphenschrift. Papyros, Tinte und Rohrfeder sind seit 2500 bekannt. Die jährlichen Nilüberflutungen führen zur Beobachtung der Gestirne und zum Kalender mit dem Sonnenjahr. Die Ägypter verfügen über Kenntnisse in der Geometrie, ein ausgebildetes Maß- und Gewichtssystem und eine hochentwickelte Heilkunde.
Baukunst, Plastik und Malerei dienen zu einem erheblichen Teil dem Totenkult. Die Pyramiden von Giseh, die Totenstadt von Theben und riesige Tempelbezirke gehören zu den großartigsten Bauleistungen der Antike. Plastik und Malerei drücken nicht die Erscheinung, sondern das der Zeit enthobene Wesen des Dargestellten aus.

3 Vorderasien

Im Mittelpunkt der vorderasiatischen Geschichte stehen Mesopotamien mit Babylonien und Assyrien und später Syrien. Babylonien ist ein fast regenloses Alluvialland, das alljährlich nach der Schneeschmelze in den armenischen Gebirgen überschwemmt wird. Nach Abzug des Hochwassers trocknet der Boden aus. Wird jedoch das Wasser in Kanälen gespeichert, so entsteht fruchtbares Ackerland. Wie in Ägypten, so bietet auch hier die Natur Anreiz zur Staatenbildung. Assyrien liegt am Mittellauf des Tigris und ist hügelig bis bergig. Die geringen Niederschläge lassen nur bescheidenen Bodenertrag zu. Zwischen beiden Ländern liegt ein breiter Steppengürtel. Gemeinsam sind Babylonien und Assyrien weithin offene und ungeschützte Grenzen. Syrien verbindet Mesopotamien mit Ägypten. Weltgeschichtliche Bedeutung erhält es durch die Einwanderung der Israeliten.

um 3000	Stadtstaaten der Sumerer
3000—1000	Einwanderung semitischer Stämme in vier Wellen (Akkader, Amoriter, Kanaanäer, Aramäer)
um 2350	Sargon von Akkad gründet das erste Großreich
um 1700	Hammurabi in Babylon
vor 1100	Aufstieg der Assyrer
um 1000	Eroberung Palästinas durch die Israeliten
um 700	Höhepunkt des Assyrischen Reiches
612	Meder und Chaldäer zerstören das assyrische Reich
587	Eroberung Jerusalems durch Nebukadnezar
seit 550	Aufstieg des Perserreiches unter Kyros

1 Welches sind weltgeschichtliche Leistungen der Sumerer? 2 Worin liegt die Bedeutung Sargons von Akkad? 3 Welches sind die bedeutendsten Leistungen Hammurabis? 4 Welche Großreichbildung geht Ende des 2. Jahrtausends von Mesopotamien aus? 5 Welche semitischen Reiche bilden sich in Syrien und Palästina, und worin liegt ihre weltgeschichtliche Bedeutung? 6 Wie vollzieht sich der Aufstieg des Perserreiches?

1 Die Sumerer schaffen die Grundlagen der vorderasiatischen Kulturen. Sie erfinden eine Schrift, bilden die ersten Stadtstaaten, schaffen Bewässerungssysteme, richten Schulen ein, beobachten die Himmelsbewegung, berechnen die Zeit, errichten monumentale Kult- und Wehrbauten.

2 Der Ostsemit Sargon gründet um 2350 das erste Weltreich der Geschichte und bezeichnet sich als „Herrscher der vier Weltufer". Er fühlt sich nicht, wie die sumerischen Priesterfürsten, als Vertreter der Gottheit, sondern als Gott selbst. Unter seiner Regierung verbreitet sich die sumerisch-akkadische Kultur im ganzen Vorderen Orient. 200 Jahre nach seinem Tod zerfällt sein Reich in Kleinstaaten.

3 Hammurabi von Babylon einigt im 18. Jh. erneut das Zweistromland. Bedeutend sind seine Bemühungen um soziale Gerechtigkeit und um die Rechtspflege. Seine Gesetze läßt er auf einer Steinsäule aufzeichnen. Sie enthalten z. B. einen gewissen Rechtsschutz für Sklaven, fordern für die Eheschließung Urkunden; Grundsatz des Strafrechts ist „Auge um Auge" (Talion). Erst unter ihm wachsen Sumerer und Akkader zum Volk der Babylonier zusammen. Nach kurzer Blütezeit zerfällt sein Reich.

4 Das Assyrerreich dehnt sich seit 1100 v. Chr. vom Mittellauf des Tigris nach allen Seiten aus und vereinigt um 700 ganz Mesopotamien, Syrien und Ägypten.

5 Nach dem Zusammenbruch des Neuen Reiches von Ägypten wandern
a) semitische Aramäer in Syrien ein und gründen ein Reich mit dem Mittelpunkt Damaskus. Sie sind ein Handelsvolk, und ihre Sprache wird zur Verkehrssprache im Vorderen Orient. Ihre Sprache ist auch die Sprache Jesu.

b) Die Hirtenstämme der Israeliten dringen nach Kämpfen mit den Philistern in Palästina ein und können um 1000 unter ihrem König David Jerusalem erobern. 922 zerfällt das Reich in den nördlichen Teil Israel und in den südlichen Juda.
Die Bedeutung der Israeliten für die Weltgeschichte liegt in ihrem Glauben an den einen Gott (Jahwe), verbunden mit der Forderung nach absoluter Sittlichkeit im Dekalog.

c) Die an der Küste Syriens ansässigen Phöniker werden nach dem Zusammenbruch der Reiche der Hethiter, Achäer, Kreter und Ägypter zum wichtigsten Seefahrer- und Handelsvolk des Mittelmeeres. Es kommt jedoch zu keiner Reichsbildung; jede phönikische Hafenstadt bleibt ein selbständiger Stadtstaat. Die Phöniker gründen auch im westlichen Mittelmeer Handelsniederlassungen, deren wichtigste später Karthago wird. Sie sind Kulturvermittler im ganzen Mittelmeerraum. Sie vereinfachen die ägyptischen Hieroglyphen und schaffen die erste Konsonantenschrift. Von ihnen übernehmen die Griechen das Alphabet.

6 Der kometenhafte Aufstieg des Perserreiches dauert nur wenige Jahrzehnte. 550 v. Chr. schüttelt König Kyros II. (559—529) die Oberhoheit der Meder ab, 546 erobert er das Lyderreich des Königs Kroisos einschließlich der ionischen Städte, und 539 unterwirft er das Neubabylonische Reich. Sein Nachfolger Kambyses (529—522) gliedert 525 Ägypten seinem Reich ein. König Dareios I. (521—485) teilt das Reich in Satrapien (Statthalterbezirke) ein und verwandelt es in einen zentralistischen Beamtenstaat.

4 Die großen Wanderungen im 2. Jahrtausend

Kurz nach 2000 dringen indogermanische Völker in die Mittelmeerwelt vor. Während die altorientalische Geschichte in Mesopotamien und Ägypten mit einer Periode der Schwäche und inneren Wirren ausläuft, entstehen neben den alten Kulturen neue indogermanische Reiche. Eine Gegenbewegung semitischer Völker nutzt den Zusammenbruch der politischen Ordnungen und dringt in die Gebiete der alten Reiche ein. Die Auseinandersetzung der indogermanischen Völker mit der mittelmeerisch-orientalischen Welt beginnt. Charakteristisch für diese Zeit ist eine viel engere politische und kulturelle Verflechtung der Völker und Staaten als in dem vorhergehenden Jahrtausend.

Die um 1200 einsetzende Völkerverschiebung verändert das Gesamtbild der Mittelmeerwelt abermals. Ausgangspunkt dieser Wanderung ist die fast explosionsartige Ausdehnung der Illyrer von Ostmitteleuropa aus, die zahlreiche andere indogermanische Völker vor sich herschieben oder mitreißen. Alte Großmächte versinken; wieder wird eine semitische Wanderung ausgelöst, die zur Bildung kleinerer semitischer Reiche im Vorderen Orient führt.

seit 2000	1. indogermanische Wanderung
1800—1200	Hethiter in Kleinasien
seit 1600	Einwanderung der Arier nach Indien
um 1425	Eroberung Kretas durch die Achäer
	Blütezeit der kretisch-mykenischen Kultur
seit 1200	2. indogermanische Wanderung

1 *Was verstehen wir unter Indogermanen?* **2** *Welche indogermanischen Reiche entstehen durch die erste Wanderung?* **3** *Wie vollzieht sich die Bildung der frühgriechischen Fürstentümer?* **4** *Welches sind die Merkmale der mykenischen Kultur?* **5** *Wodurch unterscheiden sich die indogermanischen Herrscher von denen der altorientalischen Reiche?* **6** *Welche grundlegenden Veränderungen der Staatenkarte der Mittelmeerwelt erfolgen durch die dorische Wanderung?* **7** *Welche Bedeutung hat die zweite indogermanische Wanderung für die europäische Geschichte?*

1 Als Indogermanen oder Indoeuropäer bezeichnen wir das durch Sprachvergleich erschlossene Urvolk der indogermanischen Sprachfamilie. Zu deren östlichen Gruppe gehören Inder, Iranier (beide auch als Arier bezeichnet), Baltoslawen, zu deren westlichen Germanen, Kelten, Italiker und Griechen.

2 Durch die erste indogermanische Wanderung entstehen in Griechenland Fürstentümer, deren Kultur nach dem bedeutendsten Herrensitz von Mykene benannt wird. In Kleinasien bilden Eroberervölker mehrere Kleinstaaten, die später zum Reich der Hethiter zusammengeschlossen werden. Ein Teil der ostindogermanischen Gruppe der Arier dringt bis nach Indien vor, unterwirft die kulturell hochstehende Urbevölkerung und gründet verschiedene Stammesfürstentümer; ein anderer Teil dieser Gruppe, die Meder und Perser, siedelt im nordöstlichen Mesopotamien, erlangt aber erst tausend Jahre später Bedeutung.

3 Nach 2000 brechen die indogermanischen Stämme der Ionier und Achäer in mehreren Wellen in Griechenland ein, unterwerfen die vorgriechische Bevölkerung der frühhelladischen Kultur und gründen Fürstentümer wie Mykene, Tiryns, Orchomenos, Athen, Pylos. Diese mykenischen Perioden dauern etwa von 1600—1200 v. Chr. Die Handelsbeziehungen der Achäer reichen weit. Auf den Inseln der südlichen Ägäis gründen sie Niederlassungen. Um 1425 v. Chr. erobern sie Kreta.

4 Die mykenische Kultur ist eine Mischkultur aus indogermanischen und mittelmeerischen Elementen. Starke Beeinflussung erfährt sie besonders von Kreta. Die gewaltigen, von kyklopischen Mauern umgebenen Herrenburgen von Mykene und Tiryns zeugen noch heute von der Macht der Herrschergeschlechter. Die rechteckigen Königshallen (Megaron) im Innern sind mit Fresken nach kretischem Vorbild geschmückt. Die Toten werden in Kuppelgräbern aus überkragenden Steinen bestattet (Schatzhaus des Atreus in Mykene). Die wirksamste Waffe der ritterlichen Kämpfer ist der Streitwagen. In der Ilias lebt die Erinnerung an die Macht der mykenischen Fürsten fort.

5 Bei den von einer indogermanischen Herrenschicht regierten Reichen der Achäer und Hethiter ist der König weder ein Gott noch ein Beauftragter der Götter oder Priesterfürst, sondern der Oberherr des Adels. Er wohnt nicht in einer Tempelstadt, sondern auf einer stark befestigten Burg, umgeben von seiner adeligen Gefolgschaft.

6 Die dorische Wanderung ist die für Griechenland entscheidende Teilbewegung der 2. indogermanischen Wanderung. Nordwestgriechen und Dorer fallen in Griechenland ein und unterwerfen die frühgriechische Bevölkerung der Achäer, während sich die Ionier in Attika behaupten können. Zur gleichen Zeit vernichten thrakisch-phrygische Stämme das Hethiterreich. Sie gründen in Westkleinasien das phrygische Reich, das um 700 von dem Lyderreich abgelöst wird.
Gegen Ende des 2. vorchristl. Jahrtausends dringen latino-faliskische Stämme in Italien ein, denen wenig später die umbro-sabellischen Völkerschaften folgen.

7 Ergebnis der zweiten indogermanischen Wanderung ist die Besiedelung Griechenlands, Westkleinasiens und Italiens durch indogermanische Völkerschaften. Damit ist die Grundlage der griechischen und römischen Geschichte geschaffen. Es beginnt die von Indogermanen bestimmte Epoche der Geschichte.

5 Grundlagen der griechischen Geschichte

Griechenland ist durch Gebirge in viele Kleinlandschaften aufgeteilt. Größere anbaufähige Flächen finden sich nur in Thessalien, Böotien, Lakonien und Messenien. Das Meer, das in vielen Buchten tief in das Land eindringt, verbindet die Landschaften und ihre Bewohner und lockt zur Seefahrt. Die Inselgruppen der Ägäis bilden eine Brücke zur Westküste Kleinasiens. Die Ägäis wird dadurch zum griechischen Binnenmeer.

Die kantonale Gliederung des Landes und das Verlangen seiner Bewohner nach einem überschaubaren, individuell gestalteten Staatswesen führen zur Entstehung der Polis als der eigentlich griechischen Staats- und Lebensform. So ist die griechische Geschichte nicht die Geschichte eines Reiches, sondern die einer Staatenwelt, deren Glieder teils miteinander, teils nacheinander historische Bedeutung erlangen.

ca. 2000—1200	Frühgriechische Zeit
1100—500	Griechisches Mittelalter
500—404	Blütezeit Griechenlands — Klassik
404—338	Zeit des Niedergangs
338—146	Zeit des Hellenismus

1 *Wodurch sind die Epochen der griechischen Geschichte gekennzeichnet?* **2** *Wie wandelt sich die politische Ordnung der Griechen im Laufe ihrer Geschichte?* **3** *In welchen Räumen siedeln die im Verlauf der dorischen Wanderung eindringenden Stämme der Dorer und Nordwestgriechen?* **4** *Welche Landschaften verbleiben den Frühgriechen oder werden von ihnen neu gewonnen?* **5** *Welche Tatsachen lassen das Griechentum als kulturelle und geistige Einheit erscheinen?* **6** *Welche gemeinsamen Festspiele halten die Griechen ab?* **7** *Welche Vorstellungen haben die Griechen von ihren Göttern?*

1 Die frühgriechische Epoche von der Einwanderung der Ionier und Achäer bis zur dorischen Wanderung ist durch die kretisch-mykenische Kultur gekennzeichnet. In den ersten Jahrhunderten des griechischen Mittelalters bildet sich ein verhältnismäßig einheitliches griechisches Volkstum, und es entsteht eine differenzierte Staatenwelt in Griechenland, Kleinasien und auf den Inseln. Zwischen 750 und 500 gründen die Griechen an den Küsten Unteritaliens, Siziliens, der nördlichen Ägäis, des Schwarzen Meeres und sogar Südfrankreichs und Ägyptens Kolonialstädte. Im 5. vorchristl. Jh. erlebt Griechenland nach der Abwehr der Perser seine Blütezeit. Das 4. Jh. bringt nach Athens Zusammenbruch am Ende des Peloponnesischen Krieges (404) die wechselnde Vorherrschaft Spartas und Thebens, bis 338 bei Chäronea Griechenland Philipp von Makedonien unterliegt. Die Zeit von 338—146 ist eine Epoche der Wirren und der Auflösung der griechischen Staatenwelt.

2 In der Frühzeit üben Stammeskönige die öffentliche Gewalt aus (Monarchie). Bald gewinnt der Adel immer mehr Einfluß auf die Regierung (Aristokratie). Gleichzeitig zerfallen die alten Stammesgemeinschaften in viele Stadtstaaten. Verschiedentlich gelingt es einzelnen Adeligen, sich zu Herren einer Stadt aufzuschwingen (Tyrannis). Als während der Perserkriege die politisch minderberechtigten Schichten wesentlich zum Sieg beitragen, erringen sie in vielen Städten entsprechende Beteiligung an den Staatsgeschäften (Demokratie).

3 Hauptsiedlungsräume der Dorer sind die peloponnesischen Landschaften Lakedämonien, Messenien, Argolis und das Gebiet von Korinth. Als immer neue Gruppen von Norden nachdrängen, besiedeln dorische Kolonisten Kreta und Rhodos und die Gegend von Halikarnass an der kleinasiatischen Küste. Die nordwestgriechischen Stämme besetzen Ätolien, Teile von Thessalien und Böotien und auf der Peloponnes Elis und Achaia.

4 Die frühgriechische Bevölkerung der Achäer zieht sich ins unzugängliche Bergland von Arkadien zurück; die mit ihnen verwandten Äoler werden an die nordostgriechische Küste gedrängt und kolonisieren die Nordhälfte der kleinasiatischen Westküste und die Insel Lesbos. Die Ionier behaupten sich in Attika und Euböa und besiedeln die Südhälfte der kleinasiatischen Küste sowie die meisten Inseln der Ägäis.

5 Die relative Geschlossenheit der griechischen Bevölkerung, verwandte Lebensgewohnheiten und Denkformen, gemeinsame Götter, Kulte, Nationalheiligtümer und Festspiele, die Ausbildung gemeinsamer sittlicher und künstlerischer Ideale, gleichartige Ausdrucksformen in Architektur, Malerei, Plastik und Kunsthandwerk lassen das Griechentum als kulturelle Einheit erscheinen. Sie selbst besitzen das Bewußtsein gemeinsamer Abstammung und kultureller Zusammengehörigkeit. Sie bezeichnen sich als Hellenen im Gegensatz zu den Barbaren, d. h. allen, die nicht griechisch sprechen.

6 Die bedeutendsten Spiele finden alle vier Jahre zu Ehren des Zeus in Olympia statt. Während der Festzeit herrschen Waffenruhe und freies Geleit. Seit 776 ist die Zeitrechnung nach Olympiaden die allgemeine Chronologie der Griechen. Apollon wird in Delphi durch die Pythischen, Poseidon bei Korinth durch die Isthmischen Spiele gefeiert. Für Zeus werden in der Argolis die Nemeischen Spiele abgehalten.

7 Die Götter der Griechen sind menschengestaltig, fühlen wie Menschen und haben wie diese gute und böse Eigenschaften. Sie können hilfreich und gütig sein oder die Menschen verblenden und ins Unheil stürzen. Ihre Unsterblichkeit erhebt sie über die Menschen. Die Epen Homers haben wesentlich zur Vereinheitlichung der griechischen Götterwelt beigetragen. Dort werden die Hauptgottheiten auf den Olymp um den Göttervater Zeus gruppiert und ihr Wesen und ihre Funktion festgelegt.

6 Die Ausbreitung der Griechen

Die Ausbreitung der Griechen dauert von der dorischen Wanderung bis in die Zeit des Hellenismus. Dabei heben sich drei Phasen deutlich voneinander ab. Die erste: die griechischen Stämme sind Träger der Wanderungsbewegung. Sie besiedeln unter dem Druck nachdrängender Einwanderer die Inseln der Ägäis und die kleinasiatische Küste. Um 800 sind die Landnahme der griechischen Stämme und die Bildung des griechischen Volkes abgeschlossen. Die zweite Phase, 750—550, wird als eigentliche griechische Kolonisation bezeichnet. Griechische Städte gründen fast an allen Küsten des Mittelmeeres und des Schwarzen Meeres Tochterstädte. Es handelt sich dabei um planmäßige Aktionen der griechischen Poleis. Führend ist das kleinasiatische Ionien. Milet gründet mehr als 80 Kolonien. Die dritte Phase der Ausbreitung wird durch Alexander eingeleitet. Hier ist der König Träger der Aktion, und militärische und machtpolitische Gesichtspunkte treten bei der Städtegründung in den Vordergrund.

seit 800	Entstehung der Polis
um 750	Homers Ilias
um 750—550	Griechische Kolonisation
seit 600	Ionische Naturphilosophie

1 *Was verstehen wir unter einer Polis?* **2** *Welches sind die Ursachen der griechischen Kolonisation?* **3** *Wodurch unterscheiden sich die neu gegründeten Kolonialstädte von den Städten des Mutterlandes?* **4** *In welcher Form vollzieht sich die Gründung einer Kolonie, und in welchem Verhältnis steht diese dann zur Mutterstadt?* **5** *Wodurch wird die Ausbreitung der Griechen beendet?* **6** *Welches sind die Ergebnisse der griechischen Kolonisation auf politischem, wirtschaftlichem, sozialem und kulturellem Gebiet?*

1 Die Polis entwickelt sich zuerst im kleinasiatischen Ionien, wo sich Siedler um einen mauerbewehrten Burghügel (Akropolis) herum niederlassen. Diese städtische Siedlungsform wird zum Vorbild im ganzen griechischen Raum. Die Polis ist eine Lebensgemeinschaft freier Menschen, von denen jeder für die Gemeinschaft verantwortlich ist. Sie formt Geist und Charakter ihrer Bürger und ist nach Ansicht der Griechen der einzige Rahmen, in dem der Mensch seine geistigen und sittlichen Anlagen voll zur Entwicklung bringen kann. Freiheit nach außen (eleutheria) und Freiheit im Innern (autonomia), verbunden mit wirtschaftlicher Unabhängigkeit (autarkeia), sind die Merkmale der Polis.

2 Anfangs sind Übervölkerung der heimischen Polis und der Drang, neuen Lebensraum zu gewinnen, Hauptursachen der Kolonisation. Die Tatsache aber, daß hauptsächlich Handelszentren (Milet, Phokaia, Korinth,

Megara) Kolonien gründen, beweist, daß handelspolitische Erwägungen bald mindestens ebenso wichtig werden wie der Gewinn von Ackerland. Als die phönikischen Städte unter assyrische Oberhoheit geraten und als Handelszentren ausscheiden, treten die Griechen deren Nachfolge an. Verschiedentlich verursachen auch innerpolitische Auseinandersetzungen, daß unzufriedene Bürger ihre Polis verlassen und eine Kolonie gründen.

3 Während die Städte im Mutterland durch die geographischen Gegebenheiten im Wachstum eingeengt sind, eröffnen sich den Siedlern in Unteritalien und Sizilien neue Räume mit fast unbegrenzten Möglichkeiten. Großgriechenland — so nennen die Kolonisten Süditalien stolz. Das Schwarze wird zum „gastlichen" Meer; hier vermitteln ionische Kolonien den Handel bis zur Ostsee, von Asien zum Mittelmeer. Durch die Fruchtbarkeit des Bodens und günstige Handelsmöglichkeiten entstehen Großstädte, die die Städte des Mutterlandes an Reichtum und Bevölkerungszahl weit übertreffen.

4 Vor Aussendung der Kolonisten fragt die Mutterstadt das Delphische Orakel um Rat, wo die Neugründung angelegt werden soll. Die Siedler führen Feuer vom heiligen Herd ihrer Stadt und den heimischen Kult mit in die Fremde. Die Tochterstadt wird eine völlig unabhängige Polis, die nur durch verwandtschaftliche Beziehungen und durch Ausübung des gleichen Kultes zu der Mutterstadt in einem Freundschaftsverhältnis steht. Sie darf niemals gegen diese Krieg führen.

5 Durch das Vordringen der Perser nach der kleinasiatischen Küste (um 550) und durch den Zusammenschluß der Karthager und Etrusker gegen die Griechen im westlichen Mittelmeer (um 540) wird eine weitere Ausbreitung verhindert.

6 Durch die koloniale Ausbreitung beherrschen die Griechen das gesamte östliche Mittelmeer. Die Struktur der griechischen Wirtschaft ändert sich dadurch grundlegend. Infolge billiger Getreideeinfuhren stellen sich die Grundbesitzer auf die Produktion von Wein und Öl um, während die Kleinbauern verarmen. Handel und Gewerbe blühen auf, Geldwirtschaft verdrängt die Tauschwirtschaft. Mit wachsendem Reichtum verlangen Handwerker, Kaufleute und Unternehmer auch politische Gleichberechtigung, zumal im Kriegsfall nicht mehr der adelige Ritter, sondern die Phalanx der Hopliten entscheidet. Die sozialen Spannungen innerhalb der Polis wachsen weiter durch die Ausbreitung der Sklaverei, die Unternehmern große Gewinne bringt. Die Kolonisation macht die Griechen mit den alten Kulturen bekannt. Daraus erwachsen die Grundlagen des abendländischen Denkens und der Wissenschaften (z. B. Ionische Naturphilosophie). Aus dieser Zeit stammen die homerischen Epen (Ilias, Odyssee).

7 Der Aufstieg Spartas und Athens

Lakonien, das Land der Spartaner, ist die fruchtbare Eurotasebene zwischen den steil aufragenden Bergketten des Taygetos und des Parnon im Südosten der Peloponnes. Die Hauptstadt Sparta umfaßt vier und später fünf dörfliche Siedlungen ohne Mauern. Wesensmerkmale der Spartaner sind Hingabe an den Staat, konservative Haltung und eine immer stärkere Abschließung gegen fremde Einflüsse.

Lebensraum der Athener ist die Halbinsel Attika, die infolge ihrer vielen Berge wenig landwirtschaftlichen Nutzen bietet. Athen liegt am Fuße der Akropolis, die seit mykenischer Zeit Sitz des Herrschers ist. Den anbaufähigen Boden besitzen fast ausschließlich die Adelsfamilien. Die Bevölkerung besteht aus frühgriechischen Ioniern, die sich mit den kulturell hochstehenden vorgriechischen Bewohnern des Landes vermischt haben. Geistige Beweglichkeit, Aufgeschlossenheit und künstlerische Begabung sind die Wesenszüge des ionischen Menschen.

um 900	Gründung Spartas
um 760	Die sagenhafte Verfassung des Lykurg in Sparta
um 720	Eroberung Messeniens
seit 550	Spartas Vormachtstellung — Peloponnesischer Bund
nach 1000	Politische Einigung Attikas unter Königen
621	Aufzeichnung des Rechtes durch Drakon
594	Reformen Solons
561—510	Tyrannis des Peisistratos und seiner Söhne
507	Verfassung des Kleisthenes

1 In welche Klassen gliedert sich die Bevölkerung Lakoniens? Wie kommt es zu dieser Gruppierung? *2 Was kennzeichnet die spartanische Lebensform? Woraus erklärt sich ihre Entstehung und Lebensdauer?* *3 Welche Verfassungseinrichtungen üben die Staatsgewalt in Sparta aus?* *4 Wie wird Sparta zur Vormacht auf der Peloponnes?* *5 Welche Verfassungsänderungen erfährt Athen bis zu den Perserkriegen?* *6 Welche Aufgaben erfüllen die athenischen Staatsorgane um 500 v. Chr.?*

Die Bevölkerung Lakoniens besteht aus den Spartiaten, die die grundbesitzende Herrenschicht bilden, den Periöken (Umwohnenden), die das Land an den Gebirgsrändern bebauen, persönlich frei sind und Kriegsdienst leisten, und den Heloten, die als Staatssklaven das Land der Spartiaten bebauen und die Hälfte des Ertrags abliefern müssen.

Diese Gliederung ist eine Folge der dorischen Wanderung und der langen kriegerischen Auseinandersetzung zwischen Einwanderern und frühgriechischer Bevölkerung.

Die Kriegerkaste der Spartiaten kennt kaum ein Privatleben. Staatliche Kindererziehung, ordensartiger Zusammenschluß der Männer mit gemeinsamen Mahlzeiten und ständige Waffenübung und Wehrbereitschaft lassen keinen Raum für bedeutende kulturelle Leistungen. Ideale sind körperliche Tüchtigkeit, Ausdauer und Tapferkeit, Einfachheit und Bedürfnislosigkeit, Ehrfurcht vor dem Alter, Gehorsam und Hingabe an den Staat. Diese Lebensform entsteht aus den jahrhundertelangen Kämpfen der Einwanderer gegen die Frühgriechen. Sie wird erhalten durch die Notwendigkeit, eine große Zahl von Heloten niederzuhalten.

3 Ein ursprünglich bestehendes Doppelkönigtum verliert im Laufe der Zeit an Einfluß. Ihm verbleiben nur: Oberbefehl im Kriege, Vorsitz im Rat der Alten und priesterliche Funktionen. Die Staatsführung geht in die Hände der jährlich gewählten 5 Ephoren über. Daneben bestehen der Rat der Alten (Gerusia — 28 Männer über 60 Jahre alt — auf Lebenszeit zu Geronten gewählt), der die Gesetze vorbereitet, und die Volksversammlung (Heeresversammlung der Spartiaten), die über diese Gesetze, Beamtenwahl, Staatsverträge, Krieg und Frieden entscheidet.

4 Sparta erobert in zwei Kriegen (um 730 und um 630) ganz Messenien. Die Besiegten wandern nach Sizilien (Messina) aus oder werden zu Heloten der Spartaner. Im 6. Jh. zwingt Sparta seine Nachbarn Arkadien, Argos und Korinth zur Heeresfolge und übt durch den von ihm gegründeten Peloponnesischen Bund die Hegemonie über die ganze Peloponnes aus.

5 Im 7. Jh. geht auch in Athen die Regierungsgewalt vom Königtum (Monarchie) über auf den Adel, d. h. auf neun adelige Archonten. Der Areopag, ein Rat aus ehemaligen Archonten gebildet, wacht über die Staatsverwaltung und übt die Blutgerichtsbarkeit aus (Aristokratie). 621 erzwingt das Volk die Aufzeichnung der Gesetze durch Drakon. 594 stellt Solon die Rechtsgleichheit der Bürger durch Aufhebung der Schuldknechtschaft wieder her. Allen Bürgern steht Teilnahme an der Volksversammlung und Wahl in die Geschworenengerichte offen. Die öffentlichen Ehrenämter bleiben jedoch den wohlhabenden Bürgern vorbehalten (Timokratie). Mit Hilfe der Kleinbauern errichtet Peisistratos um 550 die Tyrannis. Durch Verbannung seiner adligen Gegner fördert auch er indirekt die Demokratie. Kleisthenes reformiert schließlich die Verfassung im demokratischen Sinn, errichtet den Rat der 500, dessen Mitglied nun jeder Freie werden kann, und führt das Scherbengericht ein, das durch Verbannung auf Zeit das Entstehen einer Alleinherrschaft verhindern soll (Demokratie).

6 Volksversammlung: Gesetzgebung, Beamtenwahl, Überwachung der Verwaltung, wichtige politische Entscheidungen.
Rat der 500: Erledigung der laufenden Geschäfte.
9 Archonten: Kultische und juristische Funktionen.
Areopag: Blutgericht, Oberaufsicht über die Staatsverwaltung.

8 Die Perserkriege

Das Perserreich (begründet von König Kyros II. d. Gr., 559—529) ist mit fünfeinhalb Millionen Quadratkilometern Ausdehnung das größte Weltreich der Antike. Es reicht vom Indus bis nach Thrakien und nach Ägypten. König Dareios (521—485) schafft einen strafforganisierten Beamtenstaat, indem er das Reich in Provinzen einteilt, die von Satrapen verwaltet werden, ohne daß aber die lokale Selbstverwaltung der kleinasiatischen Griechenstädte angegriffen wird.

Griechenland mit dreißigtausend Quadratkilometern und seinen vielen völlig selbständigen Poleis ist für Persien im Grunde kein ernstzunehmender Gegner. Daß es trotzdem siegt, ist ein Triumph der Polis, d. h. der Idee der Freiheit, der Opferbereitschaft und der Hingabe an eine Staats- und Lebensform.

Gleichzeitig mit dem Sieg der Griechenstädte des Mutterlandes über die Perser schlagen die westgriechischen Kolonien Siziliens das vielfach überlegene Heer der Karthager, der stärksten Macht des westlichen Mittelmeeres.

500—494	Ionischer Aufstand — Zerstörung Milets
490	Rachezug der Perser — Marathon
480—479	Der große Perserkrieg — Thermopylen, Salamis, Platää
480	Sieg der Westgriechen bei Himera
477	Attisch-delischer Seebund
448	Kalliasfriede mit den Persern

1 *Welches ist der Anlaß der Perserkriege?* 2 *In welchen Etappen verläuft die Auseinandersetzung zwischen Persern und Griechen?* 3 *Welches sind die Ursachen des Kampfes der Westgriechen gegen Karthago?* 4 *Welche Lage schafft der Kalliasfriede?* 5 *Welche Bedeutung haben die Siege von Salamis, Platää und Himera?* 6 *Was stellt der attisch-delische Seebund zur Zeit der Gründung dar?* 7 *Wozu führt der Hegemonieanspruch Athens?*

1 Die ionischen Griechen nützen einen unglücklichen Kriegszug des Dareios gegen die Skythen aus und erheben sich gegen die persische Oberhoheit. Sie können zwar Sardes, den Sitz des Satrapen, erobern, werden aber dann geschlagen, weil die Unterstützung aus dem Mutterland ausbleibt. Da Athen und Eretria den ionischen Aufstand zeitweilig mit wenigen Schiffen unterstützt haben, beauftragt Dareios den Feldherrn Mardonios, eine Strafexpedition gegen Griechenland zu unternehmen.

2 Beim ersten Zug (Mardonios) wird die persische Flotte 492 am Athos durch Sturm vernichtet. — 490 schlagen die Athener unter Miltiades die Perser bei Marathon. — 480 naht Xerxes mit einem großen Heer und einer Flotte. Der Spartaner Leonidas versucht vergeblich, ihn an den Thermopylen aufzuhalten. Nun opfern die Athener ganz bewußt ihre

Stadt, und Themistokles besiegt die persische Flotte bei Salamis. Das Landheer wird bei Plataä von Griechen aus 31 Städten geschlagen. — Im Angriffskrieg des attisch-delischen Seebundes unter der Führung Athens erringen die Griechen den Doppelsieg am Eurymedon (467).

3 Wie Persien im Osten, so wird die phönikische Kolonie Karthago während des 6. Jh. zur beherrschenden Großmacht im westlichen Mittelmeer. Um die griechische Konkurrenz zu beseitigen, schließt sie sich mit den Etruskern zusammen. Anlaß des Krieges ist Karthagos Eingreifen in innergriechische Streitigkeiten auf Sizilien. Das riesige karthagische Heer wird von Gelon von Syrakus bei Himera vernichtend geschlagen (480).

4 Der sog. „Kalliasfriede" (448) legt fest, daß Persien seine Souveränität über die kleinasiatischen Griechen nicht ausübt, seine Flotte von der Ägäis und sein Landheer vom ionischen Küstengebiet fernhält. Damit haben die Griechen ihre Freiheit bewahrt.

5 Die Siege über Perser und Karthager bringen den Griechen die beherrschende Stellung im Mittelmeer. Während Sparta defensiv bleibt, geht Athen zum Angriffskrieg gegen die Perser über; es beherrscht nun als Seemacht an der Spitze des attisch-delischen Seebundes die Ägäis. Auf Sizilien wird das reiche Syrakus Vormacht des Griechentums. Für die griechische Kultur folgt eine zwar kurze, aber glanzvolle Blütezeit auf allen Gebieten. Die Polis, die im Kampf ihre Bewährungsprobe bestanden hat, bringt nun Kunstwerke hervor, die beispielhaft für das Abendland werden.

6 Der attisch-delische Seebund geht hervor aus einer Vereinigung autonomer, im Kampf gegen die Perser zusammengeschlossener Poleis. Er wird 477 von Athen und den ionischen Städten gegründet, besitzt Bundesbehörden und einen regelmäßig auf Delos tagenden Bundesrat. Die Mitglieder verpflichten sich zu jährlichen Beiträgen oder zur Stellung von Schiffen. Bald umfaßt der Bund fast alle Griechenstädte der Ägäis. Er stellt die größte politische Organisation der Griechen dar.

7 Athen, das durch seine starke Flotte Vormacht im Bunde wird, baut diese Stellung ständig aus. Perikles drängt den meisten Bundesmitgliedern demokratische Verfassungen nach athenischem Muster auf, schafft durch Einführung des attischen Münz-, Maß- und Gewichtssystems ein einheitliches Wirtschaftsgebiet, läßt athenische Kolonien gründen und zwingt die Bundesgenossen, in Rechtssachen die Geschworenengerichte in Athen anzurufen. Den Bundesschatz läßt er von Delos nach Athen bringen und verfügt darüber zur Durchführung seiner Bauprojekte. Die Beitragsleistungen der Bündnispartner bekommen den Charakter von Tributen. Abtrünnige Mitglieder werden hart bestraft. So verwandelt sich die ehemals freie Konföderation in ein attisches Reich.

9 Das Zeitalter des Perikles

In der Zeit zwischen den Siegen über die Perser bis zur Niederlage im Peloponnesischen Krieg erreicht Athen auf allen Gebieten seine großartigste Blüte. Perikles, der in den Jahren von 449-429 weniger durch die Ämter, die er bekleidet, als vielmehr durch die Macht seiner Persönlichkeit die Geschicke der attischen Großmacht leitet, gibt der Epoche den Namen „Perikleisches Zeitalter". Er ist der Vollender der demokratischen Verfassung und der Anreger unsterblicher Kunstschöpfungen.

462—429	Blütezeit Athens unter Perikles
462	Sturz des Areopags — Aufbau eines attischen Reiches
seit 447	Ausgestaltung der Akropolis
399	Tod des Sokrates

1 Welche Verfassungsänderungen führen während des 5. Jh. in Athen zur Vollendung der Demokratie? Worauf sind sie zurückzuführen? 2 Welche Gefahren bringt die radikale Demokratisierung des politischen Lebens Athens? 3 Welches sind die bedeutendsten Bauwerke, die unter Perikles entstehen? 4 Was wissen wir über die Entstehung der attischen Tragödie? Welche Entwicklung nimmt sie von Aischylos bis Euripides? 5 Wer sind die Hauptvertreter der Philosophie im Perikleischen Zeitalter, und worin liegt ihre Bedeutung? 6 Welche großen Historiker schaffen im Athen des 5. Jh.? Wodurch sind ihre Werke gekennzeichnet?

1 Die Siege Athens über die Perser sind nicht allein ein Verdienst des Adels und der Großbürger, aus denen sich Reiterei und Hopliten rekrutieren, sondern auch der ärmeren Volksschichten, die als Schiffsbesatzungen Dienst leisten. Daher verlangt die Volkspartei unter Ephialtes und dann Perikles für sie gleiche politische Rechte. 462/461 werden dem Areopag alle politischen Befugnisse entzogen und auf Volksversammlung, Volksgerichte und den Rat der Fünfhundert übertragen. Ratsmitglieder und Richter erhalten Tagegelder (Diäten) als Ersatz für Verdienstausfall. Seit dieser Zeit entstammen die Jahresbeamten allen Volksschichten.

2 Ehrgeizigen Politikern gelingt wiederholt, die Volksversammlung durch Beredsamkeit zu verhängnisvollen Beschlüssen hinzureißen (Kleon, Alkibiades). In dieser Zeit erhält das Wort „Demagoge" (ursprünglich der politische Führer im Gegensatz zum Strategen) seine Zweideutigkeit.

3 Der Parthenon — 447 von Iktinos geplant und in knapp zehnjähriger Bauzeit von Kallikrates vollendet. Das Gold-Elfenbein-Standbild im Innern ist von Pheidias; Giebelfelder, Fries und Metopen von seinen Schülern. Die Propyläen — die monumentale Eingangshalle zur Götterburg — werden 437—432 von Mnesikles geschaffen.

Das Erechtheion — ein Heiligtum der Athene und des Poseidon; die Korenhalle und der Niketempel werden in den schweren Jahren des Peloponnesischen Krieges errichtet.

4 Die Tragödie hat ihren Ursprung in den seit Peisistratos zu Ehren des Gottes Dionysos veranstalteten kultischen Feiern.

Aischylos (525—456) schildert aus religiöser Überzeugung das Eintreten der Götter für das Recht und die Bestrafung der Frevler. Seine Orestie ist die einzige vollständig erhaltene Trilogie der Antike.

Sophokles (497–406) läßt den Chor zurücktreten und stellt ihm drei Schauspieler gegenüber. Auch er ist erfüllt von dem Glauben an die Götter, zu deren Verehrung er mahnt.

Euripides (etwa 480–406) gehört dem Ausgang der perikleischen Zeit an. Bei ihm werden die sittlichen Begriffe, die Bedeutung des Kultes, das Wesen der Götter und die Natur der Menschen zum Problem. Er entdeckt die Leidenschaften und das Böse in der menschlichen Seele.

5 Um die Mitte des 5. Jh. treten in Athen Lehrer auf, die gegen Geld Unterricht erteilen. Sie nennen sich Sophisten, d. h. Weisheitslehrer. Ihr Ziel ist, die Schüler durch rhetorische Schulung zu befähigen, in der Volksversammlung erfolgreich aufzutreten. Die bedeutendsten Vertreter der Sophistik sind Gorgias aus Leontinoi und Protagoras aus Abdera. Protagoras lehrt, daß der Mensch das Maß aller Dinge sei und daß es keine absolute Wahrheit gebe. Die Verdienste der Sophisten sind die Förderung der Jugendbildung und der Ausbau der Einzelwissenschaften. Die Gefahr der Sophistik liegt in der Ablehnung absoluter Wahrheit und damit einer absoluten Ethik. Die bisherigen Bindungen an Religion, Staat und Gesellschaft werden zerstört. Ehrgeizige, nach Macht strebende Menschen finden in ihr den philosophischen Freibrief ihres Handelns.

Gegen die Sophisten tritt Sokrates (470—399) auf, der den zerstörenden Einfluß auf Staat und Gesellschaft erkennt. Er zwingt seine Zuhörer durch Gespräche zur Überprüfung ihrer Begriffe vom Guten, Schönen oder Gerechten. Sokrates bedient sich zwar der dialektischen Methode der Sophisten, ist sich aber der Grenzen des menschlichen Wissens bewußt. Er wird 399 zum Gifttod verurteilt.

6 Herodot, der „Vater der Geschichtsschreibung", zeichnet die Geschichte vieler Völker auf. Seine Leitidee ist die Darstellung des Kampfes zwischen Europa und Asien. Dem persischen Expansionsdrang stellt er die Idee der Freiheit entgegen und sieht in den Siegen der Griechen weltgeschichtliche Wendepunkte. Recht und Vergeltung beherrschen seine Geschichtsschreibung und verleihen ihr den tiefen, sittlichen Ernst.

Thukydides nimmt zu den Berichten über geschichtliche Ereignisse Stellung und wird zum Begründer der historischen Kritik. In seiner Geschichte des Peloponnesischen Krieges werden erstmals äußere Anlässe und tiefere Ursachen, die gestaltenden und zerstörenden Kräfte und der Kausalzusammenhang historischer Ereignisse aufgezeigt.

10 Der Peloponnesische Krieg

Die Seemacht Athen gerät durch gesteigerten Expansionsdrang und rücksichtslose Umgestaltung des Seebundes zu einem attischen Reich in Gegensatz zur Landmacht Sparta, denn nach den Perserkriegen hat der Bund im Grunde seine Berechtigung verloren. Schon 458—446 kommt es zu einer ersten kriegerischen Auseinandersetzung zwischen Athen und Sparta, die mit einem 30jährigen Waffenstillstand endet. Dies beseitigt aber nicht den Dualismus zwischen den beiden Mächten. Noch vor Ablauf der Frist bricht der Kampf um die Hegemonie in Griechenland erneut los und wird zum „30jährigen Krieg der Antike". Er endet mit der Niederlage Athens und führt abermals zum Eingreifen der Perser in griechische Verhältnisse. Sparta kann die Vorherrschaft in Griechenland nicht halten, da seine Kriegerzahl ständig absinkt. Ein Versuch Thebens, die Hegemonie zu erringen, scheitert ebenso wie die Neugründung des Attischen Seebundes durch Athen. Das Streben einer Polis nach Herrschaft über andere Städte bedeutet Verrat am griechischen Freiheitsideal und ist daher zum Scheitern verurteilt.

431—404	Peloponnesischer Krieg
429	Perikles stirbt an der Pest
421	Nikiasfriede
415—413	Sizilische Expedition Athens
404—386	Vorherrschaft Spartas
386	Königsfriede
371—362	Vorherrschaft Thebens durch den Sieg bei Leuktra
362	Epaminondas Sieg und Tod bei Mantinea

1 *Welche Gegensätze bestimmen Athens Verhältnis zu Sparta?* 2 *Welches sind die Anlässe des Peloponnesischen Krieges?* 3 *Was kennzeichnet die Abschnitte des Krieges?* 4 *Worauf zielt die sizilische Expedition, und zu welchen Ergebnissen führt sie?* 5 *Welches sind Ursachen und Folgen der Niederlage Athens?* 6 *Welche Bedeutung hat der Königsfriede?* 7 *Woran scheitern die spartanische und thebanische Hegemonie?*

1 Athen ist die demokratisch regierte, fortschrittlich gesinnte Hauptstadt des attisch-delischen Seebundes. Seine wirtschaftliche Stärke gründet sich auf blühenden Handel, auf eine starke Flotte, die die Ägäis beherrscht, und auf die finanziellen Leistungen der Bundesmitglieder. Sein Bestreben bleibt Ausweitung des Machtbereiches.
Sparta ist das aristokratisch-konservative Haupt des Peloponnesischen Bundes. Als Agrarstaat ist es zwar finanziell schwach, verfügt aber über ein starkes Heer. Sein Ziel ist, die stärkste Landmacht zu bleiben.

2 Athen nimmt Korkyra, eine Tochterstadt Korinths, in den Seebund auf. Korinth unterstützt dafür Potideia beim Abfall von Athen. Als Athen dem dorischen Megara alle attischen Häfen sperrt, drängt Korinth Sparta zum Krieg.

3 Der Archidamische Krieg (431—421): Athens Flotte blockiert die Peloponnes; die Spartaner verwüsten Attika. Trotz des großen Bevölkerungsverlustes infolge der Pest, der auch Perikles zum Opfer fällt, erringen die Athener mehrfach Erfolge. Als Sparta jedoch Amphipolis erobert, kommt es 421 zum Nikiasfrieden.

Die sizilische Expedition (415—413): Alkibiades gewinnt die radikaldemokratischen Kreise für eine Belagerung von Syrakus, um die athenische Herrschaft auch im westlichen Mittelmeer aufzurichten. Das Ende ist eine vernichtende Niederlage.

Der Dekeleische Krieg (413—404): Die Spartaner setzen sich in Dekeleia nördlich Athens fest. Von dort aus gelingt mit persischer Unterstützung die Einnahme Athens.

4 Die Sizilische Expedition soll die Macht Athens auf den unteritalisch-sizilischen Raum ausweiten, Sparta von Westen her durch Eroberung des dorischen Syrakus umfassen und Karthago schwächen. Die Folgen dieser übersteigerten Pläne sind schwer: die attische Flotte und das Expeditionskorps sind vernichtet, die Staatsfinanzen erschöpft, verbündete Städte fallen ab, und die Spartaner setzen sich in Dekeleia fest.

5 Die Ursache der Niederlage Athens ist vor allem die innere Zersetzung der Polis als Lebens- und Staatsform. Die Staatsführung geht an Demagogen über und wird von der wankelmütigen Tagesmeinung der Massen abhängig (zweimalige Absetzung des Alkibiades — Arginusenprozeß). Außerdem fördert die Nichtachtung der Autonomie, d. h. die Unterdrückung der Seebundstädte durch Athen, eine Abfallbewegung. Persiens Unterstützung ermöglicht Sparta den Bau einer Flotte und den entscheidenden Sieg von Aigospotamoi (405).

Die Folgen: Übergang der Hegemonie auf Sparta, Sturz der Demokratie und Herrschaft der 30 Tyrannen in Athen (404—403). Persien mischt sich erneut in griechische Angelegenheiten ein. Damit endet die Zeit der Poleis, es beginnt die Auflösung der griechischen Staatenwelt.

6 Mit dem Königsfrieden (Friede des Antalkidas) erreicht die persische Macht ihren Höhepunkt in Griechenland. Persien erhält die Herrschaft über die kleinasiatischen Griechenstädte zurück und wird Schiedsrichter über die griechischen Angelegenheiten.

7 Spartas Machtbasis ist zu schmal, um Griechenland zu beherrschen und zugleich Persien zu bekämpfen. Es macht sich außerdem bei den unterworfenen Staaten verhaßt, weil es ihnen die oligarchische Staatsform aufzwingt. Die thebanische Hegemonie ist im wesentlichen das Werk zweier Männer, des Pelopidas und des Epameinondas. Als dieser 362 bei Mantineia fällt, endet die Vormachtstellung Thebens.

11 Alexander der Große und der Hellenismus

Mit dem politischen Niedergang der Poleis gehen wirtschaftliche und soziale Zerrüttung Hand in Hand. Die Übervölkerung erhöht die sozialen Spannungen. Die kurzen Perioden der spartanischen und thebanischen Vorherrschaft zeigen, daß Griechenland von innen nicht geeinigt werden kann. Erst Philipp, der König des bäuerlichen nordgriechischen Stammes der Makedonen, bringt nach 20jährigen Bemühungen 337/36 eine Friedensordnung der griechischen Staaten im Korinthischen oder Panhellenischen Bund zustande. Während sein Sohn Alexander das gesamte Achämenidenreich erobert, stehen die Polisgriechen abseits. Sein Reich ist für sie ein barbarisches Machtgebilde, sein Königtum eine asiatische Despotie. Mit Alexander beginnt das Zeitalter des Hellenismus, das durch die Ausbreitung griechischen Volkstums und griechischer Kultur über die damals bekannte Welt gekennzeichnet ist. Orient und Okzident durchdringen sich.

359—336	Philipp II. von Makedonien
338	Sieg Philipps über Athener und Thebaner bei Chaironeia
336	Panhellenischer Bund unter Philipps Führung
336—323	Alexander der Große
334	Sieg am Granikos über die Perser
333	Sieg über Darius bei Issos — Besetzung Syriens
332/31	Besetzung Ägyptens — Gründung von Alexandria
331	Sieg über Darius bei Gaugamela
327—325	Zug nach Indien

1 Welche Bedeutung haben die Schlacht von Chaironeia und der Panhellenische Bund von Korinth? 2 Welche Ziele verfolgt Demosthenes? 3 In welchen Etappen entsteht das Weltreich Alexanders? 4 Welches Gesamtziel verfolgt Alexander? 5 Wie organisiert Alexander die Verwaltung seines Reiches? 6 Welcher Wandel des Herrscherideals vollzieht sich bei Alexander mit der Eroberung seines Weltreiches? 7 Welche Nachfolgestaaten entstehen aus den Diadochenkämpfen? 8 Welches sind die Kennzeichen der hellenistischen Kultur?

1 Philipps Sieg von Chaironeia und der Korinthische Bund vernichten die Polis als Machtfaktor. Obwohl der Bund den Mitgliedern die Autonomie zumindest formal garantiert, empfinden ihn die Griechen als Zwangsordnung, die der Polis die außenpolitische Freiheit nimmt und sie zur bloßen kommunalen Organisation erniedrigt. Am „Rachekrieg gegen Persien" zeigen sie wenig Interesse.

2 Der athenische Redner Demosthenes ist Wortführer der antimakedonischen Partei. Er ruft zu einem Bündnis der griechischen Staaten und zu einem rechtzeitigen Angriffskrieg gegen Philipp auf (Philippika). Er scheitert aber an der Uneinigkeit der Griechen und an der starken promakedonischen Partei (Isokrates).

3 Philipp von Makedonien legt den Grund des Weltreiches durch Eroberung der griechischen Küstenstädte (Amphipolis, Pydna, Olynth) und
der thrakischen Goldbergwerke. Ihm fällt nach dem Sieg von Chaironeia
die Hegemonie in Griechenland zu. Alexander gewinnt durch den Sieg
am Granikos Kleinasien, durch den Sieg von Issos das Land bis zum
Euphrat, erobert Syrien, Palästina und Ägypten. Der Sieg bei Gaugamela
bringt ihm das ganze Perserreich. Auf dem Indienzug erweitert er sein
Reich um das Pandschab.

4 Ziel Alexanders ist die Verschmelzung von Makedonen und Persern zu
einem Volk, der Zusammenschluß aller eroberten Länder zu einem Wirt-
schafts- und Kulturraum und die Schaffung eines Reichsbewußtseins.

5 Alexander behält in Persien die Satrapien bei, an deren Spitze er gleicher-
maßen Makedonen und Perser stellt. Die Militär- und Finanzgewalt behält er fest in der Hand. In Ägypten stützt er sich auf das Beamtentum der
Pharaonen. Die phönikischen Städte unterstehen ihm direkt; die kleinasiatischen Griechenstädte erhalten ihre Autonomie. Griechenland beherrscht er als Feldherr des Korinthischen Bundes.

6 Der Heer- und Volkskönig der Makedonen, der Herr Griechenlands, läßt
sich in Ägypten als Sohn des Zeus und als Pharao verehren und herrscht
über sein Weltreich als orientalischer Großkönig. Damit entfremdet er
sich weitgehend den Griechen.

7 Nach dem frühen Tod Alexanders kämpfen seine Feldherrn mehrere Jahrzehnte um die Nachfolge im Gesamtreich oder für die Verselbständigung
bestimmter Teile. Als 301 bei Ipsos Antigonos, der letzte Vertreter des
Einheitsgedankens, fällt, zerbricht das Reich in die Diadochenreiche:
Makedonien unter den Antigoniden (bis 168) — Syrien — Babylonien —
Persien unter den Seleukiden (bis 63) — Ägypten unter den Ptolemäern
(bis 30) — Pergamon unter den Attaliden (bis 133) — in Griechenland
bilden sich der Ätolische und Achäische Bund (bis 146).

8 Eine griechische Auswanderungswelle in die Diadochenreiche kennzeichnet das Zeitalter des Hellenismus. Eine gemeingriechische Um-
gangssprache und eine weltbürgerliche Kultur entstehen. Zentren der
Kunst und Wissenschaften sind neben Athen Alexandrien und Pergamon.
Die Baukunst und Plastik neigen zum Kolossalen (Zeusaltar in Pergamon);
die Philosophie wird zur Lebensweisheit des sich vom öffentlichen Leben
zurückziehenden einzelnen (Kyniker, Epikuräer, Stoiker). Im Hellenis-
mus entwickeln sich besonders die Einzelwissenschaften: Philologie,
Mathematik (Euklid, Archimedes), Astronomie (Aristarch), Geographie
(Eratosthenes, Hipparch), Geschichte und Medizin. Viele wissenschaftliche
Erkenntnisse werden technisch nutzbar gemacht (Kriegsmaschinen des
Archimedes).

12 Grundlagen der römischen Geschichte

Das sichelförmig gekrümmte Massiv des Apennin durchzieht Italien von Ligurien bis Calabrien. Innerhalb des Apenninbogens liegen drei Flußebenen, die mit dem jeweils südlich daran anschließenden Hügelland die wichtigsten Landschaften Italiens bilden: Etrurien — Latium — Campanien. Starke Gebirgsquerriegel fehlen. Daher ist eine politische Einigung der verschiedenen Völkerschaften der Halbinsel eher möglich als im zerklüfteten Griechenland. An der Ostküste tritt der Apennin in Mittelitalien so nahe ans Meer, daß kaum Siedlungsraum bleibt. Das Gesicht Italiens ist nach Westen gerichtet, das Gesicht Griechenlands dagegen nach Osten. Daher verlaufen die politische und kulturelle Entwicklung in beiden Räumen lange nebeneinander, bevor es zu einer entscheidenden gegenseitigen Beeinflussung kommt. Die Poebene im Norden und Magna Graecia, d. h. der griechisch besiedelte Küstenstreifen im Süden, spielen erst vom dritten vorchristlichen Jahrhundert an in der römischen Geschichte eine Rolle.

seit 1200	Italiker besiedeln Italien
10.—9. Jh.	Etrusker besiedeln Italien
8.—6. Jh.	Griechen besiedeln Süditalien
753	Gründung Roms nach der Sage
510	Abschaffung des Königtums
31 v. Chr.	Ende der Republik — Übergang zur Kaiserzeit
395 n. Chr.	Reichsteilung in Ost- und Westrom
476 n. Chr.	Ende des Weströmischen Reiches
1453 n. Chr.	Untergang des Oströmisch-Byzantinischen Reiches

1 *In welche Abschnitte wird die römische Geschichte eingeteilt?* **2** *Wodurch unterscheidet sich die römische Geschichte von der Griechenlands und von der der anderen Großreiche des Altertums?* **3** *Welche Völkerschaften besiedeln die italische Halbinsel?* **4** *Worin kann man Gründe für den Aufstieg Roms zur Weltmacht sehen?*

1 a) Die Zeit von den Anfängen der Stadt bis zur Vertreibung der etruskischen Stadtkönige um 510 v. Chr.

Das von römischen Geschichtsschreibern genannte Jahr der Stadtgründung (753 v. Chr.) sowie die Ereignisse der Königszeit sind nur durch die Sage überliefert.

b) Die Zeit der Republik um 500—31 v. Chr.
1. Unterwerfung Italiens bis zur Eroberung von Rhegium 270 v. Chr.
2. Auswärtige Kriege bis zur Festsetzung in Afrika, Griechenland und Kleinasien 133 v. Chr.
3. Bürgerkriege bis zur Schlacht von Actium 31 v. Chr.

c) Die Kaiserzeit 31 v. Chr. bis 476 n. Chr.
1. Prinzipat und Soldatenkaiser bis zum Regierungsantritt des Kaisers Diocletian 284.
2. Dominat, d. h. absolute Monarchie bis zum Ende des Weströmischen Reiches 476 n. Chr.

2 Während die Geschichte der griechischen Staatenwelt keinen Mittelpunkt hat und die Machtverhältnisse zwischen den einzelnen Städten (Athen — Sparta — Theben) häufig wechseln, zeigt die römische Geschichte einen kontinuierlichen Verlauf vom Gemeindestaat zum Imperium Romanum, das fast den ganzen damals bekannten Erdkreis umfaßt.
Von der Geschichte der östlichen Großreiche unterscheidet sie sich vor allem dadurch, daß nicht Despoten die Herrschaft ausüben, sondern die Bürger in freier Entscheidung über das Schicksal der Stadt bestimmen.

3 Folgende Völkerschaften siedeln in Italien und gehen im Römerreich auf:
a) Stämme des mittelmeerischen Kulturkreises — Ligurer;
b) Italiker — indogermanische Eroberer, die nach 1200 im Zusammenhang mit der dorischen Wanderung, wahrscheinlich aus Nordeuropa kommend, in Italien eindringen und in zwei Gruppen siedeln, den Latino-Faliskern in Latium und den Umbro-Sabellern im mittleren und südlichen Apennin;
c) Illyrische Stämme — sie siedeln an der Ostküste Italiens und in der Poebene;
d) Etrusker — ein nichtindogermanisches Seefahrervolk, das wahrscheinlich zwischen 1000 und 800 v. Chr. von Kleinasien nach Etrurien einwandert;
e) Keltische Stämme — sie besiedeln seit dem sechsten Jh. die Poebene;
f) Griechen — sie gründen an der Westküste südlich Neapels und besonders am Golf von Tarent und in Sizilien Kolonialstädte.

4 Die Gründe für den Aufstieg Roms liegen vor allem in den römischen Bürgertugenden. Pflichterfüllung und Hingabe an die res publica, Zucht (disciplina) und Beharrlichkeit (constantia), Achtung vor dem Willen der Götter (pietas) und der menschlichen Persönlichkeit (humanitas), vor Autorität (auctoritas) und Tradition (mores) bestimmen das Handeln des einzelnen; Großmut gegen Unterworfene (parcere subiectis) und Treue gegen Verbündete kennzeichnen den Staat. Dazu kommt die Verfassung, die geschickt monarchische, aristokratische und demokratische Elemente verbindet. Die günstige geographische Lage, das Fehlen übermächtiger Gegner in den Jahren der Entwicklung, die Machtlosigkeit der durch Kriege zerrütteten Diadochenreiche und nicht zuletzt der Machtwille des römischen Volkes fördern den Aufstieg.

13 Roms Aufstieg zur Vormacht Italiens

Roms Aufstieg beginnt zur gleichen Zeit, zu der die Griechen des Mutterlandes die Perser und die Westgriechen die Karthager von Europa abwehren. In den zweieinhalb Jahrhunderten nach der Vertreibung der etruskischen Stadtkönige gewinnt Rom nach wechselvollen Kriegen die Herrschaft über Italien. Einen Teil des eroberten Landes fügt es seinem Staatsgebiet ein, einen andern sichert es durch römische Bürgerkolonien, und die übrigen Gemeinwesen werden durch Verträge zu Bundesgenossen, die sich zwar selbst verwalten, aber im Kriegsfalle Truppen stellen müssen. In der gleichen Zeit schaffen die Römer den Ausgleich zwischen dem Adel und den ursprünglich rechtlosen Plebejern und erschließen damit der Republik alle nutzbaren Kräfte.

seit 490	Ständekämpfe
um 450	Zwölftafelgesetz
um 396	Eroberung von Veji
um 390	Kelteneinfall
366	Zulassung der Plebejer zum Konsulat
338	Ende der Latinerkriege
290	Ende der Samnitenkriege
280—272	Tarentinischer Krieg

1 *Welche etruskischen Elemente befruchten die römische Kultur?* **2** *Durch welche Kriege wird Rom die Vormacht Italiens?* **3** *Welche Ziele verfolgt Pyrrhos, und woran scheitert er?* **4** *Welches sind die Ursachen und Ziele der Ständekämpfe?* **5** *Wie erreichen die Plebejer die Gleichstellung mit den Patriziern?* **6** *Welches sind die wichtigsten Staatsorgane der römischen Republik?* **7** *Welche Volksversammlungen kennen die Römer?* **8** *Welche Bedeutung haben die Volkstribunen?*

1 Die Römer übernehmen von den Etruskern die städtische Siedlungsform, religiöse Vorstellungen (Götterdreiheit Jupiter, Juno, Minerva) und Riten (Leberschau und Vogelflug), Herrschaftssymbole (Elfenbeinsessel, Beile und Rutenbündel = fasces), Techniken (Keramik und Metallarbeiten), den Mauer- und Gewölbebau.

2 Rom bricht die Vormachtstellung der Etrusker durch die Einnahme des mächtigen Veji, wird nach der Zerstörung durch den Kelteneinfall befestigt, unterwirft in mehreren Kriegen die Latiner (338) und Samniten (290) und beherrscht damit Mittelitalien. Durch den Sieg über König Pyrrhos von Epirus und die Griechenstädte dehnt es seine Macht über Süditalien aus (272).

3 Pyrrhos will nach dem Vorbild der Diadochenreiche ein westgriechisches Reich gründen. Er scheitert trotz anfänglicher Erfolge (Pyrrhossiege) an den griechischen Poleis und der Übermacht der Römer und Karthager.

4 Die Trennung zwischen politisch alleinberechtigten Patriziern und Plebejern stammt aus der Königszeit. Durch die Ausdehnung Roms werden die Plebejer zu immer größeren Leistungen (Kriegsdienst, Steuern) herangezogen, ohne Anteil an den Rechten zu erhalten. Ihr Ziel ist daher Gleichstellung auf allen Gebieten mit Einfluß auf die Gesetzgebung.

5 Die Ständekämpfe beginnen 494 mit der Auswanderung der Plebs auf den Heiligen Berg. Der erste Erfolg der Plebejer sind Volkstribunen und Volksädilen. Um 450 erringen sie die rechtliche Gleichstellung durch die Aufzeichnung des Rechts (Zwölftafelgesetz) und 445 die soziale durch die Aufhebung des Eheverbots zwischen Patriziern und Plebejern. 421 gewinnen sie Einfluß auf das Finanzwesen durch den Zugang zur Quästur, und seit 366 steht ihnen die Wahl zum Konsul offen. Um 300 erreichen sie die Zulassung zu allen Ämtern und Priesterkollegien. Die Ständekämpfe enden 287 durch die lex Hortensia: Beschlüsse der Plebejer in den Tributkomitien (plebiscita) werden für alle verbindlich. Damit bildet sich aus Patriziern und vornehmen Plebejern der neue Amtsadel, die Nobilität.

6 Nach der Abschaffung des Königtums geht die unumschränkte Befehlsgewalt (imperium) auf die beiden Konsuln über. Sie amtieren ein Jahr und sind unabsetzbar. In Notzeiten wird für 6 Monate ein Diktator ernannt. Die Quästoren, ursprünglich Unterbeamte der Konsuln, verwalten die Staatsfinanzen; die Zensoren ergänzen alle 5 Jahre die Bürgerlisten und üben Sittenaufsicht aus; den Prätoren untersteht die Zivilgerichtsbarkeit, später sind sie auch Provinzstatthalter; die Volkstribunen schützen die Plebejer. Die Ädilen haben Polizeifunktion und Aufsichtsrechte über Straßen, Markt, Gebäude und öffentliche Spiele. Gegenüber den jährlich wechselnden Beamten verkörpert der Senat Einheitlichkeit und politische Erfahrung und ist damit der eigentliche Träger der Staatsgewalt. Er besteht aus den Häuptern der Adelsfamilien und ehemaligen obersten Staatsbeamten. Er berät und bestätigt Gesetze, empfängt Gesandte und schließt Verträge, verfügt über Staatskasse und Staatsland und berät die Konsuln.

7 Die Zenturiatskomitien, die Volksversammlungen nach Vermögensklassen, wählen die Konsuln, entscheiden über Krieg und Frieden sowie über Gesetze und bei Provokation über Leben und Tod. Die Tributkomitien, die Versammlungen nach Wohnbezirken (tribus), werden zu Sonderversammlungen der Plebejer und gewinnen immer mehr Einfluß. Die Kuriatkomitien der Patrizier werden daher bedeutungslos.

8 Die Volkstribunen schützen die Plebejer gegen Übergriffe, können Amtshandlungen der Magistrate verhindern, gegen Richtersprüche und Senatsbeschlüsse Einspruch (veto) erheben, widerspenstige Beamte verhaften und das Volk in den Tributkomitien zusammenrufen. Sie sind sakrosankt und bilden eine staatliche Institution zur Verhinderung von Staatsakten, d. h. organisierte Auflehnung gegen die eigene Staatsgewalt.

14 Roms Aufstieg zur Weltmacht

Durch den Sieg über Pyrrhos und die unteritalischen Griechen gewinnt Rom nicht nur die Herrschaft über Italien, es gerät auch in Gegensatz zur See- und Handelsmacht Karthago. In zwei etwa 20jährigen Kriegen ringt es diese nieder und wird so Vormacht des westlichen Mittelmeers. Damit endet die vorwiegend italisch bestimmte Phase der römischen Geschichte, und es beginnt die Großmachtpolitik Roms. Im Osten besteht um 200 zwischen den drei großen Diadochenreichen ein Gleichgewichtszustand. Rom spielt zunächst die Rolle des Schiedsrichters und Schutzherren über die Kleinstaaten (Pergamon, Rhodos) und fördert alle partikularen Kräfte. Erst als die Sicherung des Friedens dadurch nicht erreicht wird, zerschlägt Rom die Reiche und gliedert sie seinem Machtgebiet ein.

264—241	1. Punischer Krieg: Sizilien (241) und Korsika (237) - Sardinien (238) römische Provinzen
um 225	Eroberung Oberitaliens
218—201	2. Punischer Krieg
216	Hannibals Sieg bei Cannä
202	Scipios Sieg bei Zama — Spanien römische Provinz (201)
197	Sieg über Philipp V. von Makedonien
192—188	Sieg über Antiochos von Syrien bei Magnesia
168	Sieg über Makedonien
149—146	3. Punischer Krieg — Zerstörung Karthagos
146	Zerstörung Korinths
133	Rom erbt Pergamon — Provinz Asia
133	Zerstörung von Numantia

1 *Welche Gegensätze verkörpern Karthago und Rom?* **2** *Welche Folgen hat der erste Punische Krieg für Rom?* **3** *Welche außenpolitischen Erfolge erringen die Römer zwischen den beiden Punischen Kriegen?* **4** *Wodurch gleichen die Karthager die im ersten Punischen Krieg erlittenen Verluste wieder aus?* **5** *Welche Bedeutung haben die Siege Hannibals in den ersten Jahren des zweiten Punischen Krieges?* **6** *Woran scheitert Hannibal?* **7** *Welches sind die Folgen des römischen Sieges über Karthago?* **8** *Wie vollzieht sich die Einbeziehung des hellenistischen Ostens in den römischen Machtbereich?*

1 Die phönikische Kolonie Karthago beherrscht einen großen Teil Nordafrikas und Südspaniens sowie Westsizilien, Sardinien und Korsika. Ihre Handelsbeziehungen reichen von England bis ins östliche Mittelmeer; ihre Macht gründet sich auf eine starke Flotte und auf Söldnerheere. Die Regierungsgewalt liegt in der Hand einer kleinen Schicht von Großgrundbesitzern und Großkaufleuten. Rom dagegen ist die stärkste Landmacht des westlichen Mittelmeeres. Seine Macht ruht auf seinem Bürgerheer und auf dem Bündnissystem mit anderen italischen Gemeinwesen. Als Rom durch den Sieg über Pyrrhos seine Herrschaft über Süditalien ausdehnt und zum Erben der Handelsinteressen der Griechenstädte wird, ist der Zusammenstoß mit Karthago unvermeidlich.

2 Der Krieg gegen Karthago zwingt Rom zum Bau einer Flotte. Dadurch wird die Landmacht Rom zugleich Seemacht. Durch die Gewinnung der Provinzen Sizilien und Sardinien-Korsika gewinnt Rom eine günstige Ausgangsposition für die militärische und wirtschaftliche Beherrschung des westlichen Mittelmeeres.

3 Im Kampf gegen die cisalpinischen Gallier erobern die Römer 222 Mailand und gliedern die Poebene 191 als Provinz Gallia cisalpina ihrem Reich ein. Durch die Vertreibung illyrischer Seeräuber und die Eroberung von Korkyra, Apollonia und Epidamnos sichern die Römer den Zugang zur Adria.

4 Der karthagische Feldherr Hamilkar Barkas unterwirft von 237—229 große Teile Südostspaniens. Sein Nachfolger Hasdrubal und später sein Sohn Hannibal erobern ganz Ostspanien bis zum Ebro als karthagische Provinz mit der Hauptstadt Neu-Karthago (Carthagena). Dadurch gewinnt Hannibal eine starke Militärbasis für eine erneute Auseinandersetzung mit Rom.

5 Durch seinen Sieg an der Trebia (218) gewinnt Hannibal die Poebene, durch den Sieg am Trasimenischen See (217) beherrscht er ganz Mittelitalien und nach seinem Sieg bei Cannae (216) treten die süditalischen Bundesgenossen der Römer auf seine Seite.

6 Hannibal unterliegt schließlich den Römern, weil er von Karthago nicht genügend unterstützt wird, weil die latinischen Bundesgenossen treu zu Rom stehen und weil die Römer immer neue Bürgerheere aufstellen können, während sein Söldnerheer zusammenschmilzt.

7 Durch seinen Sieg im 2. Punischen Krieg gewinnt Rom die Herrschaft im westlichen Mittelmeer; im 3. Punischen Krieg vernichtet es Karthago. Es greift nach Spanien über, das 133 mit der Eroberung von Numantia endgültig dem römischen Imperium eingegliedert wird.

8 Als Philipp V. von Makedonien und Antiochos III. von Syrien sich gegen das unter römischem Schutz stehende Ägypten verbünden, besiegen die Römer Philipp bei Kynoskephalai (197) und schlagen Antiochos bei Magnesia (190). Nach erneuten Aufständen wird Makedonien unter König Perseus erneut besiegt (Pydna 168), geteilt und 148 mit Epirus zusammen als römische Provinz eingegliedert. 146 wird das aufständische Korinth erobert und zerstört. Damit endet die Selbständigkeit der griechischen Staatenwelt. Gleichzeitig erobert Rom Karthago und gliedert Nordafrika seinem Reich ein, und als 133 König Attalos von Pergamon stirbt, fällt den Römern testamentarisch sein Reich zu, das als Provinz Asia eingegliedert wird.

15 Das Jahrhundert der Revolution

Der altrömische Staat gründet sich vor allem auf die wirtschaftliche, militärische und moralische Kraft des Bauerntums. Aber durch die Verwüstung Italiens im 2. Punischen Krieg, durch die langdauernden Kämpfe im Osten und in Spanien und durch Getreideeinfuhr aus den Provinzen wird diese Bevölkerungsschicht ruiniert. Adelige Großgrundbesitzer kaufen die Güter der verarmten Kleinbauern auf, pachten erobertes Staatsland und gewinnen so riesige Güter, sog. Latifundien, die sie mit Hilfe von Sklaven bebauen. Durch die Kriege und Eroberungen erwirbt auch die Schicht der Heereslieferanten und Steuerpächter ungeheure Reichtümer und steigt zum „Ritterstand" auf. Neben den sozialen Spannungen drängen politische auf Lösung. Die italischen Bundesgenossen tragen zwar die Last der Kriege mit, besitzen aber meist kein römisches Bürgerrecht und sind daher von politischen Entscheidungen sowie von der Nutznießung des eroberten Staatslandes und der Ausbeute der Provinzen ausgeschlossen.

133—121	Reformen der Gracchen
111—105	Krieg gegen Jugurtha — Marius
113—101	Kämpfe gegen Kimbern und Teutonen
91—89	Bundesgenossenkrieg
88—84	1. Mithradatischer Krieg — Sulla
82—79	Sulla Diktator

1 *Welche Bedeutung hat das Jahr 133 für die römische Geschichte?*
2 *Welche zwei Parteien stehen sich um diese Zeit in Rom gegenüber?*
3 *Welche Reformpläne verfolgt Tiberius Sempronius Gracchus?*   **4** *Wodurch erweitert Gaius Sempronius Gracchus das Reformprogramm seines Bruders?*   **5** *Welche militärischen Leistungen haben Marius und Sulla aufzuweisen?*   **6** *Welche Auswirkungen hat die Heeresreform des Marius?*
7 *Welche Bedeutung hat die Wiederherstellung der Senatsherrschaft durch Sulla?*   **8** *Was ist das Ergebnis des Bundesgenossenkrieges?*

1 133 bedeutet einen Wendepunkt der römischen Geschichte. Während im vorherigen Jahrhundert immer neue Länder erobert werden, drängen im folgenden innerpolitische und soziale Spannungen zur Lösung. Der Gegensatz zwischen Popularen und Optimaten (s. u.), die Agrar- und Heeresreform, Sklavenaufstände, die Bundesgenossen und der Umbau des Stadtstaates in einen Reichsstaat bilden die Hauptprobleme.

2 Die Partei der Optimaten besteht aus vornehmen Patrizier- und Plebejerfamilien, die zusammen eine Amtsaristokratie bilden. Sie wollen die Staatsführung ausschließlich dem Senat vorbehalten. Die Popularenpartei wird zumeist von jüngeren Adeligen geführt, die unter dem hellenistischen Einfluß ein neues Staatsdenken entwickeln und von der Notwendigkeit sozialer und politischer Reformen überzeugt sind.

3 Der Volkstribun Tiberius Sempronius Gracchus will mit seinem Ackergesetz durch die Ansiedlung besitzloser Bauern als Erbpächter auf dem Staatsland wieder einen gesunden Bauernstand schaffen. Er verlangt die Einziehung des Staatslandes der Großgrundbesitzer, soweit es 500- bzw. für Familien mit Söhnen 1000-Joch überschreitet, und seine Vergabe an landlose Bürger in Stücken von 30 Joch. Zur Beschaffung der Ackergeräte soll die Erbschaft des Königs von Pergamon dienen.

4 Als 123 Gaius Sempronius Gracchus Volkstribun wird, erweitert er das Agrarreformprogramm seines Bruders zu einem allgemeinen sozialen und politischen Reformwerk. Er erneuert das Ackergesetz und bringt ein Militärgesetz ein, das die Dienstzeit beschränkt, und ein Getreidegesetz, das der Plebs billiges Getreide sichert. Das Geld für die Getreidesubventionen soll das Provinzialgesetz für Asien liefern. 122 werden durch sein Richtergesetz die Geschworenengerichte durch Angehörige des Ritterstandes besetzt. Ein weiteres Gesetz plant die Ansiedlung armer Bürger in den Kolonien (Karthago). Das Latiner- und Bundesgenossengesetz, das allen Latinern volles Bürgerrecht, den übrigen Bundesgenossen aber die bisherige Stellung der Latiner einräumt, scheitert am Widerstand der Optimaten. Wie sein Bruder kommt er bei Unruhen um.

5 Marius besiegt den Numiderkönig Jugurtha (105) und vernichtet die Teutonen bei Aquä Sextiä (102) und die Kimbern bei Vercellä (101). Sullas militärische Laufbahn beginnt im Jugurthinischen Krieg. Sein Verdienst ist der Sieg über König Mithradates und die Wiederherstellung der römischen Vormachtstellung im östlichen Mittelmeer.

6 Im Krieg gegen Jugurtha ergänzt Marius das Heer durch die Aushebung von Proletariern, denen er nach 20jähriger Dienstzeit Landzuteilung verspricht. So wird aus dem Bürger- und Bauernheer ein Berufsheer, das in der Hand eines skrupellosen Führers die Republik gefährden kann.

7 Sulla versucht das aristokratische Senatsregiment wiederherzustellen, indem er den Einfluß der Ritter zurückdrängt und den Volkstribunat entmachtet. Seine mehrjährige Alleinherrschaft ist ein monarchisches Zwischenspiel zur Rettung der Republik. Für soziale Probleme hat er kein Verständnis. Bei dem mehrfachen Machtwechsel zwischen Marius und Sulla werden die politischen Gegner durch „Proscriptionen" ausgerottet.

8 Als Ergebnis des Bundesgenossenkrieges wird das Bürgerrecht allen italienischen Bundesgenossen gewährt. Damit vollzieht sich die Umbildung des Stadtstaates zu einem italienischen Gesamtstaat.

16 Caesar

Der Gang der Ereignisse seit 133 führt von der sozialen Not über Reformbewegung und Verfassungsbruch zum politischen Mord und Straßenkampf, zur Revolution und zum Bürgerkrieg. Das durch die Heeresreform des Marius geschaffene Berufsheer kann nicht mehr durch Jahresbeamte geführt werden wie die altrömischen Bauernlegionen, sondern es erfordert Berufsfeldherrn für die langwierigen auswärtigen Kriege. Das Heer wird aber durch den politischen Ehrgeiz seiner Führer in die Kämpfe um die Macht im Staat hineingezogen und wird zur tödlichen Gefahr für die Republik. So ist seit Marius und Sulla nicht mehr die Volkswahl, sondern die militärische Macht für die Besetzung der höchsten Staatsämter entscheidend. Die reaktionäre Verfassungsreform Sullas scheitert nach dessen Tod, weil das Adelsregiment den Aufgaben der Reichsverwaltung nicht gewachsen ist und die sozialen Mißstände nicht beseitigt werden. Wieder entscheiden Bürgerkriege und militärische Macht den Kampf zwischen Pompejus und Caesar und später zwischen Octavian und Antonius.

80—72	Krieg gegen die Marianer in Spanien; Pompejus
73—71	Sklavenaufstand des Spartacus
74—64	3. Mithradatischer Krieg; Lucullus und Pompejus
67	Seeräuberkrieg; Pompejus
63	Neuordnung des Ostens durch Pompejus
60	1. Triumvirat: Caesar, Pompejus, Crassus
58—51	Eroberung Galliens durch Caesar
53	Crassus' Tod; 52 Pompejus Consul sine collega
48—45	Caesars Siege bei Pharsalus, Thapsus und Munda
44	Ermordung Caesars
43	2. Triumvirat: Antonius, Octavian, Lepidus
31	Octavians Sieg über Antonius bei Actium

1 *Welche Gefahren bedrohen Rom nach dem Tode Sullas, und wie werden sie abgewehrt?* 2 *Welche Bedeutung hat das erste Triumvirat?* 3 *Welche Folgen hat die Eroberung Galliens durch Caesar?* 4 *Wie erringt Caesar die Alleinherrschaft?* 5 *In welcher Form übt Caesar die Alleinherrschaft aus?* 6 *Welche Maßnahmen ergreift Caesar zur Lösung der sozialen Frage?* 7 *Welche Ziele verfolgt Caesars Verfassungsreform?* 8 *Welche Folgen hat die Ermordung Caesars?*

1 Die Anhänger des Marius setzen unter der Führung des Sertorius den Kampf gegen die Senatspartei von Spanien aus fort. Pompejus wirft sie in jahrelangem Kleinkrieg nieder.
Aus dem Aufstand der Gladiatorenschule von Capua entwickelt sich unter Spartacus die gefährlichste Sklavenerhebung. Dieser schlägt die römischen Konsuln, wird aber von Crassus, dem der Senat prokonsularische Gewalt verleiht, besiegt.

Gegen das Seeräuberunwesen erhält Pompejus 67 ein außerordentliches Kommando. Er säubert in 40 Tagen das westliche, in 50 Tagen das östliche Mittelmeer und siedelt 20 000 Piraten in Kleinasien an (Pompeiopolis). König Mithradates, der erneut ins römische Kleinasien einfällt, wird von Lucullus zurückgedrängt. Nach seinem Sieg über die Seeräuber erhält Pompejus den Oberbefehl im Osten, besiegt Mithradates und stellt durch eine Neuordnung Frieden und Wohlstand im Osten wieder her.

2 Im ersten Triumvirat verbinden sich der bedeutendste Feldherr Pompejus, der geschickteste Volksführer Caesar und der erste Finanzmann Crassus, um die römische Politik nach ihren Plänen zu gestalten. Es sichert Caesar das Konsulat für 59 und danach die Verwaltung des diesseitigen Galliens, Crassus erhält Syrien und Pompejus Spanien.

3 Caesar schiebt durch die Eroberung Galliens die Reichsgrenze von der mittleren Rhone bis zu Rhein und Atlantik vor. Er gewinnt für Rom eine reiche Provinz und leitet die Romanisierung Galliens ein. Die Germanenvorstöße können nun mehrere Jahrhunderte lang am Rhein abgewehrt werden. Durch den Gallischen Krieg schafft er sich schließlich ein kampferprobtes und blind ergebenes Heer, Feldherrnruhm und die finanziellen Mittel für seine politischen Vorhaben.

4 Als Crassus im Kampf gegen die Parther fällt (53), ernennt der Senat Pompejus zum alleinigen Konsul. Als Caesars Statthalterschaft in Gallien endet (1. Januar 49), zieht er mit einer Legion gegen Rom, verfolgt Pompejus nach Griechenland und besiegt ihn bei Pharsalus (48) und die Heere der Senatspartei bei Thapsus (46) und Munda (45); so erringt er die Alleinherrschaft.

5 Caesar übt die Alleinherrschaft unter Wahrung der republikanischen Formen aus. Er vereinigt in seiner Person Konsulat, Diktatur auf Lebenszeit, tribunizische und zensorische Gewalt und steht als Pontifex maximus an der Spitze des Staatskultes.

6 Caesar beschäftigt die arbeitslosen Proletarier bei Straßenbauten, Flußregulierungen, Sumpftrockenlegung und beim Ausbau Roms (Forum Julium, Basilica Julia). Durch Ansiedlung von Veteranen in Italien und durch Anlage von Kolonien (Korinth und Karthago) wird Rom von Proletariern entlastet.

7 Caesar bricht die Macht des Senats, indem er die Zahl der Senatoren auf 900 erhöht und die neuen Senatorenstellen seinen Anhängern gibt. Er beginnt mit der Beseitigung des Vorrangs Roms und Italiens durch die Verleihung des Bürgerrechtes an alle Provinzialen, die im Heer dienen.

8 Caesars Ermordung kann die Republik nicht retten. Aus dem Kampf um die Nachfolge geht sein Großneffe Octavianus durch den Sieg über Antonius bei Actium siegreich hervor. Damit beginnt die römische Kaiserzeit.

17 Der Prinzipat

Der blutige Bürgerkrieg nach Caesars Ermordung endet mit dem Sieg Octavians, eines Großneffen und Adoptivsohnes Caesars. Er erhält 27 v. Chr. vom Senat den Beinamen Augustus. Er selbst bezeichnet sich nur als princeps civium, d. h. erster Bürger. Seine Machtstellung beruht auf einem imperium, das allen Magistraten übergeordnet ist, und auf der tribunizischen Gewalt, die ihm Unverletzlichkeit, Einspruchsrecht in der Gesetzgebung und unumschränkten Einfluß auf die Staatsführung sichert. Diese beiden Vollmachten werden auch seinen Nachfolgern bei Regierungsantritt von Senat und Volk übertragen (lex de imperio). Obwohl die republikanischen Formen weiterbestehen, ist Rom eine Monarchie; denn für den Kaiser gelten nicht die Prinzipien der altrömischen res publica (Annuität der Magistrate, Kollegialität und Interzessionsrecht der Magistrate und Volkstribunen). Unter den Kaisern des ersten und zweiten Jahrhunderts erlebt das Imperium seine Glanzzeit (Augustus) und seine größte Ausdehnung (Trajan, Hadrian).

31 v. Chr.— 14 n. Chr.	Octavianus Augustus
27 v. Chr.	Neuordnung des Staates; Prinzipat·
12 v. Chr.— 6 n. Chr.	Germanenkriege des Drusus und Tiberius
9 n. Chr.	Niederlage des Varus
14 n. Chr.— 68 n. Chr.	Julisch-claudisches Kaiserhaus: Tiberius, Caligula, Claudius, Nero
43 n. Chr.	Beginn der Eroberung Britanniens
69 n. Chr.— 96 n. Chr.	Flavier: Vespasian, Titus, Domitian
70 n. Chr.	Titus zerstört Jerusalem
96 n. Chr.—180 n. Chr.	Adoptivkaiser: Trajan, Hadrian, Antoninus Pius, Marc Aurel
117	Armenien, Mesopotamien, Assyrien römische Provinzen
um 120	Vollendung des Limes

1 *Welche außen- und innenpolitischen Ziele verfolgt Augustus?* **2** *Welche Männer verleihen dem Augusteischen Zeitalter seinen Glanz?* **3** *Welche Bedeutung hat der Sieg des Arminius im Teutoburger Wald?* **4** *Was verstehen wir unter Adoptivkaiser?* **5** *Wodurch ist die Regierung der einzelnen Adoptivkaiser gekennzeichnet?* **6** *Wie verändert sich das Verhältnis zwischen Römern und Germanen von 113 v. Chr. bis 375?*

1 Die Außenpolitik des Augustus hat defensiven Charakter. Die Vorstöße gegen die Germanen und die Eroberung der Provinzen Rätien und Norikum dienen der Gewinnung günstiger Grenzen (Dreistromgrenze: Rhein, Donau, Euphrat). Innenpolitisch erstrebt Augustus die Aussöhnung der Parteien und die Erneuerung altrömischer Sitte und Religiosität. Er beseitigt Mißstände in der Verwaltung und schafft ein festbesoldetes Berufsbeamtentum.

An der Spitze der kaiserlichen Provinzen steht ein adeliger Legat, ihm zur Seite ein Prokurator aus dem Ritterstand als Finanzverwalter. Nach dem blutigen Jahrhundert der Bürgerkriege sichert Augustus Frieden und Ordnung. Dafür erhält er den Ehrentitel pater patriae.

2 Mäcenas, der Freund und Berater des Augustus, sammelt um sich einen Kreis von Dichtern, dem Vergil (Aeneis, Georgica) und Horaz (Oden) angehören. Auch Ovid, Properz und Tibull schreiben im „Goldenen Zeitalter" der römischen Dichtung. Der Historiker Livius verfaßt auf Anregung des Kaisers seine Römische Geschichte.

3 Durch den Sieg des Cheruskerfürsten Arminius über die Legionen des Varus werden die Römer zum Verzicht auf die Errichtung der Elbgrenze gezwungen, und die Germanen werden nicht wie die Gallier romanisiert. Rhein, Limes und Donau werden für Jahrhunderte die Grenze zwischen Römern und Germanen.

4 Seit Kaiser Nerva (96—98) wählt der jeweilige Herrscher den besten unter den verdienten Männern des Staates aus und bestimmt ihn durch Adoption zur Nachfolge (98—180). Keiner von ihnen stammt aus Rom. Nicht altrömische Tradition bestimmt ihr Denken und Tun, sondern der Geist stoischer Pflichterfüllung. Weil Gerechtigkeit und Ordnung unter ihrer Regierung herrschen, werden sie auch die „guten Kaiser" genannt.

5 Trajan (98—117): Erweiterung des Reiches an Donau und Euphrat zur größten Ausdehnung seiner Geschichte (Dacien, Armenien, Assyrien, Mesopotamien römische Provinzen).
Hadrian (117—138): Fürsorge für Rechtspflege und Kunst, Förderung Athens und des Ostens, Vollendung des Limes.
Antoninus Pius (138—161): Glücklichste Zeit des Kaiserreiches — Friedensperiode.
Marcus Aurelius (161—180): Philosoph (Selbstbetrachtungen), Abwehr der Parther und Germanen (Markomannen), milde Regierung.

6 In vorchristlicher Zeit werden durch Marius die Kimbern und Teutonen (113—101) und durch Caesar die Sueben (58) abgewehrt. Die Feldzüge des Drusus und Tiberius sollen die Elblinie erreichen. Nach der Niederlage des Varus (9 n. Chr.) wird die Rhein-, Limes-, Donaugrenze durch Befestigungen verstärkt (120). Um die Mitte des 3. Jh. durchbrechen die Alemannen den Limes, und die Goten dringen über den Balkan nach Griechenland vor. Burgunder und Franken setzen sich in Belgien und am Rhein fest. Nach 375 beginnt die Festsetzung ganzer Stämme im römischen Reich (Völkerwanderung).

18 Reichskrise, Reichsreform und Dominat

Als Kaiser Commodus, der entartete Sohn Marc Aurels, 192 ermordet wird, geht aus den Kämpfen um seine Nachfolge der afrikanische General Septimius Severus siegreich hervor, dessen Dynastie bis 235 herrscht. Nach ihrem Sturz wird die Kaiserwürde ein halbes Jahrhundert lang Spielball der Legionen, die jeweils ihre Kommandeure zum Kaiser ausrufen. Mehrere Kaiser in den verschiedenen Reichsteilen, unaufhörliche Bürgerkriege und zeitweiser Zerfall in Teilreiche (Sonderreich um Trier) sind die Folge. Von 235—284 regieren 35 „Soldatenkaiser" — meist Thraker oder Illyrer —, von denen nur einer eines natürlichen Todes stirbt. Innenpolitisch zeigt sich ein immer stärkerer Zug zum absoluten Kaisertum (Dominat), außenpolitisch ist die Zeit durch schwere Abwehrkämpfe an allen Fronten gekennzeichnet. Erst unter Diocletians kraftvoller Regierung wird die innere und äußere Not überwunden, und unter Konstantin dem Großen erlebt das römische Reich eine kurze, späte Blütezeit.

193—235	Severer: Septimius Severus, Caracalla, Elagabal, Severus Alexander
212	Verleihung des Bürgerrechts an alle freien Bewohner des Reiches (Constitutio Antoniniana)
226—642	Neupersisches Reich
235—284	Soldatenkaiser: Decius, Valerian, Gallienus, Claudius, Aurelian
284—305	Diocletian
312	Konstantins Sieg an der Milvischen Brücke
323—337	Konstantin Alleinherrscher
330	Verlegung der Hauptstadt nach Konstantinopel
361—363	Julian Apostata

1 Welche Bedeutung hat die Constitutio Antoniniana? 2 Welche äußeren Gefahren bedrohen das Imperium zur Zeit der Soldatenkaiser? 3 Welche wirtschaftlichen und sozialen Auswirkungen hat die Reichskrise des 3. Jh.? 4 Wodurch ist die Regierungsform des Dominats gekennzeichnet? 5 Welche Herrschaftsteilung bzw. Reichseinteilung schaffen Diocletian und Konstantin? 6 Welche Bedeutung hat die Verlegung der Kaiserstadt nach dem Osten?

1 Kaiser Caracalla verleiht im Jahre 212 allen freien Bewohnern des Reiches das römische Bürgerrecht (lex Antoniniana de civitate). Dieses war als erstrebte Teilnahme am Leben des Staates um 340 v. Chr. einzelnen latinischen Gemeinden gewährt, durch den Bundesgenossenkrieg (91/89) auf alle Italiker und durch Caesar auf das Gebiet der Gallia Cisalpina ausgedehnt worden. Doch jetzt liegt der Sinn des neuen Gesetzes u. a. darin, mehr Rekruten einziehen und Steuern erheben zu können.

2 Im Osten erhebt sich Fürst Ardaschir aus dem Geschlecht der Sasaniden gegen die Herrschaft der Partherkönige und begründet das Neupersische Reich (226). Es dehnt sich bis zur Schwarzmeerküste aus und wird zum gefährlichsten Gegner der Römer in Asien.

Gleichzeitig bilden sich bei den Westgermanen größere Stammesverbände, die zum Angriff auf die Rhein-, Limes-, Donaugrenze übergehen. Nach 250 geben die Römer die Limesgrenze auf, und die Alemannen besetzen Rätien und stoßen bis Oberitalien vor. Kaiser Aurelian umgibt Rom mit einer Mauer. Die Goten dringen über die untere Donau und stoßen mehrfach bis Griechenland und Kleinasien vor. 270 räumen die Römer die Provinz Dacien.

3 Durch die langen, meist unglücklichen Mehrfrontenkriege sowie durch die häufigen Kämpfe der Thronanwärter gegeneinander kommt das gesamte innere Leben des Reiches fast zum Erliegen. Rapider Rückgang von Handel und Gewerbe, Verarmung der Stadtbevölkerung, Absinken der Landbevölkerung in die Hörigkeit, Verfall des Münzwesens und Rückfall in die Naturalwirtschaft, Aufhebung der städtischen Selbstverwaltung sowie ein allgemeiner Kulturverfall sind die Kennzeichen der Reichskrise.

4 Seit Diocletian ist der Kaiser nicht mehr princeps, sondern Dominus und Jovius, d. h. absoluter Herrscher und Gott. Seine Hofhaltung entspricht der orientalischer Despoten. Der Senat verliert jede Bedeutung. Die Reichsverwaltung erledigt ein nach hellenistischem Vorbild hierarchisch gegliederter Beamtenapparat. Militär- und Zivilverwaltung sind getrennt. Die Armee wird reorganisiert und in Grenz- und Operationstruppen geteilt. Ein strenges Steuersystem schafft die finanzielle Grundlage dieses absolutistischen Beamtenstaats.

5 Diocletian ernennt seinen Freund und Mitregenten Maximian zum Augustus für den Westen mit der Hauptstadt Mailand, während er sich selbst als ranghöherer Augustus den Osten mit der Hauptstadt Nikomedia vorbehält. Die Augusti (Oberkaiser) ernennen je einen tüchtigen Feldherrn zum Caesar (Unterkaiser) — Galerius für den Osten, Constantius Chlorus für den Westen. So wird das Reich von vier Kaisern regiert (Tetrarchie). Diocletian teilt die Reichsverwaltung in 12 Diözesen, die in 4 Präfekturen zusammengefaßt sind: Orient mit Nikomedia, Illyrien mit Sirmium (an der Save), Italien und Afrika mit Mailand und Gallien mit Trier als Hauptstadt.
Konstantin schaltet alle Mitbewerber um die Herrschaft aus, stellt die Alleinherrschaft wieder her und baut den Beamtenstaat weiter aus. Er verlegt die Reichshauptstadt an den Bosporus (Byzanz — Konstantinopel).

6 Durch die Verlegung der Reichshauptstadt nach Konstantinopel rettet sich der östliche Teil des Imperiums über die Stürme der Völkerwanderung und beschützt als oströmisch-byzantinisches Kaiserreich das Abendland vor dem Islam, bewahrt das Erbe der griechisch-römischen Antike und christianisiert große Teile Osteuropas und Asiens.

19 Das frühe Christentum

Mit dem Untergang der Polis verliert auch die durch sie bestimmte altgriechische Religion ihre Kraft. Ebensowenig aber befriedigt die römische Staatsreligion mit ihrem zur Form erstarrten Opferzeremoniell und Kaiserkult die Heilssehnsucht der Menschen. Die Gebildeten suchen Trost in der Philosophie, die sich nicht mehr mit den Grundfragen des Seins und des Erkennens beschäftigt, sondern zu einer praktischen Lebens- und Sittlichkeitslehre wird. Die Stoa und der Neuplatonismus, die letzten umfassenden Weltanschauungen der alten Welt, bestimmen das geistige Gesicht der Spätantike. Die Masse der Bevölkerung aber sucht ihr Heil in den weitverbreiteten orientalisch-hellenistischen Mysterienkulten (Isis-, Serapis-, Mithraskult). In dieser Zeit eines gesteigerten Heilsbedürfnisses predigt Jesus von Nazareth die Botschaft von der Gotteskindschaft und Erlösung des Menschen und ermöglicht dadurch ein neues Verhältnis des Menschen zu Gott und zum Mitmenschen, dem „Nächsten". Vorwiegend Paulus führt die Lehre Christi über den religiösen Bereich des Judentums hinaus und macht sie in zwanzigjähriger Missionstätigkeit zur Weltreligion.

7/6 v. Chr.	Geburt Jesu in Bethlehem
26—36 n. Chr.	Pontius Pilatus Procurator in Palästina
27—30 n. Chr.	Öffentliches Wirken Jesu
45—58 n. Chr.	Missionsreisen des Paulus
70—100 n. Chr.	Niederschrift der Evangelien und der Apokalypse
313 n. Chr.	Toleranzedikt nach Konstantins Sieg an der Milvischen Brücke
325 n. Chr.	Konzil von Nicäa
381 n. Chr.	Christentum Staatsreligion
391 n. Chr.	Verbot aller heidnischen Kulte
354—430 n. Chr.	Augustinus
431 n. Chr.	Konzil von Ephesus
451 n. Chr.	Konzil von Chalcedon

1 *Wie gestaltet sich das Verhältnis zwischen Christentum und römischem Staat bis 380?* **2** *Welches ist der Hauptgrund der Christenverfolgung?* **3** *Worin liegt die Überlegenheit des Christentums über die Religionen und philosophischen Lehren der Antike?* **4** *Welche äußeren Umstände begünstigen die Ausbreitung der christlichen Lehre?* **5** *Welches sind die beiden wichtigsten Voraussetzungen, die das Christentum erfüllen muß, um zur Weltreligion zu werden?* **6** *Zu welchen Lehrstreitigkeiten führt die Frage nach der Person Christi (Christologie)?*

1 In den ersten beiden Jahrhunderten wechselt die Duldung des Christentums mit zeitweisen Verfolgungen (Nero, Domitian, Marc Aurel). Im dritten Jahrhundert beginnt unter Decius die systematische Verfolgung der Christen und der Kirche, und Diocletian versucht sogar, das Christentum völlig auszurotten (303). Durch das Toleranzedikt Konstantins (313) wird es geduldet und gefördert, unter Theodosius I. zur Staatsreligion erhoben. Die heidnischen Kulte werden verboten.

2 Die Römer verstehen nicht, daß ein unsichtbarer Gott Herr der Welt sein kann. Sie halten die Christen für gottlos und damit für staatsfeindlich. Der Absolutheitsanspruch und die jenseitsbestimmte Einstellung des Christentums widersprechen der römischen Welt- und Staatsauffassung. Die Christen, die den Kaiserkult verweigern, gelten als Majestätsverbrecher.

3 Das Christentum gründet sich nicht, wie die Mysterienkulte, auf alte Mythen, sondern auf die geschichtlichen Berichte von Leben, Tod und Auferstehung seines Begründers und den Glauben daran. Es setzt nicht, wie etwa die Stoa, einen abstrakten Pflichtbegriff oder ein Tugendideal, sondern ein persönliches Gottesverhältnis, und es verbindet alle Schichten des Volkes in der Glaubens- und Liebesgemeinschaft der Kirche und in der Hoffnung auf Erlösung und die Wiederkunft Christi.

4 Die politische Organisation der alten Welt, das Imperium Romanum mit seinem ausgebauten Verkehrssystem und der Spracheinheitlichkeit (Griechisch, Latein), begünstigt die schnelle Verbreitung des Christentums.

5 Die beiden wichtigsten Aufgaben des jungen Christentums sind die Festlegung seines Glaubensinhalts und die Schaffung einer festen Organisationsform. Zur Offenbarung gehören Evangelien, Apostelgeschichte und -briefe, Apokalypse. Um 180 steht das Neue Testament fest, und gleichzeitig ist der Hauptinhalt der Lehre in einer Glaubensregel zusammengefaßt. Auch die Organisationsform der Gemeinden, an deren Spitze der Bischof steht, bildet sich sehr früh. Er ist für Predigt, Schriftauslegung und Aufnahme der Bekehrten zuständig; ihm stehen der Ältestenrat (Presbyter) als Wächter der Ordnung und Diakone für die Gemeindearbeit zur Seite. Durch Verbreitung der Gemeinden über alle Teile des Reiches entsteht eine allumfassende Kirche. Im 4. Jahrhundert erscheinen die Erzbischöfe als Häupter der Kirchenprovinzen.

6 Während Athanasius (und nach ihm die katholische Kirche) die Wesensgleichheit Christi mit Gottvater lehrt, vertritt Arius von Alexandria die Lehre, daß Christus nur wesensähnlich (homoiusios), nicht wesensgleich (homousios) sei. Auf dem ersten allgemeinen Konzil von Nicäa (325) wird der Arianismus verdammt; er verbreitet sich trotzdem, besonders unter den Germanen mit Ausnahme der Franken. Nestorius, der Patriarch von Konstantinopel, lehrt, daß Maria nur den Menschen Christus, nicht aber Gott geboren habe. Die Lehre wird auf dem 3. allgemeinen Konzil von Ephesus (431) verworfen. Sie verbreitet sich in Asien (Mongolen) bis nach China. Gegen die Nestorianer wenden sich die Monophysiten, die behaupten, in Christus sei nur eine, d. h. die göttliche Natur wirksam. Diese Lehre wird 451 in Chalcedon verworfen, hat sich aber bis heute in der koptischen Kirche erhalten.

20a Der Untergang des weströmischen Reiches

Die Nachfolger Konstantins werden in heftige Abwehrkämpfe gegen Sassaniden am Euphrat und Franken am Rhein verwickelt. Julian Apostata fällt im Kampfe gegen die Perser am Tigris (363), Valens bei Adrianopel gegen die Westgoten (378). Nur für kurze Zeit sichert Theodosius zum letzten Mal die Reichseinheit. Nach seinem Tod erhält Arkadius den griechischen Osten und Honorius den lateinischen Westen. Mit Hilfe des wandalischen Söldnerführers Stilicho behauptet sich Honorius im geschützten Ravenna. Es beginnt die Masseneinwanderung der Germanen ins Reich. 476 setzt der germanische Söldnerführer Odoakar den letzten weströmischen Kaiser Romulus Augustulus ab. Das byzantinisch-oströmische Kaiserreich aber bewahrt das Kulturerbe der Antike bis an die Schwelle der Neuzeit (s. S..35). Es ist Schutzwall der Christenheit gegen die Araber und später gegen die Türken. Im Westen wird die römische Kultur durch die Kirche weitergetragen. Größte Bedeutung hat dabei das Mönchtum nach der Regel des Benedikt von Nursia (†540), der 529 auf dem Monte Cassino das erste europäische Kloster gründet.

394—395	Theodosius I. beherrscht das Gesamtreich
451	Abwehr der Hunnen durch Aëtius im Bunde mit Westgoten auf den Katalaunischen Feldern
476	Ende Westroms

1 *Wie gestaltet sich das Verhältnis zwischen Kirche und Staat im Osten, wie im Westen?* **2** *Welche Bedeutung hat die Reichsteilung von 395?*

1 Sogleich nach dem Sieg des Christentums (381/91 Staatsreligion) erhebt sich die Frage der Vorherrschaft zwischen Staat und Kirche. In Konstantinopel ist von Anfang an (Nicäa!) die Staatsgewalt der Kirche übergeordnet, d. h., der Basileus vereinigt höchste weltliche und kirchliche Gewalt (Cäsaropapismus). Im Westen setzt sich der Bischof von Rom als „Papst" durch (Primat), da der Kirche nach dem Zusammenbrechen Westroms keine einheitliche Staatsgewalt gegenübersteht, sondern eine Reihe von Germanenreichen. Ein Gegensatz entsteht erst im Mittelalter.

2 Durch die Reichsteilung von 395 zerfällt das Imperium Romanum in einen östlichen (Griechenland, Kleinasien, Syrien, Ägypten) und einen westlichen Teil (Italien, Illyrien, Pannonien, Gallien, Britannien, Spanien, Afrika). Politisch und religiös gehen ihre Wege immer weiter auseinander, obwohl der oströmische Kaiser die Herrschaftsrechte im Gesamtreich beansprucht. Auch Justinians Versuch einer Wiedervereinigung scheitert. Staatsrechtlich wirksam wird die Trennung allerdings erst mit der Anerkennung Karls d. Gr. als Imperator durch Ostrom (812).

Die im Imperium Romanum verkörperte Einheit des Mittelmeerraumes wird durch die germanische und arabische Völkerwanderung endgültig zerschlagen. An die Stelle der Weltordnung des römischen Reiches treten neue kulturelle und politische Mächte:

Im Westen verschmilzt germanisches Volkstum mit der römischen Kultur und dem Christentum. Die *Welt der romanisch-germanischen Staaten* entsteht.

Im Osten lebt das römische Reich auf griechischer Grundlage als *byzantinisches Kaiserreich* noch ein Jahrtausend weiter. Es verbindet und scheidet Okzident und Orient.

Durch die Lehre Mohammeds werden die arabischen Stämme zu einer religiösen und politischen Einheit verschmolzen. Innerhalb eines Jahrhunderts entsteht ein *islamisch-arabisches Weltreich*, das das Alexanderreich an Größe übertrifft. Die Araber vermitteln dem Abendland einen Großteil der antiken Wissenschaft.

Zwischen Wolga, Adria und Ostsee siedeln sich im 6./7. Jh. die *Slawen* an. Sie bilden unter byzantinischem und deutschem Einfluß christliche Staaten, die zum Abendland gehören.

> 5.—10. Jahrhundert Frühmittelalter
> 10.—13. Jahrhundert Hochmittelalter
> 13.—15. Jahrhundert Spätmittelalter

1 *In welche großen Abschnitte wird die Geschichte des Mittelalters eingeteilt? Wodurch sind sie gekennzeichnet?*

1 Das *Frühmittelalter*, die Zeit der Merowinger und Karolinger, reicht vom Untergang des römischen Imperiums über Völkerwanderung und Frankenreich bis zum altdeutschen Kaiserreich. Es entwickelt sich das Lehnswesen, das im ganzen Mittelalter und darüber hinaus die hierarchisch gegliederte ständische Gesellschaftsordnung bestimmt.

Das *Hochmittelalter* umfaßt die sächsische, salische und staufische Kaiserzeit. Neben dem Kaisertum erstarkt die zweite universale Gewalt des Mittelalters, das Papsttum, durch die cluniazensische Reformbewegung. Der Investiturstreit erschüttert die Macht des Kaisertums. Die Kreuzzüge, die abendländische Gegenbewegung gegen den Islam, drängen diesen zeitweise in die Verteidigung zurück.

Im *Spätmittelalter* erstarkt in den westeuropäischen Ländern die zentrale Gewalt der Könige; es bilden sich die Grundlagen der späteren Nationalstaaten. In Deutschland dagegen sinkt die Macht des Königtums, die der Reichsfürsten wächst; die Kurfürsten gewinnen das Recht der freien Königswahl; die Städte erlangen große wirtschaftliche und politische Macht; hier entsteht die Kultur des Bürgertums. Das gesellschaftliche und kulturelle Leben Europas entwickelt sich aus der bisherigen relativen Einheit zu großer Vielfalt.

21 Die germanische Völkerwanderung

Seit dem Einfall der Kimbern und Teutonen nach Italien versuchen germanische Völkerschaften immer wieder, ins römische Reich einzubrechen. Um die Mitte des 3. Jh. dringen die Alemannen nach Süddeutschland, die Goten über die untere Donau in die nördlichen Balkanprovinzen ein. Aber erst nach dem Einbruch der Hunnen ins Gotenreich fallen zahlenmäßig starke Germanenstämme in das geschwächte Römerreich ein und gründen auf weströmischem Gebiet germanische Reiche. Während die ostgermanischen Reiche bald untergehen, vereinigen die Merowinger die meisten westgermanischen Stämme im Frankenreich und schaffen so die Grundlage für die neue abendländische Ordnung im karolingischen Imperium. Damit verlagert sich das Schwergewicht der Geschichte vom Mittelmeer nach dem Norden. Das Mittelalter löst die Antike ab.

um 375	Einbruch der Hunnen ins Gotenreich — Beginn der germanischen Völkerwanderung
476	Ende des Weströmischen Reiches
um 500	Theoderich und Chlodwig
568	Besiedlung Oberitaliens durch die Langobarden — Ende der Völkerwanderung

1 *Wodurch unterscheiden sich die westgermanischen Wanderungen von den ostgermanischen?* **2** *Wie verlaufen die Wanderwege der ostgermanischen Stämme, und welche Reiche gründen sie auf römischem Boden?* **3** *Welches sind die Ursachen für den Untergang der ostgermanischen Reiche?* **4** *Wie entsteht das Frankenreich?* **5** *Welches sind die Leistungen der beiden bedeutendsten Herrscher der Völkerwanderungszeit, des Frankenkönigs Chlodwig und des Ostgotenkönigs Theoderich?*

1 *Die Westgermanen* (u. a. Alemannen, Franken, Sachsen, Thüringer, Friesen) schieben sich schrittweise in die angrenzenden Landschaften, ohne die Verbindung mit ihrer Heimat aufzugeben. Erst der Franke Chlodwig erweitert sein Reich durch weiträumige Eroberungen. *Die Ostgermanen* (u. a. Goten, Wandalen, Burgunder) verlassen ihre Siedlungsböden mehrfach und gehen nach weiträumigen Wanderungen schließlich unter oder verschmelzen mit der unterworfenen Bevölkerung.

2 *Westgoten* — seit 200 n. Chr. westlich des Dnjestr — weichen dem Hunnensturm und werden 376 ins Oströmische Reich aufgenommen — ziehen durch Griechenland, den Balkan nach Italien — unter Alarich 410 vor Rom — gründen 419 in Südfrankreich und Nordspanien das Tolosanische Reich — werden 507 von den Franken nach Spanien verdrängt — Zerstörung des Toledanischen Reiches durch die Araber (711).

Ostgoten — seit 200 n. Chr. östlich des Dnjestr — werden 375 von den Hunnen überrannt — ziehen unter Theoderich 490 nach Italien und beseitigen die Herrschaft Odovakars — Vernichtung durch Ostrom (553).

Wandalen — ziehen von der Oder nach Südungarn — nach 400 von dort nach Spanien (W-Andalusien) — setzen 427 nach Nordafrika über und gründen ein Seereich — Vernichtung durch die Oströmer (533).

Langobarden — brechen 568 in Italien ein und beseitigen dort die byzantinische Herrschaft — Langobardisches Reich (Lombardei) 568—774 — von Karl d. Gr. dem Frankenreich angegliedert.

3 Ursachen des Untergangs der ostgermanischen Reiche sind: die geringe Zahl der germanischen Einwanderer; der konfessionelle Gegensatz zwischen arianischen Germanen und katholischen Römern; die Uneinigkeit der germanischen Stämme untereinander; der schwächende Einfluß der fremden Umwelt und der ungewohnten Lebensbedingungen; das Wiedererstarken Ostroms unter Justinian.

4 Die Franken breiten sich seit etwa 250 in den römischen Provinzen zwischen dem Niederrhein und dem nördlichen Gallien aus. Der salfränkische Heerkönig Chlodwig aus dem Geschlecht der Merowinger beseitigt andere Gaukönige durch Mord und begründet das Frankenreich. Er vergrößert es durch: Sieg über den letzten römischen Statthalter in Gallien (486); Sieg über die Alemannen (496) und Eingliederung der Rheinpfalz und der Gebiete um Untermain und Neckar; Sieg über die Westgoten (507) und Eroberung des Landes nördlich der Garonne.

5 *Chlodwigs* Leistung ist die Einigung der Franken und die Verschmelzung der germanischen Stämme in einem Reich, das fast ganz Frankreich, das Rheinland und das Gebiet von den Alpen bis zum deutschen Mittelgebirge umfaßt. Sein Übertritt zum katholischen Glauben 496 begünstigt den Ausgleich zwischen der germanischen und der unterworfenen romanischen Bevölkerung. Mit Chlodwigs Taufe wird die Verbindung von Germanentum und Christentum in der das Mittelalter prägenden Form eingeleitet, der die arianischen Ostgermanen Widerstand leisten.

Theoderichs Leistung ist die Gründung des Ostgotenreiches und die Erhaltung einer Friedenszeit in Italien, die für die Bewahrung der antiken Kultur entscheidend wird. Er bemüht sich um Ausgleich zwischen Germanen und Römern; aber die Zugehörigkeit der Goten zum arianischen Bekenntnis verschärft den Gegensatz. Er versucht, durch Heiratspolitik einen germanischen Staatenbund zu schaffen, steht aber damit im Gegensatz zu Chlodwig. Sein Minister Cassiodor verbindet Christentum und antike Bildung. Unter seinen Nachfolgern geht das Ostgotenreich durch den Angriff der oströmischen Feldherrn Belisar und Narses zugrunde.

22 Das oströmische Kaiserreich und der Islam

Das oströmisch-byzantinische Kaiserreich mit den von hier missionierten Slawen und die islamisch-arabische Welt bestimmen neben der germanisch-romanischen Völkerfamilie die Geschichte des Mittelalters. Während der Westteil des römischen Imperiums in den Stürmen der Völkerwanderung untergeht, bleibt das Oströmische Reich fast unversehrt. Kaiser Justinian versucht im 6. Jh., die Einheit des Römerreiches und die alte Kaisermacht wiederherzustellen. Unter seiner Regierung entsteht ein Staat, der trotz schwerster Bedrohungen und Erschütterungen fast ein Jahrtausend überdauert.

Im 7. Jh. einigt der Islam die arabischen Stämme religiös und politisch. Die Kalifen (d. h. Nachfolger des Propheten) erobern die byzantinischen Provinzen Syrien, Palästina, Ägypten, löschen das Neupersische Reich aus und gründen ein Weltreich mit der Hauptstadt Bagdad.

um 527—565	Kaiser Justinian
622	Mohammed siedelt von Mekka nach Medina über (Hidschra)
634—644	Kalif Omar, Begründer des arabischen Weltreichs
711	Zerstörung des Westgotenreiches durch die Mauren
732	Schlacht von Tours und Poitiers

1 Welche Kräfte prägen das Wesen des byzantinischen Staates? 2 Wie versucht Justinian, die römische Kaisermacht und Reichseinheit wiederherzustellen? 3 Was kennzeichnet die Kunst des byzantinischen Reiches? 4 Welche Bedeutung hat das byzantinische Reich für den Verlauf der abendländischen Geschichte? 5 Wie entsteht der Islam? Welche religiösen Vorstellungen und Forderungen kennzeichnen ihn? 6 Wer gilt als Begründer des arabischen Weltreichs? Welche Länder umfaßt es im 9. Jh. auf dem Höhepunkt seiner Macht? 7 Welche kriegerischen Auseinandersetzungen zwischen Christenheit und Islam sind entscheidend für die europäische Geschichte? 8 Welches sind die Gründe des Verfalls der arabischen Macht?

1 Bestimmend für das Wesen des byzantinischen Reiches sind die Tradition des Imperium Romanum, d. h. autokratische Staatsform und umfassender Reichsgedanke, die politische und geistige Herrschaft des Griechentums, das Christentum östlicher Prägung als Staatsreligion und Staatskirche und mannigfache Kultureinflüsse aus dem Orient.

2 Justinian vernichtet das Wandalenreich in Nordafrika (533), besiegt die Ostgoten (553) und macht Italien zur Provinz (Exarchat). Die innere Einheit seines Reiches stärkt er durch die Kodifizierung des römischen Rechtes (Corpus juris, 529). Er vereinheitlicht den Glauben, indem er als Herr der Kirche auch in religiöse Fragen eingreift (Caesaropapismus; Konzil von Konstantinopel 553).

3 In der byzantinischen Kunst verbinden sich Stilelemente der Antike, des Orients und des frühen Christentums. Ausdruck und zugleich Vollendung erfährt sie in dem Wunderwerk der Hagia Sophia, das den orientalischen Kuppelbau mit der christlichen Basilika vereinigt. Im Inneren schmücken Mosaiken die byzantinischen Kirchen (bes. in Ravenna erhalten).

4 Byzanz bleibt Schutzwall der Christenheit gegen den Islam bis an die Wende zur Neuzeit (1453). Es bewahrt die griechisch-römische Kultur und vermittelt wesentliche Anregung zur Renaissance und zum Humanismus. Im oströmischen Reich erhält das frühe Christentum seine theologische Festigung — die ersten acht Konzilien finden dort statt —, und byzantinische Missionare und Mönche bekehren Osteuropa.

5 Der Islam ist die letzte große Offenbarungsreligion der Mittelmeerwelt. Seit etwa 610 verkündigt der aus Mekka stammende Prophet Mohammed die Lehre von der Ergebung in den Willen des einen Gottes Allah, der das Leben jedes einzelnen vorherbestimmt. Pflichten des Muslim sind Gebet, Glaube, Almosengeben, Fasten und Wallfahrt nach Mekka. Die Vorbestimmtheit des Schicksals (Kismet) und paradiesische Verheißungen für Glaubenskämpfer machen den Muslim zum fanatischen Streiter für die Ausbreitung der Macht des Islam. Die Flucht Mohammeds nach Medina (Hidschra, 622) gilt als Beginn der islamischen Zeitrechnung. Die Lehre Mohammeds ist in den 114 Suren des Korans zusammengefaßt.

6 Der Kalif Omar (634—644) begründet das arabische Weltreich durch die Eroberung Jerusalems, des Neupersischen Reiches und Ägyptens. Die Dynastie der Omaijaden (661—750) breitet den Islam weiter aus. Im 9. Jh. beherrscht der Islam Spanien, Nordafrika mit Ägypten, Syrien, Persien und viele Inseln des Mittelmeers.

7 Die Araber werden 717/18 durch Kaiser Leo III. vor Konstantinopel und 732 durch Karl Martell bei Tours und Poitiers am weiteren Vordringen nach Europa gehindert. Die Kreuzfahrer drängen die in Einzelherrschaften zerfallene Macht des Islam zeitweise in die Defensive. Die islamischen Türken überwinden 1453 das durch den 4. Kreuzzug (1202/04) geschwächte Konstantinopel und 1521 den Johanniterorden auf Rhodos. 1529 und 1683 werden sie bei Wien abgewehrt. Die Wiedereroberung Spaniens (Reconquista) ist mit der Einnahme Granadas 1492 abgeschlossen.

8 Infolge innerer Wirren zerfällt das islamische Reich in selbständige Teilreiche, die einander häufig bekriegen. Erst durch die unter den osmanischen Sultanen geeinten Türken erhält der Islam neue expansive Kraft.

23 Das Frankenreich

Während die ostgermanischen Reiche der Wandalen und Ostgoten Byzanz zum Opfer fallen, dehnen die westgermanischen Franken ihre Herrschaft vom Atlantik bis zum Fichtelgebirge und den Ostalpen aus und vereinigen den größten Teil Westeuropas. Damit schaffen sie die politischen Voraussetzungen für die abendländische Einheit. Durch die christliche Mission erhält das Abendland sein religiöses und kulturelles Gepräge. Im fränkischen Staat verbinden sich germanische Herrschaftsformen mit den römischen Einrichtungen der eroberten Gebiete. Daraus entsteht das Lehenswesen, das die mittelalterliche Herrschafts- und Gesellschaftsordnung bestimmt.

um 550	**größte Ausdehnung des Frankenreiches der Merowinger**
744	**Bonifatius (†754) begründet das Kloster Fulda**
751	**Königskrönung Pippins des Jüngeren**

1 Welche Stellung nimmt der König im fränkischen Reiche ein? 2 Welches sind die wichtigsten Beamten, die dem König zur Ausübung seiner Herrschaft zur Verfügung stehen? 3 Welche Gefahren bringen die Herrschaftsteilungen mit sich? 4 Was verstehen wir unter dem Begriff Lehenswesen? 5 Welche Ursachen begünstigen seine Ausbildung? 6 Durch welche Ereignisse gewinnt das Geschlecht der Karolinger seine überragende Stellung? 7 Auf welche Vorgänge gehen die engen Beziehungen zwischen dem fränkischen Königtum und dem Papsttum zurück?

1 Der König ist oberster Richter (Gerichtsbann), oberster Kriegsherr (Heerbann) und schützt den Frieden (Friedensbann). Er erläßt Verordnungen, beruft Synoden und setzt Bischöfe ein. Ihm leisten die Untertanen den Treueid, gewisse Dienste und Abgaben. Er ist Eigentümer des Krongutes und Repräsentant des Reiches nach außen. Im sakralen Charakter des mittelalterlichen Herrschers verbindet sich die germanische Vorstellung von den im Königtum wirkenden göttlichen Kräften (Königsheil) mit der christlichen Auffassung des von Gott eingesetzten Herrschers. Seit Chlodwig gilt das Erbrecht; sind mehrere Söhne vorhanden, so wird die Herrschaft (nicht das Reich!) geteilt.

2 Der König sendet Gefolgsleute in die Gaue, sie üben als Grafen in seinem Auftrag die Regierungsgewalt aus. Zur Entlohnung erhalten sie Land aus dem Königsgut. So entsteht ein Dienstadel neben dem grundbesitzenden Adel.

3 Durch die Herrschaftsteilungen entstehen um 600 die Teilreiche Austrasien (Ostreich), Neustrien (Westreich), Burgund und Aquitanien. Da sie oft untereinander Krieg führen, sinkt die Macht des Königtums. Die Hausmeier gewinnen in den Teilreichen Einfluß auf die Reichsverwaltung.

4 Das Lehenswesen ist die Staats- und Gesellschaftsordnung, die sich im fränkischen Reich und seinen Folgestaaten, im Normannenreich und in den Kreuzfahrerstaaten herausbildet.

Im Lehenswesen verschmilzt das dingliche Abhängigkeitsverhältnis der keltoromanischen Vasallität (ein Knecht dient seinem Herrn für freien Unterhalt oder später für das Nutzungsrecht an Grundbesitz) mit dem persönlichen Treueverhältnis des germanischen Gefolgschaftswesens. Das Treuegelöbnis verpflichtet den Vasallen zum Dienst für seinen Herrn; dieser gewährt ihm Schutz und überträgt ihm zum Unterhalt und Lohn Land aus dem Königsgut und öffentliche Ämter als Lehen. Der Vasall kann Teile des Lehens an Untervasallen weiterverleihen. Gegenseitige Pflichten und Treue sind Grundlagen des Lehenswesens und des mittelalterlichen Staates. Untreue des Vasallen führt zum Entzug des Lehens — Untreue des Herrn begründet ein Widerstandsrecht des Vasallen.

5 Der Einbruch der Araber ins Frankenreich (732) erfordert zur Abwehr ein Reiterheer und begünstigt somit die Ausbildung des Lehenswesens. Später verlangen die Feldzüge über Alpen und Pyrenäen, die Kämpfe gegen Avaren und Ungarn abermals Verstärkung des Reiterheeres. Im karolingischen Reich des 9. Jh. ist das Lehenswesen voll ausgebaut; die königlichen Beamten sind zugleich Lehensträger.

6 Die wichtigsten Stufen im Aufstieg der Karolinger: a) Pippin der Mittlere, Hausmeier von Austrasien, gewinnt 687 durch einen Sieg über den neustrischen Hausmeier dieses wichtigste Reichsamt im Gesamtreich; b) Karl Martell (714—741) stellt die Oberhoheit über Thüringer, Bayern und Alemannen wieder her und besiegt 732 die Araber; c) Pippin der Jüngere (741—768) wird 751 mit Zustimmung des Papstes von den Großen des Reiches zum König gewählt und von Bonifatius gesalbt; d) Karl d. Gr. (768—814) wird vom Papst zum Römischen Kaiser gekrönt (800).

7 Die Germanen sind durch angelsächsische Missionare christianisiert worden. Unter ihnen ragt Bonifatius hervor, der Begründer des Erzbistums Mainz und des Klosters Fulda. Er organisiert die Kirche im Frankenreich. Als hier der Hausmeier Pippin zum König erhoben wird, ersetzt ihm die Salbung das Königsheil, das er nach dem Geblüt nicht besitzt. Als Dank schützt Pippin den Papst gegen die Langobarden und verbrieft ihm Landbesitz (Patrimonium Petri: Dukat von Rom, Exarchat von Ravenna und Pentapolis). Diese „Pippinische Schenkung" begründet den Kirchenstaat. Der Papst überträgt dem Frankenkönig die Würde des „patricius Romanorum" mit Oberhoheit und Schutzpflicht über Rom und der wichtigsten Stimme bei der Papstwahl. Dies sind die Wurzeln des engen Verhältnisses von Kaisertum und Papsttum, das für das Mittelalter bestimmend wird.

Das Reich, in dem Karl d. Gr. 768 die Herrschaft antritt, ist das Ergebnis der jahrhundertelangen Bemühungen der fränkischen Könige, ihre Herrschaft über die umwohnenden Germanenstämme und über Gallien auszudehnen. Sein Vater Pippin ist bereits das Bündnis mit dem Papsttum eingegangen, hat gegen Langobarden, heidnische Sachsen und Araber gekämpft und ist bestrebt, die Reichsverwaltung und das Schulwesen zu verbessern. In all diesen Stücken ist Karl der Fortsetzer des Begonnenen, in einigen sogar der Vollender. Zu der Zeit, als der Gegensatz zwischen dem Papsttum und Byzanz unüberbrückbar wird, entsteht das fränkische Großreich unter einem Herrscher, dessen Ideal der Gottesstaat Augustins und dessen Vorbild der Priesterkönig David ist. Bei ihm findet die Kirche den Schutz, den sie zur weltlichen Sicherung ihrer göttlichen Autorität braucht. Dieses Zusammentreffen ist für den Verlauf der abendländischen Geschichte von entscheidender Bedeutung.

768—814	Karl der Große
773—774	Unterwerfung der Langobarden
772—804	Sachsenkriege
788	Eingliederung Bayerns
800	Kaiserkrönung Karls in Rom

1 *Welche Eroberungen fügt Karl d. Gr. seinem Reich hinzu?* **2** *Durch welche Maßnahmen sichert Karl d. Gr. die Grenzen seines Reiches?* **3** *Welches sind die wichtigsten Marken?* **4** *Auf welche Staatsorgane stützt sich Karl d. Gr. bei der Ausübung seiner Herrschaft in seinem Reich?* **5** *Welche Bedeutung hat die Kaiserkrönung Karls d. Gr. durch den Papst im Jahre 800?* **6** *Welche Bedeutung hat die Herrschaft Karls d. Gr. für die Kultur des Mittelalters?*

1 Durch Unterwerfung des Langobardenreiches und den Erwerb der langobardischen Krone sichert sich Karl die Ansprüche der Langobarden auf ganz Italien. — Durch Beseitigung des bayerischen Stammesherzogs Tassilo, dem Karl wegen Verweigerung der Heeresfolge den Prozeß macht, verbindet er Bayern fest mit seinem Reich.
Er besiegt die Avaren und schiebt damit die Südostgrenze des Reiches bis zur Raab vor. — In drei Sachsenkriegen unterwirft er die Stämme der Engern, West- und Ostfalen und Nordalbinger nach wechselvollen Kämpfen. Sachsen wird in Grafschaften eingeteilt und nach fränkischem Muster verwaltet. — Durch verschiedene Heereszüge gegen die Slawen im Nordosten breitet er seine Oberhoheit über diese aus und sichert die Reichsgrenze am Mittellauf der Elbe und an der Saale. — Nach siegreichen Kämpfen gegen die Dänen macht er die Eider zur Nordgrenze des Reiches. — Auf einem Zug gegen Spanien wird das Heer von Berbern besiegt.

2 Er sichert die Grenzen seines Reiches durch Heereszüge gegen Avaren, Mauren und Slawen und durch Marken. Markgrafschaften sind weit größer als Grafschaften; der Markgraf kann im Falle einer Gefahr selbständig den Heerbann aufbieten und ist daher von den übrigen Feldzügen befreit.

3 Die spanische Mark (südlich der Pyrenäen bis zum Ebro), bretonische Mark (Nordwestfrankreich), sorbische Mark (zwischen Saale und Elbe), pannonische oder avarische Mark (zwischen Donau und Drau) und Kärnten und Friaul sind die wichtigsten Marken.

4 Karl d. Gr. teilt das Reich in Grafschaften ein. An der Spitze einer Grafschaft steht der Gaugraf (comes), der im Namen des Königs Gericht hält, das Königsgut verwaltet, die königlichen Einnahmen einhebt und im Kriegsfall das Aufgebot führt. Die Grafschaften sind in Hundertschaften (Zenten) eingeteilt. — Die Sendboten des Königs (Missi Dominici) — ein weltlicher Adeliger und ein hoher Geistlicher — bereisen in ihrem Sprengel die Grafschaften, überprüfen Einnahmen und Rechtsprechung der Grafen, nehmen Beschwerden entgegen und verkünden Reichsgesetze. Die Königsboten sichern den Zusammenhang zwischen Lokalgewalt (Graf) und Zentralgewalt (König) und damit die Einheit des Reiches.

5 Die Kaiserkrönung Karls d. Gr. in einer von ihm nicht gewollten Form durch Papst Leo III. überträgt das Imperium Romanum auf die Franken. Der Kaiser ist Schutzherr der römischen Christenheit; das Abendland hat nun ein geistliches und ein weltliches Oberhaupt. Es entsteht die Idee der Einheit Europas und der kaiserlichen Universalherrschaft. Zugleich ist damit aber auch der Grund für den späteren Kampf zwischen Kaisertum und Papsttum um die Vorherrschaft gelegt. Seit der Krönung Karls und der Anerkennung als Kaiser durch Ostrom (812) gehen der griechisch-byzantinische Osten und der römisch-fränkische Westen politisch und religiös getrennte Wege.

6 Karl d. Gr. versammelt die namhaftesten Gelehrten seiner Zeit um sich, die sich besonders der Sammlung und Kommentierung der lateinischen Klassiker widmen. Geistig führend sind der Angelsachse Alkuin als Theologe, Grammatiker und Dichter, der Langobarde Paulus Diaconus, der eine Geschichte seines Volkes schreibt, und der Franke Einhard, Karls Biograph. Der Kaiser läßt die Pfalzkapelle in Aachen, den ersten großen Steinbau seit der Römerzeit, erbauen. Er widmet sich der Bildung und Erziehung durch Förderung der Kloster- und Domschulen und Errichtung der Hofschule in Aachen ("Karolingische Renaissance"). Die Antike ist dabei formales Vorbild, doch die Leitideen der Epoche sind christlich.

25 Die Entstehung des ostfränkisch-deutschen Reiches

Das Reich, das Karl der Große mehr durch die Macht seiner Persönlichkeit als durch Verwaltungseinrichtungen zusammengehalten hat, zeigt unter seinem Sohn, Kaiser Ludwig dem Frommen, die ersten Verfallserscheinungen. Uneinigkeit und Bruderzwist erschüttern die Macht der Karolinger. So führen dynastische Konflikte zu den Herrschaftsteilungen von Verdun, Meerssen und Ribémont; die völkischen und landschaftlichen Gegensätze sind dabei kaum von Bedeutung.
Als dazu noch eine barbarische Invasionswelle von der Mitte des 9. bis zur Mitte des 10. Jh. das Reich bedroht, zerbricht die Einheit, und die Teilstaaten gehen eigene Wege. So entstehen innerhalb eines Jahrhunderts aus dem karolingischen Imperium ein westliches und ein östliches Frankenreich sowie ein burgundisches, ein provenzalisches und ein italienisches Königtum. Eine politische Neuordnung Europas hat sich vollzogen.

814—840	Ludwig der Fromme
843—876	Ludwig der Deutsche
911	Aussterben der ostfränkischen Karolinger
919—936	Heinrich I. von Sachsen

1 *Welche Feinde bedrohen das fränkische Reich von Karl Martell bis zum Ende der Karolingerzeit?* **2** *Welche inneren Veränderungen vollziehen sich infolge dieser Bedrohungen? Welche Folgen haben sie für die deutsche Geschichte?* **3** *Was verursacht den Zerfall des Karolingerreiches?* **4** *In welchen Stufen entsteht das deutsche Reich?* **5** *Wodurch unterscheidet sich das deutsche Reich vom Reich Karls d. Gr.?* **6** *Welche außen- und innenpolitischen Erfolge Heinrichs I. sichern den Bestand des Reiches?* **7** *Welche Staaten bilden sich im Norden und Osten des Frankenreiches im 9. Jahrhundert?*

1 a) Die Gefahr der Arabereinfälle wird durch Karl Martell 732 bei Tours und Poitiers gebannt. Pippin der Jüngere vertreibt die Araber aus Südfrankreich. b) Die Wikinger, die seit 840 im West- und Ostreich einfallen, werden 890 durch Arnulf bei Löwen geschlagen. 911 setzen sie sich in der Normandie fest. c) Seit 900 dringen die Ungarn mehrfach ins Ostreich ein und verwüsten besonders Bayern. Heinrich I. besiegt sie bei Riade an der Unstrut (933); Otto schlägt sie auf dem Lechfeld (955) endgültig. d) Im Osten entsteht gegen Ende des 9. Jh. ein großmährisches Reich.

2 Infolge der Unfähigkeit der Nachfolger Karls d. Gr., die Landesgrenzen zu schützen, bilden sich lokale Gewalten, die diese Aufgabe übernehmen. Männer aus alten Grafengeschlechtern oder ehemalige Missi Dominici mit großem Landbesitz steigen im Ostreich zu Stammesherzögen empor. In Sachsen und Bayern übernehmen die Markgrafen den Grenzschutz und gewinnen eine herzogliche Stellung.
Am Beginn der deutschen Geschichte stehen fünf Stammesherzogtümer (Bayern, Sachsen, Schwaben, Franken, Lothringen) als fast selbständige

Gebilde. Sie verhindern eine starke Zentralregierung und legen den Grund für die spätere territoriale Entwicklung des deutschen Reiches.

3 Gründe für den raschen Zerfall des karolingischen Reiches:
  a) Herrschaftsteilungen, die das Reich nach dem Tode des Herrschers unter alle erbberechtigten Söhne aufteilen (privatrechtliches Prinzip);
  b) das schwache Königtum, das die Reichsgrenzen nicht mehr schützen kann und die Bildung starker Lokalgewalten begünstigt;
  c) die Stammesunterschiede der Germanen.

4 843 Vertrag von Verdun: Teilung der Herrschaft nach fränkischem Erbrecht. Die Idee der Reichseinheit bleibt erhalten.

  870 Vertrag von Meerssen: Teilung des lothringischen Reiches.

  880 Vertrag von Ribémont: Lothringen kommt zum Ostreich.

  887 Absetzung Karls III. — Wahl Arnulfs von Kärnten.

  911 Wahl Konrads von Franken — völlige Abkehr vom Erbrecht und damit vom Geschlecht der Karolinger.

  919 Wahl Heinrichs I., der die Stammesherzogtümer zu einem Reich einigt (die Salzburger Annalen gebrauchen zum ersten Mal den Begriff „regnum Teutonicorum").

5 Kennzeichen des karolingischen Reiches: Erbmonarchie, Beamtenstaat mit Grafschaftsverfassung, bewohnt von verschiedenen Volksgruppen. Kennzeichen des ostfränkisch-deutschen Reiches: Wahlkönigtum, Lehensstaat mit Stammesherzogtümern, bewohnt von einer einheitlich germanischen Bevölkerung.

6 Während Konrad I. die Macht der Stammesherzöge vergeblich zu brechen versucht, gewinnt Heinrich I. ihre Unterstützung durch Anerkennung der herzoglichen Gewalt. Er ist nur Erster unter Gleichen (primus inter pares), verlangt aber Anerkennung und Lehenseid. Die außenpolitischen Erfolge Heinrichs: Rückgewinnung Lothringens, ein Ungarnsieg, Unterwerfung slawischer Stämme und Sicherung der Elblinie, Wiederherstellung der karolingischen Mark zwischen Eider und Schlei.

7 In England gründet Alfred der Große (871—901) ein angelsächsisches Gesamtreich. Bei den Nordgermanen Skandinaviens bildet sich ein Großkönigtum. Die Balkanslawen werden von den mongolischen Bulgaren unterworfen, deren Reich um 900 von der Donau bis zur Adria reicht. Die Westslawen errichten unter Swatopluk (869—894) das Großmährische Reich. Die schwedischen Normannen (Waräger) gründen Herrschaften über die Ostslawen, deren wichtigste Nowgorod und Kiew sind. Um 900 werden sie durch den Großfürsten von Kiew vereinigt und später von Byzanz christianisiert. Die Magyaren (Ungarn) verlassen um 850 ihre Wohnsitze zwischen Don und Wolga und gründen in der Theißebene ein Reich.

26 Otto der Große (936—973) und seine Nachfolger

Heinrich I. hat durch kluge Politik gegenüber den Herzögen und Erfolge gegen Ungarn, Slawen und Dänen nicht nur das ostfränkisch-deutsche Reich vor dem Zerfall bewahrt, sondern es so gestärkt, daß sein Sohn Otto von den 5 Stämmen einmütig zum Nachfolger gewählt wird. Otto I. begnügt sich nicht mit förmlicher Anerkennung seiner Oberhoheit durch die Herzöge; er verlangt Unterordnung unter die königliche Gewalt. Erst nach langen Kämpfen siegt er und bildet die Stammesherzogtümer in Amtsherzogtümer um. Die Erfahrungen, die er mit den Stammesgewalten macht, veranlassen seine Bindung an die Kirche. Sie soll als Reichskirche Träger der Staatsverwaltung und der Reichseinheit und wichtigste Stütze des Königtums werden.

936—973	Otto der Große
955	Ottos I. Sieg über die Ungarn auf dem Lechfeld
962	Kaiserkrönung Ottos I.
968	Gründung des Erzbistums Magdeburg
982	Ottos II. Niederlage bei Cotrone — Slawenaufstand (983)

1 Durch welche Maßnahmen Ottos I. werden Bischöfe und Reichsäbte zu Stützen der Königsmacht? 2 Welche Vorteile und Gefahren für das Reich birgt das „Ottonische Regierungssystem" („Verfassungskirche")? 3 Aus welchen Gründen strebt Otto I. nach der Kaiserkrone? 4 Wodurch gewinnt Otto I. die Herrschaft über das Papsttum? 5 Worin zeigt sich die europäische Vormachtstellung Ottos d. Gr.? 6 Welche Kaiser- und Reichsidee bestimmt die Regierung Ottos III.? 7 Was erbringt die Ostpolitik der deutschen Herrscher von Heinrich I. bis Heinrich II.?

1 Otto I. vergibt an Bischöfe und Reichsäbte reiche Landschenkungen aus dem Königsgut und überträgt ihnen königliche Hoheitsrechte (hohe Gerichtsbarkeit, Markt-, Zoll-, Münzregal). Dafür werden sie mit ihren ritterlichen Gefolgsleuten zur Hoffahrt und Heerfahrt verpflichtet. Da der König das Recht der Bischofseinsetzung (Investitur) ausübt, schafft er sich treue Anhänger und ein Gewicht gegen die Herzogsgewalt. Später verleiht er sogar ganze Grafschaften an geistliche Würdenträger und schafft damit das geistliche Fürstentum.

2 Während weltliche Reichslehen erblich sind und daher oft durch Familieninteressen dem Königtum entfremdet werden, muß der Nachfolger eines geistlichen Fürsten Güter und Rechte erneut vom König empfangen. Zudem besitzt die Kirche eine straffe Organisation im ganzen Reich. Sie vertritt den Gedanken der Reichseinheit. Solange der König Einfluß auf den Papst ausübt oder wenigstens mit ihm zusammenarbeitet, bewährt sich das Ottonische System; zur Zeit des Investiturstreites geraten die geistlichen Reichsfürsten in den Konflikt zwischen Lehenseid und Gehorsamspflicht gegen den Papst.

3 Nachdem Otto I. die hohe Geistlichkeit zur Reichsverwaltung herangezogen hat, muß er bestrebt sein, Papsttum und Kirche zu beherrschen. Wirren in Oberitalien machen sein Eingreifen nötig. Die Kaiserkrone bietet Otto Herrschaft über den Papst und Herrschaftsanspruch auf Italien und den Kirchenstaat. Ferner ist mit der Kaiserwürde die Hegemonie über die abendländische Christenheit verbunden, die Otto als der mächtigste Herrscher beansprucht.

4 Dem Hilferuf des Papstes zufolge zieht Otto 962 nach Italien und erneuert Schenkung und Schutzversprechen Karls d. Gr. (Pactum Ottonianum); der Papst verspricht den Treueid (Promissio) vor der Weihe. Auf einem zweiten Italienzug läßt Otto die Römer schwören, keinen Papst ohne Zustimmung des Kaisers zu wählen. Auf dieser Grundlage beherrscht das Kaisertum ein Jahrhundert lang das Papsttum.

5 Otto schlichtet Streitigkeiten in Frankreich und Burgund, gliedert Italien ins Reich ein, beherrscht das Papsttum, macht Böhmen lehens- und Polen tributpflichtig. Durch den Sieg auf dem Lechfeld (955) bannt er endgültig die Ungarngefahr, und durch die Vermählung seines Sohnes Ottos II. mit der byzantinischen Prinzessin Theophanu gewinnt er die Freundschaft Ostroms. Europa kann als Bund von Staaten unter der unbestrittenen Vorherrschaft des Kaisers gelten.

6 Otto III. verbindet die christlich-abendländische Kaiseridee Karls d. Gr. mit der Prachtentfaltung oströmisch-byzantinischen Kaisertums. Er will von Rom aus als Roman(or)um Imperator Augustus die Welt regieren. Dies Reich soll zugleich ein Gottesreich sein.

7 Heinrich I.: Unterwerfung slawischer Stämme (Heveller, Liutitzen, Daleminzier) — Schutz der Elblinie als Reichsgrenze.

Otto I.: Unterwerfung der Slawen bis zur Oder — Gründung des Erzbistums Magdeburg zur Christianisierung des Ostens — Errichtung von Markgrafschaften (Billunger Mark, Nordmark, Mark Lausitz, Mark Meißen) — Oberhoheit über Polen und Böhmen — Ungarnsieg auf dem Lechfeld und Ungarnmission von Passau aus.

Otto II.: Großer Slawenaufstand nach Ottos II. Niederlage bei Cotrone durch die Araber — Ostgrenze des Reiches wird auf die Elblinie zurückgeschoben.

Otto III.: Die Gründung der Erzbistümer Gnesen und Gran entzieht Polen und Ungarn dem Einfluß der deutschen Kirche und fördert ihre Selbständigkeit.

Heinrich II.: Rückgewinnung Böhmens und der Mark Meißen.

Heinrich II. stellt nach dem Scheitern der universalistischen Weltpolitik Ottos III. das Königtum auf deutscher Grundlage wieder her. Er leitet den glanzvollen Aufstieg des Reiches unter Konrad II. und Heinrich III. ein. Gleichzeitig breitet sich vom Kloster Cluny eine Reformbewegung aus. Das mit Unterstützung Heinrichs III. reformierte Papsttum fordert, allen weltlichen Einfluß auf kirchliche Amtsträger auszuschalten und den Vorrang der geistlichen Gewalt (sacerdotium) vor der weltlichen (imperium). Freiheit der Kirche vom Joch weltlicher Macht (Libertas ecclesiae) ist der Ruf der Reformer. Da aber die Bischöfe als Reichsfürsten Stützen der königlichen Macht sind, muß das Königtum sein Recht der Bischofseinsetzung verteidigen. Der fast 50jährige Kampf endet mit einem Kompromiß im Wormser Konkordat.

1056—1106	Kaiser Heinrich IV.
1059	Papstwahldekret
1073—1085	Papst Gregor VII.
1077	Canossa
1122	Wormser Konkordat

1 *Wodurch baut Konrad II. seine Macht im Reich aus?* 2 *Welcher neue Staat entsteht zur Zeit der ersten Salier in Unteritalien?* 3 *Was will die cluniazensische Reformbewegung?* 4 *Wie verhalten sich die deutschen Kaiser gegenüber der Reformbewegung?* 5 *Wie wandelt sich der Reformgedanke in der 2. Hälfte des 11. Jh.?* 6 *Mit welchen Zielen stehen sich die beiden bedeutenden Gestalten im Investiturstreit gegenüber?* 7 *Wie verläuft der Investiturstreit?* 8 *Wie regelt das Wormser Konkordat die Bischofsinvestitur?* 9 *Welche Bedeutung hat der Investiturstreit für Reich, Papsttum und die deutschen Fürsten?*

1 Konrad II. verleiht seinem Sohn Heinrich die Herzogtümer Bayern und Schwaben. Er stärkt die Stellung der Untervasallen (Erblichkeit der kleinen Lehen), vermehrt planmäßig das Königsgut und läßt es durch Dienstleute (Ministerialen) verwalten. Diese Reichsministerialen bilden eine wichtige Stütze des Königtums der Salier und Staufer. Durch Erbvertrag erwirbt er 1033 Burgund.

2 Konrad II. gestattet den Normannen die Ansiedlung in Unteritalien. Sie entreißen den Byzantinern ganz Unteritalien und erobern die Herzogtümer Salerno, Capua und Benevent. Sie entziehen sich der deutschen Lehensherrschaft und unterstützen das Papsttum im Investiturstreit.

3 Die Reformbewegung wendet sich ursprünglich gegen die Verweltlichung des Mönchtums und verlangt strenge Befolgung der Benediktinerregel und Gehorsam gegenüber dem Abt. Sie breitet sich rasch über Frankreich, Italien und Deutschland (Kloster Hirsau) aus. Gegenüber dem germanischen

Eigenkirchenrecht erstarkt das kuriale Recht. Die Reformer fordern strenge Beachtung des Zölibats (Ehelosigkeit der Priester), Verbot der Simonie (Verkauf geistlicher Ämter) und der Laieninvestitur (Einsetzung geistlicher Würdenträger durch weltliche Herrn). Auch der im Reich verkündete Gottesfriede (treuga Dei) geht auf Cluny zurück.

4 Heinrich II. steht der Bewegung wohlwollend gegenüber, Konrad II. gleichgültig; letzterer beherrscht die Kirche und verlangt Abgaben bei der Investitur von Geistlichen. Heinrich III. verhilft ihr durch die Einsetzung reformfreundlicher Päpste (Synode von Sutri 1046) zum Sieg. Er will die Kirche im Sinne der Reform umgestalten, aber die Herrschaft über sie behaupten.

5 Nachdem sich das Papsttum durch das Dekret von 1059 (Wahl durch Kardinalskollegium) vom Einfluß des Kaisers und des römischen Stadtadels befreit hat, verlangt die Reformpartei nicht mehr Freiheit der Kirche, sondern ihre Herrschaft über jede weltliche Macht.

6 Gregor VII. ist fanatischer Verfechter der Kirchenreform und des Herrschaftsanspruches des Papsttums. Heinrich IV. ist erfüllt vom Auftrag des christlichen Herrschers und dem Machtwillen der Salier. Beide sind durchdrungen von Größe und Recht ihrer Idee.

7 1075 Verbot der Laieninvestitur verschärft — 1076 König und Papst setzen sich gegenseitig ab; Heinrich im Bann. — Lösung der Untertanen vom Treueid. — Allgemeiner Abfall vom König. — 1077 Heinrich in Canossa vom Bann gelöst — Fürstenopposition wählt trotzdem Rudolf von Rheinfelden zum Gegenkönig. — 1080 Heinrichs Sieg über Rudolf — 1084 Romzug Heinrichs und Kaiserkrönung durch einen Gegenpapst. Auch Heinrich V. hält am Investiturrecht des Königs fest.

8 Im Wormser Konkordat (1122) kommt es zu einer Trennung von geistlichem Amt und Reichsgut und Reichsrecht. In Deutschland wird die Bischofsinvestitur so geregelt: a) Freie kanonische Wahl in Gegenwart des Königs. b) Investitur mit weltlichen Gütern und Rechten durch den König. c) Kirchliche Weihe. In Italien geht kirchliche Weihe vor Investitur.

9 Das Wormser Konkordat bedeutet für das Reich den Zusammenbruch des ottonischen Systems. Die Bischöfe sind nun Reichsvasallen mit Anspruch auf königliche Hoheitsrechte. Diese „geistlichen Reichsfürsten" verbinden sich mit der weltlichen Aristokratie zu einem der Zentralgewalt gegenüberstehenden Territorialfürstentum. Das Papsttum wird vom Kaisertum unabhängige Macht und versucht, seinen Herrschaftsanspruch durchzusetzen. Eigentlicher Gewinner ist der hohe Adel. In der Zeit der Wirren eignet er sich Besitz und Hoheitsrechte auf Kosten des Königtums an und setzt das Königswahlrecht durch.

28 Die Kreuzzüge

Die cluniazensische Reformbewegung beeinflußt nicht nur Kirche und Staat, sondern erweckt auch in der Bevölkerung religiösen Eifer. Als kirchliche Friedensbewegung (treuga Dei) ächtet sie den Kampf um des Kampfes willen, befürwortet aber den Heiligen Krieg gegen die Ungläubigen. Als die seldschukischen Türken um 1070 Palästina erobern und Byzanz gefährden, ruft Papst Urban II., ehemaliger Prior von Cluny, auf der Synode von Clermont zum Kreuzzug gegen den Islam auf (1095). Mit dem Ruf „Gott will es!" ziehen zwei Jahrhunderte lang Kaiser, Könige, Fürsten, Ritter, Geistliche, Bürger und Bauern, ja Frauen und Kinder aus allen Teilen Europas aus, um das Heilige Land zu befreien.

um 1070	Seldschuken erobern Palästina
1096—1099	1. Kreuzzug — Eroberung Jerusalems und Gründung der Kreuzfahrerstaaten
1189—1192	3. Kreuzzug — Barbarossas Tod im Salef
1190	Deutscher Orden vor Akkon gegründet
1202—1204	4. Kreuzzug — Eroberung Konstantinopels
1228—1229	5. Kreuzzug — Friedrichs II. Vertrag mit dem Sultan

1 Wer führt die Kreuzzüge, und welche Erfolge haben sie? 2 Worauf sind die Erfolge und Mißerfolge der Kreuzfahrer zurückzuführen? 3 Welche Kreuzzüge haben weltgeschichtliche Bedeutung und warum? 4 Welche Orden werden im Verlauf der Kreuzzüge gegründet? 5 Welchen Wandel erfährt der Kreuzzugsgedanke im Laufe der Zeit? 6 Welche kulturelle und wirtschaftliche Bedeutung haben die Kreuzzüge für das Abendland?

1 Der 1. Kreuzzug ist die Tat bedeutender französischer, flandrischer und normannischer Fürsten. Trotz unsäglicher Strapazen und Verluste gelingen die Eroberung von Jerusalem und die Gründung fränkischer Herrschaften in Palästina und Syrien (Königreich Jerusalem, Grafschaft Tripolis, Fürstentum Antiochia, Grafschaft Edessa).
Der 2. Kreuzzug unter Führung des deutschen Königs Konrads III. und des französischen Königs Ludwigs VII., zu dem Bernhard v. Clairvaux aufgerufen hat, ist ein Mißerfolg.
Der 3. Kreuzzug unter Kaiser Friedrich I. und Philipp II. August von Frankreich und Richard Löwenherz scheitert durch den Tod des Kaisers in Kleinasien sowie durch Seuchen und Uneinigkeit im Heer.
Der 4. Kreuzzug wird von den Venezianern nach Byzanz gelenkt und führt zur Gründung des lateinischen Kaiserreiches (1204—1261).
Der 5. Kreuzzug, den der gebannte Kaiser Friedrich II. führt, sichert den Christen durch Vertrag ungehinderten Zugang zu den Heiligen Stätten.
Der 6. und 7. Kreuzzug sind heldenhafte, aber erfolglose Unternehmungen Ludwigs IX. des Heiligen von Frankreich gegen Ägypten.

2 Leistung und Erfolg des 1. Kreuzzuges sind nur aus der Glaubensüberzeugung der Ritter zu verstehen. Zugute kommt den Franken — so nennt der Orient die abendländischen Ritter — die mangelnde Geschlossenheit des Gegners. Die späteren Mißerfolge sind auf Uneinigkeit und Zwietracht unter den Christen, auf Grausamkeiten an der mohammedanischen Bevölkerung, auf erlahmenden religiösen Eifer und auf die Einigung der Gegner unter starken Herrschern zurückzuführen.

3 Die beim 1. Zug errichteten Kreuzfahrerstaaten hindern den Islam für längere Zeit am Vordringen nach Europa. Der 4. Kreuzzug, den die Venezianer nach Konstantinopel lenken, bringt den Christen in Palästina keine Hilfe, sondern zerstört das Bollwerk der Christenheit gegen den Islam und vernichtet die Kultur, die das Erbe der Antike am reinsten bewahrt.

4 Im Hl. Land entstehen drei geistliche Ritterorden, deren Mitglieder neben den drei Mönchsgelübden (Armut, Keuschheit, Gehorsam) den Kampf gegen die Ungläubigen geloben. Ihr Ideal ist der christliche Ritter.
Der Johanniterorden entsteht aus der Bruderschaft des Hospitals des hl. Johannes (Hospitaliter) — nach dem Verlust des Hl. Landes (1291) auf Zypern — bis 1521 auf Rhodos — bis 1798 auf Malta (Malteser), von Napoleon vertrieben — heute Krankenpflegerorden.
Der Templerorden — nach der ersten Niederlassung in der Nähe des Salomonischen Tempels benannt — nach 1291 nach Zypern und dann nach Frankreich verlegt — wegen seines Reichtums von König Philipp IV. d. Schönen verfolgt und grausam vernichtet (1312).
Der Deutsche Orden entsteht 1198 aus einer Bruderschaft für Krankenpflege, die 1190 vor Akkon gegründet worden ist. Er christianisiert 1230—1280 die Preußen und gründet den Deutschordensstaat (1525 weltliches Herzogtum).

5 Später werden nicht nur die Züge nach dem Hl. Land, sondern auch die Kriege des Deutschen Ordens gegen heidnische Slawen im 13. und 14. Jh., die Albigenserkriege (1209—29), die Hussitenkriege (1419—36) und die Türkenkriege als Kreuzzüge angesehen.

6 Die Berührung mit dem kulturell hochstehenden Islam bereichert das Abendland vielfältig: a) mit geographischen, naturwissenschaftlichen und philosophischen Kenntnissen — Einführung der arabischen Ziffern; b) befruchtet Dichtung (Ritterepos), Baukunst und Handwerk; c) Einführung morgenländischer Waren und Begriffe.
Hauptsächlichen Gewinn aus den Kreuzzügen ziehen das Papsttum, dessen Ansehen steigt, die Städte Venedig, Genua, Pisa, sowie überhaupt die Handelsstädte in Italien, Deutschland und Frankreich. Die Kreuzzüge fördern auch den Übergang von der Naturalwirtschaft zur Geldwirtschaft.

29 Friedrich I. und Heinrich VI. von Hohenstaufen

Durch den Verlust an Hoheitsrechten und Besitz ist in der Zeit von 1076 bis 1152 die Macht der Krone geschwächt, die der Fürsten bedeutend gestärkt worden. Die Festigung der Fürstengewalt ist ein folgenschweres Moment der deutschen Geschichte, das zum Dualismus zwischen König und Fürsten, zur unumschränkten fürstlichen Souveränität und zum deutschen Partikularismus führt. Außerdem setzen die Fürsten ihren Anspruch auf das Königswahlrecht durch. Lothar von Sachsen und Konrad III. von Hohenstaufen werden gegen Geblütsrecht und Designation gewählt und sind daher durch die Gegnerschaft der legitimen Erbanwärter und durch Zugeständnisse gelähmt, die sie bei ihrer Wahl den Fürsten machen müssen. Friedrich I. gibt dem Königtum eine neue Machtgrundlage, auf der noch einmal eine europäische Vormachtstellung des Kaisertums und des Heiligen Reiches (sacrum imperium) möglich wird.

1152—1190	Friedrich I. Barbarossa
1177	Friede von Venedig
1183	Friede von Konstanz
1180	Absetzung Heinrichs des Löwen
1190—1197	Heinrich VI.

1' Wie entsteht der Gegensatz zwischen Staufern und Welfen, und wie verläuft die Auseinandersetzung? 2 Welche Ziele verfolgt Friedrich I. bei seiner Regierung? Welche Maßnahmen ergreift er? 3 Welche Gründe führen erneut zum Kampf zwischen Kaiser und Papst? 4 Welche Erfolge erringt Friedrich I. bei seiner Auseinandersetzung mit dem Papsttum und den lombardischen Städten? 5 Worin liegt die Bedeutung Heinrichs des Löwen? Welche Folgen hat sein Sturz? 6 Welche Bedeutung hat die Verbindung Siziliens mit dem Reich? 7 Welche universalpolitischen Ziele verfolgt Heinrich VI.? 8 Welche Verfassungspläne will er durchsetzen?

1 Nach dem Tode des kinderlosen Saliers Heinrichs V. wählen die Fürsten nicht dessen Neffen Friedrich von Hohenstaufen, sondern Lothar von Sachsen. Er verbindet sich mit den Welfen und fordert Herausgabe des salischen Königsgutes. Damit beginnt der Kampf zwischen Welfen und Staufern.

Unter Lothar von Sachsen und Konrad III. Kämpfe um die territoriale Abgrenzung — 1156 Ausgleich unter Friedrich I.: Heinrich der Löwe erhält Bayern ohne die Mark Österreich. Diese wird zum selbständigen Herzogtum erhoben unter dem Babenberger Heinrich Jasomirgott mit besonderen Vorrechten (privilegium minus: weibliche Erbfolge, beschränkte Heerfahrtpflicht). — 1180 Prozeß gegen Heinrich und Lehensentzug — 1198/1208 Thronstreit Philipp v. Schwaben gegen Otto IV. und 1212/15 Friedrich II. gegen Otto IV. — 1235 Aussöhnung: Welfen erhalten ihre Eigengüter als Herzogtum Braunschweig-Lüneburg zurück.

2 Friedrich I. will die Macht des Imperiums in der alten Dreieinheit Deutschland, Italien, Burgund wiederherstellen (renovatio imperii), einen festgefügten Lehensstaat schaffen und die Königsmacht stärken. Durch die Heirat mit Beatrix, der Erbin von Hochburgund, sichert er sich die Herrschaft über das Königreich Arelat. Durch Heerfahrten nach Italien versucht er, die Macht der lombardischen Städte zu brechen und entfremdete Reichsrechte (Beamteneinsetzung, Zoll-, Münzrecht usw.) zurückzugewinnen. Da er die im Wormser Konkordat zugestandenen Königsrechte wahrt, schafft er sich einen treuen Episkopat. Durch Erwerb von Königsgut und strenge Handhabung von Gericht und Landfriedensgesetz stärkt er seine Stellung im Reich; die Reichsministerialen sind seine wichtigsten Stützen.

3 Durch die Rückgewinnung kaiserlicher Herrschaft in Italien fühlt sich das Papsttum in seinem Territorialbesitz bedroht. Der Kampf wird nicht nur, wie der Investiturstreit, um strittige Rechte, sondern auch um Landbesitz und um die Vorherrschaft in Italien geführt.

4 Im Frieden von Venedig (1177) verzichtet der Kaiser auf Unterwerfung des Papstes und Oberhoheit über den Kirchenstaat, der Papst auf Unterordnung der kaiserlichen Gewalt unter die päpstliche. Die Herrschaft über die deutsche Kirche und seine Machtstellung in Italien behält Friedrich I. Der Frieden von Konstanz (1183) sichert dem Kaiser trotz militärischer Niederlage bei Legnano (1176) die Oberhoheit über die Lombardei. Die Städte erhalten zwar Selbstverwaltung, werden aber zu Leistungen und Schutz des Reichsgutes in Italien verpflichtet.

5 Heinrich der Löwe germanisiert und christianisiert die slawischen Gebiete bis zur Oder. Er begünstigt Städte und Handel und dehnt planmäßig den deutschen Einfluß nach Osten aus. Die Verurteilung Heinrichs als ungetreuem Vasallen nach Lehensrecht (1180) ist ein Sieg des Kaisers. Damit geht auch der deutsche Einfluß im Norden und Osten zurück.

6 Durch Heinrichs VI. Heirat mit Konstanze, der Erbin des Normannenreiches, verliert das Papsttum seine Hauptstütze. Das Kaisertum dagegen verfügt nun über die Finanzkraft des straff organisierten sizilianischen Staates und über eine Flotte, übernimmt aber damit gleichzeitig die normannischen Pläne einer Mittelmeerherrschaft.

7 Heinrich VI. will den Gedanken der Oberherrschaft des Kaisertums über die Christenheit verwirklichen. Er dehnt seine Lehensoberhoheit über England, Zypern und Armenien aus, beansprucht die Balkanhalbinsel und Nordafrika, plant einen Kreuzzug und einen Angriff auf Byzanz.

8 Um die dauernde Vereinigung Siziliens mit dem Reich zu sichern, versucht Heinrich die Zustimmung der deutschen Fürsten zu einem Erbreichsplan zu gewinnen, aber sie versagen ihm die Zustimmung.

Die Verbindung Siziliens mit dem Reich (unio regni ad imperium) wirkt sich unheilvoll in der deutschen Geschichte aus. Während die Italienpolitik Friedrichs I. der Schaffung einer starken Regierungsgrundlage im Reich gilt, folgt die Mittelmeerpolitik der späteren Staufer normannischer Tradition und führt das Reich zu ungeheuren Opfern an Gut und Blut. Zudem erwächst dem Kaiser im Papsttum, das durch die staufische Zange erdrückt zu werden droht, ein Gegner, der alles versucht, um einen Wechsel der Dynastie zu erreichen. In dieser Lage bedeutet der jähe Tod Heinrichs, der ohne regierungsfähigen Erben ist, für das Reich die größte Katastrophe seiner mittelalterlichen Geschichte. Vom Höhepunkt seiner Macht stürzt es in Bürgerkrieg und Anarchie.

1198—1216	Papst Innozenz III.
1198	Doppelwahl: Philipp v. Schwaben — Otto IV.
1213.	Goldene Bulle von Eger
1214	Schlacht bei Bouvines
1215	Magna Charta — Laterankonzil
1215—1250	Friedrich II.
1220	Confoederatio cum principibus ecclesiasticis —
1232	Statutum in favorem principum
1241	Mongolenschlacht bei Liegnitz
1268	Hinrichtung Konradins in Neapel

1 *Welche Folgen hat der frühe Tod Heinrichs VI.?* 2 *Welche Stellung nimmt Papst Innozenz III. zu den Thronstreitigkeiten zwischen Welfen und Staufern 1198—1208 und 1212—1215?* 3 *Welche Rolle spielen England und Frankreich im deutschen Thronstreit?* 4 *Welche Folgen hat die Schlacht von Bouvines für Deutschland, Frankreich und England?* 5 *Welche Ziele verfolgt Friedrich II. in Sizilien und welche in Deutschland?* 6 *Welche Bedeutung haben die beiden großen Privilegien Friedrichs II. von 1220 und 1232?* 7 *Was unterscheidet den Kampf Friedrichs II. gegen das Papsttum vom Investiturstreit?* 8 *Welche Folgen hat der Untergang des staufischen Kaisertums für die abendländische Geschichte?*

1 Der frühe Tod Heinrichs VI. führt in Deutschland zur Doppelwahl Philipp v. Schwaben — Otto IV. und damit zu langjährigen Thronstreitigkeiten zwischen Staufern und Welfen. In Italien bricht die staufische Herrschaft zusammen. Papst Innozenz III. erweitert den Kirchenstaat um Spoleto, die Romagna und Ancona und stellt das Lehensverhältnis über Sizilien wieder her.

2 Innozenz III. entscheidet sich für Otto IV., der dafür die Reichsrechte in Mittelitalien und Sizilien und die im Wormser Konkordat verbliebenen Königsrechte preisgibt. Als aber Otto IV. nach dem Tode Philipps (1208) die staufische Politik wiederaufnimmt, Mittelitalien besetzt und die

Herrschaft über Sizilien wiederherstellen will, schickt der Papst den jungen Staufer Friedrich (II.) als Gegenkönig nach Deutschland.

3 England unterstützt Otto IV., Frankreich ist mit den Staufern verbündet. Johann Ohneland will mit Hilfe Ottos IV. die englischen Besitzungen auf dem Kontinent zurückerobern. Aber mit dem Sieg der Franzosen bei Bouvines (1214) über das welfisch-englische Heer fällt auch die Entscheidung im deutschen Thronstreit. Philipp II. August von Frankreich sendet Friedrich II. den erbeuteten Reichsadler.

4 Der französische Sieg bei Bouvines verdrängt Otto IV. und macht Friedrich II. zum Herrn in Deutschland. Frankreich behält seine Eroberungen und begründet die Machtstellung seiner Monarchie. England verliert den größten Teil seiner festländischen Besitzungen. König Johann muß seinen Baronen die Magna Charta Libertatum zugestehen.

5 In Sizilien baut Friedrich II. Verwaltung und Justiz aus und errichtet einen zentralistischen Beamtenstaat; er stärkt seine Militärmacht durch planmäßige Anlage von Kastellen und fördert Wirtschaft und Kultur. Das Land wird zum modernsten Staatswesen und bildet die Machtgrundlage des Kaisers. In Deutschland widmet er sich zwar erfolgreich dem Reichsgut, erkennt aber die Machtstellung der Fürsten an und stärkt sie durch weitere Preisgabe von Reichsgut und Reichsrechten, um sich die Unterstützung seiner Italienpolitik zu sichern.

6 Beide Privilegien, die „Konföderation" mit den geistlichen Fürsten (Confoederatio cum principibus ecclesiasticis) und das Statut zugunsten der (weltlichen) Fürsten (Statutum in favorem principum) bedeuten den Rückzug der königlichen Gewalt aus den Territorien. Gerichtsbarkeit, Münz-, Zoll-, Markt- und Befestigungsrecht gehen auf die Fürsten über, die als Landesherren (domini terrae) bezeichnet werden. Ihr Bestreben gilt dem Ausbau ihrer Landeshoheit. Die Geschichte der Territorien wird bedeutender als die der Zentralgewalt.

7 Während im Investiturstreit das Papsttum mit dem Normannenreich verbündet war, kann sich Friedrich II. auf Sizilien stützen; so wird das Papsttum umklammert. Der Kaiser will die Reichsrechte in Italien wiederherstellen. Das Papsttum dagegen will die Umklammerung sprengen, eine starke weltliche Herrschaft behaupten und das staufische Kaisertum vernichten.

8 Nach dem Untergang des staufischen Herrscherhauses gehen die Hauptteile des Imperiums eigene Wege. In Deutschland festigen die Landesherren während des Interregnums ihre Stellung. Die Territorien werden endgültig Träger der Entwicklung. Politische Zersplitterung und Machtkämpfe herrschen in Italien. Sizilien fällt an das Haus Anjou.

31 Die deutsche Siedlung in Osteuropa —

Im Osten grenzt das Reich längs der Elbe an eine Anzahl slawischer Stämme, die untereinander uneinig und in ihrer politischen und wirtschaftlichen Entwicklung zurückgeblieben sind. Die Bildung einer slawischen Großmacht unter Boleslaw III. (1102—1139) scheitert am Widerstand dieser Völker gegen eine polnische Herrschaft; ein slawisches Einheitsbewußtsein fehlt. Unter Lothar von Sachsen beginnt die über 200 Jahre dauernde deutsche Siedlungsbewegung, die das politische, wirtschaftliche und soziale Leben Deutschlands und Osteuropas wesentlich verändert. Sie wird zwar von Kriegszügen eingeleitet, aber die große Ostwanderung im 13. Jh. vollzieht sich friedlich und wird von slawischen Fürsten gefördert. Eine Ausnahme bildet der Deutsche Orden, der — vom Herzog von Masovien herbeigerufen — die unabhängigen Preußen unterwirft. Der deutsche Siedlungsboden wird um zwei Drittel vermehrt, und der christlich-abendländische Kulturkreis wird nach Osten erweitert.

1125—1350	Deutsche Ostsiedlung
1134	Albrecht der Bär erhält die Nordmark
1147	Wendenkreuzzug
1226—1283	Der Deutsche Orden erobert Preußen
1410	Niederlage des Ordens bei Tannenberg — 1. Friede von Thorn
1466	2. Friede von Thorn

1 *In welche Abschnitte läßt sich das Verhältnis zwischen Deutschen und Slawen von Karl d. Gr. bis zum Ende des Mittelalters einteilen?* **2** *Was veranlaßt slawische Fürsten, deutsche Siedler ins Land zu rufen?* **3** *Was verlockt Kolonisten zum Zug nach Osten?* **4** *Wer sind die Träger der Ostkolonisation?* **5** *Welche Rolle spielt der Orden bei der Ostkolonisation?* **6** *Welche Gründe führen zum Niedergang des Ordens?* **7** *Welche Folgen hat die Ostkolonisation für Osteuropa und das Reich?*

1 a) Karl d. Gr. unterwirft die Wenden zwischen Saale und Oder und gründet die sorbische Mark.

b) Heinrich I. und Otto I. unterwerfen die Slawen zwischen Elbe und Oder — Christianisierung vom Erzbistum Magdeburg aus — Grenzschutz durch Marken. — Die Gebiete werfen 983 die deutsche Herrschaft ab — Elbe für eineinhalb Jahrhunderte Reichsgrenze.

c) Lothar von Sachsen und die mit den Grenzmarken belehnten Schauenburger (Holstein), Wettiner (Meißen und Lausitz), Askanier (Nordmark) und später Heinrich der Löwe stoßen nach dem Osten vor. Holstein und Westmecklenburg werden erobert, Brandenburg und Pommern erkennen die deutsche Oberhoheit freiwillig an. Der Sturz Heinrichs des Löwen (1180) beendet die vorwiegend durch Eroberungspolitik bestimmte Epoche.

d) Nach 1210 beginnt eine friedliche Besiedelung in Mecklenburg, Ostbrandenburg, Pommern, Schlesien, Nordmähren, Polen und dem

Ordensstaat. In Livland kommt es nur zu Städtegründungen, da für Bauern der Landweg gesperrt ist.

e) Nach 1350 verebbt die Volksbewegung. Gleichzeitig ändert sich die politische Situation: Ungarn und Böhmen erstarken; die neuerstandene polnische Großmacht unter Wladislaw II. (1386—1434) beansprucht die Hegemonie. Der Missionsgedanke fällt weg; die Slawen sind christianisiert.

2 Die slawischen Fürsten rufen die Siedler vorwiegend zur Kultivierung von Marsch- und Ödland herbei. Dorf- und Stadtgründungen sowie Handel bringen den Fürsten wirtschaftliche Vorteile.

3 Die Siedler erhalten vererbliche, frei veräußerliche Pachtgüter gegen mäßigen Zins ohne gutsherrliche Lasten. Persönliche Freiheit und bessere wirtschaftliche Bedingungen als in den übervölkerten Westgebieten sind die wichtigsten Gründe für ihren Entschluß.

4 An der Kolonisation sind alle Stände beteiligt: Fürsten, Ritter, Bischöfe (Otto von Bamberg, der Pommernapostel) und Orden (Prämonstratenser, Zisterzienser). Die Volksbewegung des 13. Jh. wird vor allem von bäuerlichen und städtischen Siedlern getragen.

5 Herzog Konrad von Masovien ruft den Deutschen Orden zum Kampf gegen die heidnischen Preußen und schenkt ihm das Kulmerland (1226 Reichslehen). 1237 vereinigt sich der Orden mit dem livländischen Schwertbrüderorden. Durch die Eroberung Preußens schafft er ein zusammenhängendes Siedlungsgebiet. Blütezeit des Ordens als Militär-, Handels- und Finanzmacht ist das 14. Jh.

6 Die Gründe für den Niedergang des Ordens sind:
Der Siedlerstrom versiegt infolge der Pest (um 1350); der Orden gerät in Gegensatz zu Städten und landsässigem Adel; Polen erstarkt nach der Vereinigung mit Litauen und infolge der Christianisierung; Zwistigkeiten und sittlicher Verfall innerhalb des Ordens.
Im 2. Frieden von Thorn (1466) verliert der Orden Westpreußen, Kulmerland und Ermland an Polen; er muß polnische Schutzhoheit anerkennen. Livland wird selbständig.

7 Die kolonisatorischen Leistungen der Siedler und ihre Rechtsstellung beeinflussen die bäuerliche Bevölkerung Osteuropas günstig. Die wirtschaftliche und soziale Lage aller verbessert sich. Die Fürsten in den Kolonisationsgebieten können eine moderne Form der Landesherrschaft aufbauen, da sie über Freie herrschen und nicht durch Tradition und feudale Interessen gehemmt sind. Daher gewinnen die Dynastien Ostdeutschlands (Habsburger, Luxemburger, Wettiner und später Hohenzollern) in der Reichspolitik an Einfluß.

32 Städte — Städtebünde — Hanse

Während italienische See- und Handelsstädte schon zur Zeit der Kreuzzüge ihre Blüte erreichen, fällt der Aufstieg der deutschen Städte erst ins Spätmittelalter. Politische Selbständigkeit, d. h. Reichsfreiheit, gewinnen hier meist nur die Städte, die auf Reichsgut liegen, und einige Bischofsstädte. Durch Handel, besonders mit Oberitalien und Flandern, durch Handwerk und Kunst werden sie Zentren des Wohlstandes. Im Unternehmertum ihrer Bürger liegen die Wurzeln des Frühkapitalismus. Die mächtigsten Städte erwerben beachtlichen Landbesitz und geraten in Gegensatz zu den Fürsten. Weil ein starkes Kaisertum fehlt, vereinigen sie sich zum Schutze ihrer Interessen in Städtebünden. Die Hanse umfaßt zeitweise etwa 150 Städte, kontrolliert den Handel von Flandern und Bergen bis Nowgorod, führt Kriege und schließt Verträge ab.

1254	Rheinischer Städtebund
1376	Schwäbisch-rheinischer Städtebund
1388	Niederlage der Städte bei Döffingen und Alzey — Auflösung des Bundes
1358	Erste Erwähnung der Städte von der deutschen Hanse
1370	Hansefriede von Stralsund
1494	Schließung des hansischen Kontors in Nowgorod

1 *Welches sind wichtige Aufgaben städtischer Selbstverwaltung?* **2** *Welche Bedeutung haben Patriziat und Zünfte in der mittelalterlichen Stadt?* **3** *Welche Städtegruppen entstehen durch gemeinsame Handelsinteressen?* **4** *Welche Ursachen führen zum Gegensatz zwischen Fürst und Stadt?* **5** *Welches sind die Ursprünge der Hanse?* **6** *Welche politischen und wirtschaftlichen Ziele verfolgt die Hanse?* **7** *Welches ist der Höhepunkt hansischer Macht?* **8** *Welche Ursachen hat ihr Niedergang?*

1 Die wichtigen Aufgaben der städtischen Selbstverwaltung sind Ausübung der Gerichtsbarkeit, Schutz der Bürger, Einhebung von Steuern und Abgaben, Sicherheit von Handel und Handwerk, Fürsorge für Arme und Kranke.

2 Der Patriziat entsteht im 13. Jh. aus eingesessenen Kaufmannsfamilien und Ministerialen. Die Geschlechter besitzen ausgeprägtes Standesbewußtsein und Solidaritätsgefühl. Sie bilden den Rat der Stadt und stellen die Bürgermeister. Durch weitschauende Politik und kühne Handelsunternehmungen begründen sie Reichtum und Macht der Städte.
Zünfte sind Zusammenschlüsse von Handwerkern des gleichen Gewerbes zur genossenschaftlichen Sicherung der Existenz. Sie entstehen um 1100 als freie Einungen oder auf stadtherrlichen Befehl. Zunächst stehen sie allen Gewerbetreibenden offen, später werden sie zu kartellartigen Gebilden mit strengen Aufnahmebedingungen (Schließung der Zünfte im 15. Jh.). Sie regeln Ausbildung, Arbeitszeit, Preise, Einkauf der Rohstoffe

und überwachen die Produktion, um gute (zünftige) Erzeugnisse zu gewährleisten. Damit formen sie das Arbeitsethos des Handwerkers.

3 Durch gemeinsame Handelsinteressen entstehen die Städtegruppen: a) Die oberdeutschen Städte pflegen den Italienhandel (Basel, Konstanz, Ulm, Augsburg, Nürnberg); b) die flandrischen und niederrheinischen Städte den Englandhandel (Gent, Brügge, Köln); c) die rheinischen Städte verbinden beide Gruppen; d) die nordostdeutschen Städte treiben Rußland- und Skandinavienhandel (Lübeck, Rostock, Danzig, Riga, Reval).

4 Ursachen für den Gegensatz zwischen Fürsten und Städten: a) Der aufblühende Handel führt zu Streit um Zollfreiheiten und Geleitrechte; b) fürstliche Rechte innerhalb der Stadt und städtische Rechte außerhalb der Stadt erzeugen Reibereien; c) mächtige Städte versuchen, Territorien zu bilden oder wenigstens umliegendes Land wirtschaftlich zu beherrschen (Bannmeilenrecht); d) die Landflucht entzieht Fürsten und Grundherren oft die besten Leute (Stadtluft macht frei!); e) der Reichtum der Städte erregt die Mißgunst der Fürsten.

5 Hanse bedeutet Interessengemeinschaft von Kaufleuten. Sie entsteht in der Fremde, wo sich Kaufleute zusammenschließen, um Privilegien und günstiges Fremdenrecht zu gewinnen. Die kölnische Hanse ist die Gemeinschaft der Gotlandfahrer. Seit Ende des 13. Jh. haben die regelmäßig Brügge besuchenden Kaufleute Lübecks und Hamburgs je eine Hanse, die sich 1347 zu einer gesamtdeutschen ausweitet. Die Hansen bedürfen zum Schutz ihrer Privilegien der Macht ihrer Heimatstädte. Nach einer Reihe regionaler Bündnisse entsteht die Hanse aller niederdeutschen Handelsstädte (1358). Lübeck, durch den Skandinavien- und Rußlandhandel bereits Vormacht im Ostseeraum, übernimmt die Führung.

6 Die Ziele der Hanse sind: Erhaltung und Erweiterung ihrer Privilegien, Schiedsspruch bei Streitigkeiten unter Bundesstädten, Ordnung und Schutz von Handel und Seefahrt, Strand- und Stapelrecht, Münze und Gewicht, Hinderung eines selbständigen Handels des Auslandes.

7 Nach einem Sieg über Dänemark erringt die Hanse im Frieden von Stralsund die Herrschaft im Ostseeraum. Sie umfaßt etwa 150 Städte, hat Kontore in London, Brügge, Bergen und Nowgorod und kontrolliert fast den gesamten Ost- und Nordseehandel eineinhalb Jahrhunderte lang.

8 Der Niedergang der Hanse wird verursacht durch den Aufschwung der englischen und holländischen Schiffahrt, das Erstarken der nordischen Staaten, die Sonderinteressen einzelner Städtegruppen, die Verschiebung des Schwerpunktes des Handels von Nord- und Ostsee zum Atlantik, das Fehlen eines Rückhalts an einer starken Staatsgewalt und durch die städtefeindliche Politik der Landesfürsten.

33 Der Sieg der Fürsten über das Königtum

Die deutsche Geschichte vom Ende des Interregnums (1273) bis zur Goldenen Bulle (1356) zeigt zwei entgegengesetzte Tendenzen. Während das Königtum versucht, seine Gewalt durch den Erwerb einer starken Hausmacht neu zu begründen, wollen die Fürsten die Zentralgewalt schwächen und ihre eigene Landeshoheit ausbauen. Der Sieger über die Staufer, das Papsttum, gerät in Abhängigkeit vom französischen Königtum („Babylonische Gefangenschaft" der Kirche in Avignon 1309—1377). In England, Frankreich und Spanien beginnt gegen Ende des 13. Jh. der Aufstieg von nationalen Staaten unter tatkräftigen Königen (Eduard I. 1272 bis 1307 — Philipp der Schöne 1285—1314 — Peter von Aragon 1276 bis 1285). Die abendländische Einheit zerfällt. Es entstehen eine neue Staatsauffassung und Weltanschauung.

1273—1291	Rudolf von Habsburg
1291	Ewiger Bund der Schweizer Waldstätte
1314—1347	Ludwig der Bayer (Wittelsbach)
1338	Kurverein von Rhense
1347—1378	Karl IV. (Luxemburg)
1356	Goldene Bulle

1 *Wie vollzieht sich der Ausbau der Landeshoheit in den Territorien?*
2 *Welche verfassungsgeschichtliche Wandlung tritt während des Interregnums zutage?* **3** *Wie wirkt sich die Königswahl durch die Kurfürsten auf die Stellung des Herrschers und die Reichspolitik aus?* **4** *Warum strebt jeder spätmittelalterliche Herrscher nach dem Ausbau seiner Hausmacht?* **5** *Worin liegt die Bedeutung Rudolfs v. Habsburg?* **6** *In welchen Stufen erfolgt der Ausbau der habsburgischen Hausmacht?* **7** *Worin liegt die Bedeutung des Kurvereins von Rhense und der Goldenen Bulle?* **8** *Warum mißlingt den Habsburgern die Schaffung einer starken Zentralgewalt?*

1 Grundlage fürstlicher Landeshoheit bilden die Königsrechte (Regalien), die während des Investiturstreites, der Thronwirren und des Interregnums an die Fürsten übergehen. Die Privilegien von 1220 und 1232 verankern den Übergang verfassungsrechtlich. Auf dieser Grundlage errichten die Fürsten nach langwierigen Bemühungen starke Staatsgewalten mit Einrichtungen für Gesetzgebung, Rechtsprechung, Besteuerung und Finanzverwaltung, für Frieden und Sicherheit von Person und Eigentum.

2 Bei der an sich bedeutungslosen Doppelwahl von 1257 (Alfons von Kastilien — Richard von Cornwall) tritt zum erstenmal die Ansicht hervor, daß nur 7 Fürsten (3 geistliche: Mainz, Köln, Trier — 4 weltliche: Pfalzgraf bei Rhein, Sachsen, Brandenburg, Böhmen) wahlberechtigt seien. Sie bilden fortan das Kurfürstenkollegium.

3 Der Wahlkönig des Spätmittelalters ist bei allen wichtigen Amtshandlungen von der Zustimmung der Kurfürsten abhängig (Wahlkapitulationen — Willebriefe). Sein Aufgabenbereich ist eingeschränkt, Eingriffe in die Territorien sind fast unmöglich. Die Kurfürsten bestimmen weitgehend die Reichspolitik. Das Reich ist eigentlich eine ständische Aristokratie mit frei gewähltem Oberhaupt. Lediglich die Finanzkraft der Reichsstädte bleibt eine wichtige Stütze der Zentralgewalt.

4 Da Königsrechte und Reichsgut fast vollständig an die Landesherren übergegangen sind, müssen die Herrscher den Ausbau ihrer Hausmacht anstreben; nur sie sichert ihnen Macht und Ansehen im Reich.

5 Rudolf von Habsburg stellt Recht und Ordnung wieder her und bewahrt das Reich vor Anarchie und Zerfall. Er folgt nicht der Tradition staufischer Italienpolitik, sondern versucht, in Deutschland eine starke Erbmonarchie zu errichten. Er legt den Grundstein zum Aufstieg seiner Dynastie durch seinen Sieg über Ottokar von Böhmen bei Dürnkrut 1278.

6 Die habsburgischen Stammlande liegen in der Schweiz und in Südwestdeutschland. 1282 werden die Söhne Rudolfs nach dem Sieg über Ottokar mit Österreich, Steiermark und Krain belehnt. Im 14. Jh. erwirbt Habsburg Kärnten und Tirol. Maximilians Heirat mit Maria, Tochter Karls des Kühnen, bringt das burgundische Erbe ein (Niederlande und Freigrafschaft Burgund 1477). Die Schweiz dagegen kämpft seit 1291 um ihre Unabhängigkeit.

7 Der Kurverein von Rhense beschließt, daß der von den Kurfürsten gewählte König keiner päpstlichen Bestätigung bedarf. Damit verteidigen die Kurfürsten ihr Wahlrecht gegen die Ansprüche des Papstes. Ludwig der Bayer verkündet nun als Reichsgesetz, daß die Wahl zugleich Recht und Titel des Kaisers verleiht.
Die Goldene Bulle legt die Königswahl durch die Kurfürsten reichsrechtlich fest. Die Kurfürstentümer sind unteilbar, die Erbfolge trifft den Erstgeborenen im Mannesstamm (Primogenitur). Durch Verbriefung von Hoheitsrechten wie Burg-, Münz-, Zoll-, Berg-, Salz und Judenregal sowie durch den völligen Ausschluß der königlichen Gerichtsbarkeit aus ihren Gebieten (Privilegium de non evocando und de non appellando) gewinnen die Kurfürsten eine fast königliche Stellung. Dieses Reichsgrundgesetz schließt eine lange Entwicklung ab. Es verankert die Fürstentümer, verhindert die Wiederherstellung einer starken Zentralgewalt und bestimmt das Verhältnis zwischen Kaiser und Fürsten bis 1806.

8 Die Errichtung eines starken nationalen Königtums scheitert an den deutschen Kurfürsten und Fürsten, die um ihre Vorrechte fürchten — an der Einmischung Frankreichs, das Deutschland schwach und zersplittert wünscht — an der Kaisertradition, die mehrfach wieder auflebt.

Seit der Goldenen Bulle steigt die Macht der Landesherren, die des Königtums sinkt. Sie wollen die Privilegien des feudalen Adels und der Städte abbauen und ihre Territorien erweitern. Rückhalt gibt ihnen die Rezeption des römischen Rechtes mit dem Gedanken der unteilbaren Staatsgewalt und des souveränen Herrscherwillens. Die einzelnen Reichsglieder versuchen, an die Stelle königlichen Rechts- und Friedensschutzes Bündnisse und Landfriedenseinigungen zu setzen. Während der langen Regierungszeit Friedrichs III. (1440–1493) wird die Reichsreform Gegenstand aller Reichstage. Die Verweltlichung von Papsttum und Klerus erweckt den Wunsch nach Reform der Kirche an Haupt und Gliedern.

1410—1437	Sigismund (Luxemburg)
• 1414—1418	Konzil von Konstanz — Hus verbrannt
• 1431—1449	Konzil von Basel
1438—1806	Kaisertum im Hause Habsburg
1493—1519	Maximilian I.
1495	Reichsreform Maximilians auf dem Reichstag zu Worms

1 *Wie entstehen Reichstag und Landtage? Welche Bedeutung haben sie?*
2 *Welches sind Ursachen, Träger, Ziele und Ergebnisse der Reichsreform?*
3 *Welche Mißstände herrschen in der Kirche?* 4 *Welche Bestrebungen richten sich gegen Form und Lehre der Kirche?* 5 *Welches sind die Ziele und Ergebnisse der Reformkonzilien?*

1 Der Reichstag entsteht durch gewohnheitsrechtliche Fortbildung der hochmittelalterlichen Hoftage. Er ist keine Volks-, sondern eine Ständevertretung und wird vom Kaiser an wechselnde Orte einberufen. Seit 1495 besteht er aus drei Kurien: Kurfürstenkolleg, Reichsfürstenrat und Städtekollegium. Auch Grafen und freie Herren nehmen an den Reichstagen teil. Die Kurien verhandeln getrennt; ihre Mehrheitsbeschlüsse werden, sofern sie übereinstimmen, nach Ratifikation durch den Kaiser zum sog. Reichstagsschluß oder -abschied erhoben. Der Reichstag ist ein wichtiges Glied der Reichsverfassung und entscheidet über Heerfahrt, Reichskrieg, -steuern und -gesetze.
Die Landtage in den Territorien vereinigen die Landstände (Prälaten, landsässiger Adel, Ämter, Städte) zu einem Gegengewicht gegen die unabhängige Fürstenmacht. Ihr wichtigstes Recht ist das der Steuerbewilligung. Damit entsteht der dualistische Ständestaat.

2 Ursachen der Reichsreform: Zusammenbruch der alten Heeresverfassung in den Hussitenkriegen, Überhandnehmen der Fehde und Verfall der Reichsfinanzen. Träger des Reformgedankens sind die Fürsten. Sie verlangen eine ständige Regierungsbehörde, die vom Kaiser und den Reichsständen gebildet werden soll (Reichsregiment), ein unabhängiges oberstes

Reichsgericht und einen dauerhaften Landfrieden. Auf dem Reichstag zu Worms (1495) setzen sie ihre Forderungen teilweise durch. Die Fehde wird abgeschafft und ein Ewiger Landfriede verkündet; das Reichskammergericht wird reorganisiert und bekommt einen festen Sitz und unabhängige Beisitzer. Als Reichssteuer wird, vorerst befristet, der „gemeine Pfennig" bewilligt. Das Reichsregiment (1500—1502 und 1521 bis 1523) ist im wesentlichen Ständevertretung gegen den Kaiser, wird aber nicht ständige Einrichtung. 1512 wird das Reich in 10 Reichskreise eingeteilt, die die Exekutivorgane in Landfriedenssachen bilden sollen.

3 Die Mißstände in der Kirche: a) Die Verweltlichung des Papsttums und das Schisma (nach 1378 Päpste in Avignon und Rom); b) das kuriale Finanzsystem, das Kirchenbefugnisse finanziell ausnutzt; c) Verweltlichung des Klerus und Pfründenhäufung.

4 Die Katharer (die Reinen, danach „Ketzer") sind die größte Sekte des Mittelalters. In Südfrankreich werden sie in den blutigen Albigenserkriegen (1209—1229) bekämpft. Mit ihnen sind zeitweilig die Waldenser verbunden, begründet um 1175 von dem Lyoner Kaufmann Valdo, der ein Leben in Armut predigt.

John Wiclif (1324—1384, Professor in Oxford) stellt der verweltlichten Kirche das urchristliche Ideal einer „Gemeinschaft der Heiligen" entgegen. Die Bibel allein sei Grundlage des Glaubens. Er verwirft den Primat des Papsttums und die Sakramentslehre der Kirche.

Johannes Hus (1369—1415, Professor in Prag) greift die Lehre Wiclifs auf und fordert Laienkelch und Armut des Klerus. Mit religiösen Ideen verbindet er nationaltschechische Ziele und bekämpft das kulturelle Übergewicht der Deutschen in Böhmen (1409 verlassen deutsche Professoren und Studenten Prag, Gründung der Universität Leipzig).

Girolamo Savonarola (1452—1498, Dominikanermönch) verwirklicht in Florenz nach der Vertreibung der Medici durch Karl VIII. eine theokratische Demokratie. Nach wenigen Jahren bricht sein sittenstrenges Regiment zusammen; er selbst wird hingerichtet.

5 Das Konzil zu Pisa 1409 sucht erfolglos das Schisma zu beseitigen. Das Konstanzer Konzil 1414—1418 hat drei Aufgaben: Beseitigung des Schismas (causa unionis), der Mißstände in der Kirche (causa reformationis ecclesiae in capite et membris) und der hussitischen Lehre (causa fidei). Das Schisma wird durch die Wahl Martins V. beseitigt, die Lehre von Hus verdammt, Hus selbst verbrannt. Eine Kirchenreform scheitert. Auf dem Konzil tritt der Kaiser zum letztenmal als Sachwalter der abendländischen Christenheit auf.

Das Basler Konzil 1431—1449 versucht, die Oberhoheit des Konzils (konziliare Theorie) über das Papsttum durchzusetzen und die Kirche zu reformieren. Es scheitert am Widerstand des Papsttums.

Tiefgreifende Wandlungen bestimmen die Wende zur Neuzeit. In Theologie und Philosophie zerbricht die bisherige Einheit von Glaube und Vernunft. Die Wiederentdeckung der Antike durch Humanismus und Renaissance gibt dem Menschen ein neues Verhältnis zu Gott, Natur und Kunst. Die Reformation zerstört die Einheit der Kirche. An die Stelle der res publica Christiana tritt das europäische Staatensystem. Während aus Spanien der Islam verdrängt wird, erobern die Türken Konstantinopel und dringen mehrfach tief nach Mitteleuropa vor. Der Schauplatz der Geschichte erweitert sich durch die Entdeckung ferner Länder und Meere. Der Schwerpunkt verlagert sich vom Mittelmeer zum Atlantik, von Italien auf Spanien, Portugal, England und Frankreich. Zugleich ändern sich die sozialen Verhältnisse. Nach dem Rittertum tritt nun auch die Geistlichkeit hinter Fürsten und Bürgern als Träger der Kultur zurück.

etwa 1400—1468	Johannes Gutenberg
1453	Mehmed II. erobert Konstantinopel
1492	Eroberung Granadas — Columbus entdeckt Amerika
1494	Vertrag von Tordesillas: Papst Alexander VI. teilt die Welt zwischen Spanien und Portugal
1498	Vasco da Gama entdeckt den Seeweg nach Ostindien
1513	Balboa entdeckt den Stillen Ozean
1513	„Der Fürst" (Il Principe) von Niccolo Macchiavelli
1519—1522	Erste Erdumseglung durch Ferdinand Magelhaes
1519—1521	Eroberung des Aztekenreiches (Mexiko) durch Cortez
1531—1534	Eroberung des Inkareiches (Peru) durch Pizarro

1 *Welche Entwicklung nehmen England, Frankreich und Spanien im Spätmittelalter?* **2** *Welche Staatsauffassung tritt mit der Renaissance zutage?* **3** *Welche Gebietsverluste erleidet das Reich im Spätmittelalter?* **4** *Wie entsteht die Weltmacht der Habsburger?* **5** *Was bedeutet die Eroberung Konstantinopels durch die Türken?* **6** *Welches sind die Folgen der Entdeckungsfahrten?*

1 England: Nach 1066 Lehensstaat ohne Verleihung kgl. Hoheitsrechte — 1215 Magna Charta — seit 1295 Adel, Klerus, Ritter und Bürger im Model Parliament vereinigt — um 1350 Trennung in Ober- und Unterhaus — Heinrich VII. (Tudor, 1485—1509) begründet nach den Rosenkriegen eine starke Königsmacht.

Frankreich: Philipp II. August (1180—1223) stärkt die Königsgewalt — Philipp IV. der Schöne (1285—1314) beruft die Generalstände (états généraux: Klerus, Adel, Bürger), beherrscht das Papsttum in Avignon (ab 1309), vernichtet den Templerorden (1308) — 1339—1453 Hundertjähriger Krieg gegen England — Ludwig XI. (1461—83) bricht den letzten Widerstand des Feudaladels und errichtet ein starkes Königtum.

Spanien: Der Einheitsstaat entsteht durch die Heirat Ferdinands von

Aragon mit Isabella von Kastilien (1469). Die Krone beherrscht Adel und Kirche. Der jahrhundertelange Kampf gegen die Mauren stärkt Nationalgefühl und Einheitsbewußtsein.

2 Die innere Kräftigung der Staaten erzeugt auch eine neue Staatsauffassung. Der Staat ist nicht mehr Wahrer und Vollstrecker einer gottgewollten Ordnung, sondern seine Aufgabe ist Vermehrung seiner Macht. Nüchterner Utilitarismus (Staatsraison) bestimmt Innen- und Außenpolitik. Grundsätze der Privatmoral gelten nicht für Herrscher und Staat. Der Florentiner Niccolo Macchiavelli (1469—1527) wird, indem er die politische Wirklichkeit seiner Zeit beschreibt, zum Schöpfer der neuen Staatstheorie.

3 1291 schließen die reichsunmittelbaren Bauern von Uri und Schwyz mit Unterwalden einen ewigen Bund, der rasch wächst. Die Eidgenossen weisen habsburgische und burgundische Angriffe zurück und lösen sich 1499 im Basler Frieden praktisch vom Reich (die staatsrechtliche Trennung erfolgt 1648). 1466 verliert der deutsche Orden seine Selbständigkeit an Polen. Böhmen und Ungarn werden 1458 selbständig.

4 Nachdem 1477 Habsburg durch die burgundische Heirat wesentlich gewachsen ist, erhält es durch die Heirat Philipps des Schönen Weltgeltung. Der Wahlspruch Friedrichs III. kommt der Verwirklichung nahe (A. E. I. O. U. Austriae est imperare orbi universo. Alles Erdreich ist Oesterreich untertan.)

| Maximilian I. ∞ Maria v. Burgund | | Ferdinand ∞ Isabella |
| v. Aragon v. Kastilien |

Philipp der Schöne ∞ Johanna die Wahnsinnige

Karl V. Ferdinand I.

5 Die Folgen der Eroberung Konstantinopels (1453): a) Türkei beherrscht den Balkan und bedroht das christliche Abendland, Habsburg bzw. Wien übernimmt die Abwehr nun für 250 Jahre; b) Europäisierung der Türkei; c) die Renaissance erhält starke Impulse durch griechische Flüchtlinge; d) Sperrung des Orienthandels und Niedergang Venedigs; e) Spanier und Portugiesen suchen einen Seeweg nach Indien; f) Rußland wird Schutzmacht der orthodoxen Christen (Moskau als „Drittes Rom").

6 Die Folgen der Entdeckungen: a) europäische Kultur und Christentum breiten sich über die Erde aus; b) Aufstieg der Seemächte Spanien und Portugal und später Holland, England und Frankreich durch Ausbeutung der überseeischen Kolonien; c) Niedergang des Mittelmeerhandels und der italienischen Handelsstädte; d) Bereicherung der Wissenschaften.

Um die Jahrhundertwende geht eine Welle von Heilssehnsucht und religiöser Ergriffenheit durch Deutschland, die in Reliquienkult, Wallfahrten und unzähligen frommen Stiftungen Ausdruck findet. Die Kirche aber ist weithin in ihrer Verfassung verweltlicht, in ihrer Theologie und Seelsorge veräußerlicht. Wachsende Beschwerden über ihren Zustand, über das Papsttum und seine ungeheuren finanziellen Forderungen werden auf Reichstagen als „gravamina nationis germanicae" und in Flugschriften laut. Auch Humanisten wenden sich mit ihrer neuen kritisch-rationalistischen Denkweise und nationalen Gesinnung gegen die Mißstände (Dunkelmännerbriefe). In dieser Zeit religiöser, geistiger, politischer und sozialer Unruhe richtet Luther seinen von tiefer Gewissensnot und Glaubensüberzeugung getragenen Angriff zunächst gegen einzelne Verfallserscheinungen, dann gegen Dogma, Verfassung und Brauch der Kirche. Er bringt zum Ausdruck, was Hunderttausende denken und fühlen; das ist der Grund der raschen Verbreitung der Reformation.

1483—1546	Martin Luther
1484—1531	Ulrich Zwingli
1509—1564	Johannes Calvin
1517	Luthers 95 Thesen gegen den Ablaß
1519	Leipziger Disputation zwischen Luther und Eck
1520	Die drei großen Reformationsschriften
1529	Marburger Religionsgespräch
1549	Vereinigung der Zwinglianer mit den Calvinisten im „reformierten" Bekenntnis

1   *Welche Erkenntnis Luthers bildet den Ausgangspunkt der Reformation?*
2   *Was versteht man unter dem Begriff „Ablaß"?*   3   *Wodurch wird Luther zu seinen Thesen veranlaßt?*   4   *Wodurch vollzieht Luther den Bruch mit der Papstkirche?*   5   *Welches sind die reformatorischen Grundgedanken Luthers?*   6   *Welche Bedeutung haben die reformatorischen Hauptschriften Luthers von 1520?*   7   *Wodurch unterscheiden sich die Lehren Zwinglis und Calvins von der Luthers?*

1 Luther findet in der kirchlichen Gnadenlehre keine Heilsgewißheit. Aus dem Studium Augustins und vor allem der paulinischen Briefe erkennt er schon 1513/14, daß der richtende Gott zugleich der gnädige Gott ist. Nicht durch gute Werke, sondern durch das gläubige Vertrauen auf die Gnade Gottes werde der Mensch vor Gott gerecht (Römer 3,28).

2 Ablaß bedeutet Nachlaß von zeitlichen Sündenstrafen, nicht von Sündenschuld; er hat als Voraussetzungen Reue, Gebet und Beichte. Durch vergröbernde Ablaßpredigt entsteht oft die Meinung, die Sünde selbst werde durch Ablaß getilgt, und die Reue wird übersehen.

3 Der Ablaßhandel Tetzels, entstanden durch das Geldbedürfnis des Erzbischofs von Mainz und des Papstes, gefährdet die Beichtkinder. Luther legt dagegen Verwahrung ein. Seine Thesen rütteln die Öffentlichkeit auf.

4 In der Disputation gegen Eck bestreitet Luther die biblische Begründung des päpstlichen Primates und zugleich die Unfehlbarkeit der Konzilien. Er löst sich damit auch von jenen Reformern, die der Autorität des Papstes die der Konzile entgegenstellen (1519). Durch die Verbrennung der Bannandrohungsbulle wird der Bruch endgültig (1520).

5 Die Bibel ist alleinige Glaubensquelle (sola scriptura); die Tradition wird verworfen. Der Mensch gelangt nur durch den Glauben (sola fide) und die Gnade Gottes (sola gratia) zur Seligkeit. Gute Werke rechtfertigen ihn nicht vor Gott, sondern sind nur Früchte des Glaubens. Von den 7 Sakramenten sind nur Taufe und Abendmahl schriftgemäß. Die Kirche ist Gemeinschaft aller Gläubigen, nicht aber Verwalterin und Mittlerin des Heils. Der Priester ist damit nicht Träger geistlicher Gewalt und Vermittler der Gnade, sondern Diener am Wort Gottes durch Predigt und Seelsorge (allgemeines Priestertum).

6 Die Schriften „An den christlichen Adel deutscher Nation von des christlichen Standes Besserung", „Von der Freiheit eines Christenmenschen" und „Von der Babylonischen Gefangenschaft der Kirche" enthalten Luthers Gedanken über Kirche, Sakramente, Priestertum — das politische, ethische und dogmatische Programm der Reformation.

7 Zwingli unterscheidet sich von Luther hauptsächlich durch die Auffassung vom Abendmahl; daher bleibt das von Landgraf Philipp von Hessen angeregte Marburger Religionsgespräch erfolglos.
Auch für Calvin ist das Abendmahl nur Gedächtnismahl. Schwerer wiegt aber die starke Betonung der Prädestination; jeder einzelne ist von Gott entweder zur Seligkeit oder zur Verdammnis vorherbestimmt. Der Mensch hat nicht nach den Gründen dieser Entscheidung zu fragen; denn Gottes Wille ist höchste Norm aller Gerechtigkeit. Das Wesen Gottes ist nach Calvin nicht Liebe, sondern Macht und Herrlichkeit. Während nach Luther der Mensch durch gläubiges Vertrauen auf die Gnade Gottes Heilsgewißheit erhält, sind für den Calvinisten tugendhaftes Leben und Erfolg in der Welt Zeichen der Erwählung.

In der Staatsauffassung bildet sich der wichtigste Unterschied heraus. Luther, dessen Bewegung seit dem Bauernkrieg politisch von Landesfürsten getragen wird, fordert Gehorsam gegenüber der von Gott gesetzten gerechten Obrigkeit. Lange Zeit hindurch werden die Lutheraner als autoritätsgebunden angesehen. Der Calvinismus dagegen, der seine Gemeindeordnung auf dem demokratischen Boden der Schweiz aufbaut, lehrt nicht „leidenden Gehorsam", sondern das Widerstandsrecht des Volkes gegen die weltliche Macht.

Die Königsmacht in England, Frankreich und Spanien gewinnt im 15. Jh. ständig an Gewalt über die Kirche, so daß in diesen Ländern eine Staatskirche bereits vor Luthers Auftreten Wirklichkeit ist. In Deutschland dagegen kann keine nationale Kirche entstehen, weil das nationale Königtum fehlt. Karl V., wenigstens der Idee nach Herr der Christenheit, hält auch an der Idee der Universalkirche fest. Zahlreiche Territorialfürsten und Städte schließen sich jedoch der Reformation an. Als der Kaiser im Schmalkaldischen Krieg die protestantischen Reichsstände mit Gewalt zur Rückkehr zum alten Glauben zwingen will, scheitert er trotz militärischer Erfolge. Der Augsburger Religionsfriede wird ohne Zustimmung der beiden höchsten mittelalterlichen Gewalten, des Kaisers und des Papstes, zwischen König Ferdinand und den Landesfürsten geschlossen. Durch ihn wird das lutherische Bekenntnis reichsrechtlich anerkannt.

1519—1556	Kaiser Karl V.
1521	Wormser Edikt
1522—1523	Aufstand der Reichsritter unter Franz von Sickingen
1524—1525	Bauernkrieg
1526	1. Reichstag zu Speyer
1529	2. Reichstag zu Speyer, „Protestation" der evangelischen Reichsstände
1530	Augsburger Bekenntnis
1546—1547	Schmalkaldischer Krieg
1555	Augsburger Religionsfriede

1 *Welche Haltung nimmt Kaiser Karl V. gegenüber der Reformation ein?*
2 *Welches sind Ursachen, Träger und Ziele der sozialrevolutionären Unruhen im Reich, und woran scheitern sie?* 3 *Welche kriegerischen und politischen Ereignisse begünstigen den Fortgang der Reformation?* 4 *Welche kirchliche Organisationsform entsteht in den protestantischen Territorien?* 5 *Welche Bedeutung hat der Augsburger Religionsfriede?*

1 Karl V., der das Reich, Spanien, die Niederlande und einen Teil Italiens beherrscht, ist die letzte Verkörperung der universalen Kaiseridee des Mittelalters. Er ist zwar Anhänger der konziliaren Theorie und befürwortet die Beseitigung kirchlicher Mißstände, hält aber an der Lehre und der päpstlichen Autorität in theologischen Fragen fest. Der Idee seiner Universalmonarchie entspricht die der Universalkirche. Außenpolitische Schwierigkeiten — Türkengefahr, vier Kriege gegen Frankreich und Feindschaft des Papstes — zwingen ihn immer wieder zu Zugeständnissen gegenüber den lutherischen Reichsständen.

2 Die Ritterschaft verliert durch das Aufkommen des Landsknechtwesens an militärischer und politischer, durch die Geldwirtschaft an wirtschaftlicher Bedeutung. Franz von Sickingen, den Ulrich von Hutten für Luther gewinnt, plant eine Reichsreform. Sein Kampf gegen den Erzbischof von Trier soll das Signal für einen allgemeinen „Pfaffenkrieg"

geben. Durch die Säkularisierung der geistlichen Fürstentümer soll die Ritterschaft eine neue Machtgrundlage erhalten und dem Kaiser als Gegengewicht gegen die Fürsten dienen.

Ursachen des Bauernkrieges sind weniger Armut, Erbuntertänigkeit oder Frondienst als das Bestreben der Grundherren, alte Bauernrechte abzuschaffen und einen einheitlichen Untertanenverband zu erzwingen. Dazu kommt Luthers Verkündigung der christlichen Freiheit, die die Bauern politisch deuten. Träger dieser Erhebung ist ein relativ wohlhabender Stand; Schauplätze sind überwiegend die politisch zersplitterten Gebiete Südwest- und Mitteldeutschlands; Ziel der Bewegung ist Bewahrung der alten Rechte und Abschaffung aller unbiblischen oder unbilligen Lasten. Revolutionär ist nur die Berufung auf die Bibel. Altes Recht (Weistumsrecht), göttliches Recht und Billigkeit sind Grundmotive im Streit zwischen Bauernrecht und Herrenmacht.

Schon 1522 versuchen „Schwarmgeister", „Bilderstürmer" oder „Wiedertäufer" in Wittenberg, die kirchliche Ordnung umzustoßen. Später predigt Thomas Münzer das „Gottesreich" ohne Kirche und Staat in Thüringen, und der Schneidergeselle Jan Bokelson aus Leiden errichtet in Münster ein urchristlich-apokalyptisches Gemeinwesen.

All diese Aufstände werden von den Landesfürsten mit Billigung Luthers niedergeschlagen. Die Siege über die Ritter und Bauern begünstigen den Ausbau der Territorialstaaten.

3 a) Infolge des französisch-päpstlichen Bündnisses und der Türkengefahr wird 1526 (1. Speyrer Reichstag) das Wormser Edikt ausgesetzt und den Ständen die Entscheidung in der Glaubensfrage in Verantwortung vor Gott und Kaiser überlassen; b) 1532 Koalition gegen Karl V. und neue Türkengefahr bewirken den Nürnberger Religionsfrieden (Vertagung der Entscheidung bis zum Konzil); c) 1532—1544 wechselvolle Kämpfe gegen Frankreich und Türken fördern die Ausbreitung der Reformation; d) nach dem Abfall Moritz' von Sachsen und bei erneuter Türkengefahr gesteht der Kaiser den Anhängern der Augsburger Konfession freie Religionsausübung zu bis zu einem allgemeinen Reichstag (Passauer Vertrag 1552).

4 Der Reichstag von 1526 macht die Reformation von den Landesherren abhängig. So entstehen die „lutherischen Landeskirchen" nach kursächsischem Vorbild.

5 Der Augsburger Religionsfriede verankert die Gleichberechtigung des katholischen und des lutherischen Bekenntnisses reichsrechtlich. Für die Untertanen gilt das Bekenntnis des Landesherrn: „Cuius regio, eius religio." Ein geheimer „geistlicher Vorbehalt" besagt, daß ein geistlicher Fürst bei Übertritt Amt und Herrschaft verliert. In den Reichsstädten gilt Religionsfreiheit. Der Religionsfriede befriedigt keine Partei, er schließt das reformierte Bekenntnis aus und enthält viel Konfliktmöglichkeiten.

Der erste Abschnitt des Zeitalters der Glaubensspaltung ist durch die rasche Ausbreitung der Reformation gekennzeichnet. Das lutherische Bekenntnis setzt sich im Süden und Osten Deutschlands teilweise, im Norden und in den skandinavischen Ländern vollständig durch. Der Calvinismus verbreitet sich in der Schweiz, der Pfalz, den Niederlanden, England und Schottland sowie in Frankreich. Im zweiten Abschnitt dieses Zeitalters — etwa ab 1570 — gelingt es der durch das Konzil von Trient wiedererstarkten römischen Kirche, protestantische Gebiete zurückzugewinnen. Politische Gegenreformation (zwangsweise Rekatholisierung) und kirchlich-religiöse Erneuerung gehen Hand in Hand. Träger sind neben dem Reformpapsttum hauptsächlich die Jesuiten. Während in den meisten europäischen Ländern entweder Reformation oder Gegenreformation siegen, bleibt Deutschland konfessionell gespalten.

1491—1556	Ignatius von Loyola
1534/1540	Gründung und päpstliche Bestätigung des Jesuitenordens
ab 1552	Kolleggründungen der Jesuiten
1545—1563	Konzil von Trient
1566—1605	Reformpäpste: Pius V., Gregor XIII., Sixtus V., Clemens VIII.

1 Was ist unter Gegenreformation zu verstehen? 2 Welches sind Aufgabe, Ergebnis und Bedeutung des Konzils von Trient? 3 Welche besonderen Merkmale kennzeichnen den Jesuitenorden? 4 Welche Bedeutung hat der Jesuitenorden als Missionsorden, als Schulorden und als Kampforden? 5 Wodurch wird der Protestantismus geschwächt?

1 Gegenreformation bezeichnet die politische und geistig-religiöse, meistens kämpferische Reaktion der katholischen Kirche auf die Reformation und die Auseinandersetzung mit ihr. Die Reformation ruft zunächst ein lähmendes Gefühl tödlicher Bedrohung, danach einen neuen Selbstbehauptungswillen hervor. Jetzt kommen ältere Reformansätze zur Entfaltung; durch das Konzil von Trient führen sie zu einer innerkirchlichen katholischen Reform. Diese besteht in einer Zurückführung der z. T. verweltlichten Kirche zu ihrer eigentlichen religiösen Aufgabe. Die mittelalterliche Kirche wird zu einer stärker seelsorglichen, zentralistischen und missionarischen Kirche umgewandelt.

2 Das Konzil von Trient (1545—63) soll die von der Reformation angegriffenen Glaubenssätze klar festlegen und die notwendigen Reformen innerhalb der Kirche durchführen. — Die wichtigsten Glaubenssätze (decreta de fide): Bewertung der Tradition als Glaubensquelle neben der Bibel; der sakramentale Charakter von Kirche und Priestertum; die sieben Sakramente als die Gnadenmittel der Kirche. — Die wichtigsten Reformbestimmungen (decreta de reformatione): Residenzpflicht der

Bischöfe, Verbot der Pfründenhäufung, bessere Ausbildung des Klerus, Disziplinierung von Volk und Geistlichkeit, Beseitigung von Mißbräuchen, strenge Einhaltung der Ordensregeln, Index verbotener Bücher. — Die Bedeutung des Konzils liegt in der Stärkung der katholischen Kirche und des Papsttums. Das Ziel ist nicht mehr Verständigung mit den Abgewichenen, sondern Selbstbehauptung, Abgrenzung, Rückgewinnung.

3 Der 1534 von dem spanischen Offizier und Edelmann Ignatius von Loyola gegründete Orden (Societas Jesu — S. J.) ist durch eine straff zentralisierte Verfassung gekennzeichnet. An seiner Spitze steht — im Gegensatz zu den mehr aristokratischen Mönchs- und Ritterorden — mit weitgehenden Vollmachten der General. Zu den drei Mönchsgelübden kommt bei den Jesuiten noch das des unbedingten Gehorsams gegen den Papst. Auslese und Unterordnung sind Grundprinzipien der Ordensregel. Ein meisterhaftes System der Selbsterforschung und Seelenführung durch Beichte und Exerzitien schärft Gewissen und Selbstzucht.

4 Neben der Rückgewinnung der Massen für die katholische Kirche und der Linderung der religiösen und sozialen Not der unteren Volksschichten widmen sich die Jesuiten besonders der Schulbildung der höheren Stände und der Mission in Ostasien, Afrika und Amerika. Aufopfernde Tätigkeit als Lehrer und Erzieher, kühne Forscher- und Entdeckertaten und die Rettung der Indianer vor der Ausrottung durch Anlage von Schutzsiedlungen (in Brasilien) und sozialutopischen Staaten (Paraguay) sind ihr Verdienst.

Seit 1552 werden in rascher Folge Jesuitenkollegien (Gymnasien) gegründet. Sie sind meistens mit philosophisch-theologischen Akademien oder Universitäten verbunden. Auch an den älteren Universitäten werden die wichtigsten Lehrstühle mit Jesuiten besetzt. Um die Mitte des 17. Jh. liegt das gelehrte Unterrichtswesen in Italien, Spanien, Portugal, Polen, Ungarn, im spanischen Kolonialreich und im katholischen Deutschland fast ausschließlich in den Händen dieses Ordens. Im Reich wird der Jesuitenorden im Dienste katholischer Fürsten eine wesentliche Kraft der Gegenreformation und der bedeutendste Träger der innerkatholischen Reform. Er gewinnt große Teile Süddeutschlands dem Katholizismus zurück. Beichtstuhl, Kanzel und Katheder sind die drei gleich bedeutsamen Wirkungsmöglichkeiten. Daneben setzt er sich für die politische Einigung der katholischen Mächte gegenüber den Reformierten und Lutheranern ein.

5 Der Protestantismus ist in zwei große Parteien gespalten, in den auch auf politische und militärische Aktion bedachten Calvinismus und das mehr konservative, in Deutschland stark obrigkeitstreue Luthertum. Das lutherische Bekenntnis selbst ist durch Lehrstreitigkeiten gespalten.

Karl V. ist der letzte Vertreter der mittelalterlichen universalen Kaiser-idee. Keine der Aufgaben, die er sich gestellt hat, hat er vollständig lösen können, aber die Macht seines Hauses hat er außerordentlich erweitert. Frankreich ist zwar eingekreist, aber nicht als Gegner in Italien und Burgund ausgeschaltet; die Türken werden zwar vor Wien besiegt, aber die osmanische Gefahr droht weiter; die politische Einheit des Hl. Römischen Reiches Deutscher Nation bleibt zwar gewahrt, aber die Einheit des Glaubens ist zerstört. Philipp II. erbt nicht nur den größten Teil der Besitzungen Karls V. und dessen Machtstellung, sondern er verfolgt im wesentlichen auch die gleichen Ziele. Unter seiner Regierung wird Spanien zur Vormacht Europas. Das Jahrhundert von 1550—1650 wird mit Recht als das „Spanische Zeitalter" bezeichnet.

1556—1598	Philipp II. von Spanien
1567—1648	Freiheitskampf der Niederlande
1581	Unabhängigkeitserklärung der Generalstaaten
1562—1598	Hugenottenkriege
1572	Bartholomäusnacht
1534	Suprematsakte Heinrichs VIII. in England
1558—1603	Elisabeth I. — Reformation in England
1588	Vernichtung der spanischen Armada durch die englische Flotte

1 *Welche Gegensätze kennzeichnen die Geschichte des Abendlandes im Zeit-alter der Glaubensspaltung?* **2** *Welche Erfolge führen Philipp auf den Höhepunkt seiner Macht?* **3** *Welche Tatsachen verdeutlichen die kultu-relle Vormachtstellung Spaniens?* **4** *Welche religiösen Ideen werden beim Freiheitskampf der Niederlande politische Wirklichkeit?* **5** *Wie verläuft der niederländische Freiheitskampf?* **6** *Was bedeutet die Niederlage der Armada?* **7** *Welches ist der besondere Charakter der Glaubenskämpfe in Frankreich?* **8** *Was kennzeichnet die Reformation in England? Welche Bedeutung erlangt es im „Elisabethanischen Zeitalter"?*

1 Das europäische Staatensystem des 16. und 17. Jh. ist gekennzeichnet durch: a) Die Feindschaft Habsburg — Frankreich, deren wichtigste Ur-sache die burgundische Heirat Maximilians ist. b) Die Bedrohung der Christenheit durch die Türken, die 1529 und 1683 vor Wien und 1571 bei Lepanto abgewehrt werden. c) Die Auseinandersetzung zwischen Protestantismus und Katholizismus, die in der Politik u. a. zum Abfall der Niederlande, zu den Hugenottenkriegen und zum 30jährigen Krieg führt. — Die internationalen Mächtegruppen bilden sich dabei zuerst auf religiöser Grundlage; aber politische Motive sind untrennbar mit kon-fessionellen verbunden.

2 Philipp II. zwingt Frankreich 1559 zum Verzicht auf seine Ansprüche in Burgund und Italien. Er besiegt die Türken in der Seeschlacht bei Lepanto. Die Vereinigung Portugals mit Spanien bildet den Gipfel seiner Macht.

3 In der Literatur wirkt das Dreigestirn Cervantes, Lope de Vega und Calderon, in der Malerei Velasquez und Murillo. Spaniens Kunst und Kultur, seine Sitte, sein Hofzeremoniell sowie seine Kriegstechnik beeinflussen Europa so sehr, daß man von einem „Spanischen Zeitalter" spricht.

4 Selbstregierung und Majoritätsprinzip der Gemeinden, zwei Grundelemente der calvinistischen Kirche, verbinden sich mit der niederländischen Ständeverfassung zu einem aristokratisch-republikanischen Staatswesen. Über Holland, England und die USA formt die calvinistische Staatsauffassung wesentlich das Bild der modernen Welt (vgl. 1581, 1649, 1776, 1789).

5 Im Kampf der Niederlande sind religiöse, politische und wirtschaftliche Motive eng verquickt. Er gilt sowohl der Erhaltung ständischer Privilegien als auch der Abwehr der Inquisition und der Ketzergesetze. Während sich der flämisch-wallonische katholische Süden wieder mit Spanien versöhnt, schließen sich die sieben nördlichen überwiegend calvinistischen Provinzen 1579 zur Utrechter Union zusammen und erklären 1581 ihre Unabhängigkeit. In jahrzehntelangen Kämpfen steigen die Generalstaaten zur ersten See- und Kolonialmacht Europas auf. Sie werden zum Zentrum der Kultur und geistiger wie politischer Freiheit (Rembrandt, Descartes, Spinoza, Hugo Grotius).

6 Die Niederlage der Armada (1588) rettet England und Frankreich vor der spanischen Herrschaft, entscheidet den niederländischen Krieg und sichert den Fortbestand des Protestantismus in Westeuropa.

7 Die Hugenottenkriege (1562—98) werden als Kampf zweier großer Adelsparteien ausgetragen, zwischen denen das Königtum schwankt. Im Edikt von Nantes (1598) gewährt Heinrich IV. den Hugenotten freie Religionsausübung und Sicherheitsplätze.

8 Die Reformation in England beginnt damit, daß der Kirchenherrschaft und -gut erstrebende König Heinrich VIII., durch seinen Scheidungsstreit veranlaßt, die englische Kirche von Rom trennt. Die episkopale Hochkirche entsteht unter Eduard VI. (Common Prayer Book 1549); sie festigt sich unter Elisabeth (39 Artikel 1571). Gleichzeitig dringt der Calvinismus, der sich durch John Knox in Schottland verbreitet hat, nach England ein (Presbyterianer). — England wird nach 1588 See- und Kolonialmacht (Raleigh, Drake). Gleichzeitig erlebt es mit Shakespeare und Bacon einen kulturellen Höhepunkt.

Der Augsburger Religionsfriede (1555) ist ein Kompromiß, der weder Katholiken noch Protestanten befriedigt. Nur der Friedenswille der Reichsstände verhindert über ein halbes Jahrhundert einen Krieg. In dieser Zeit erringt die Gegenreformation Erfolge. Unter Führung Bayerns wird Köln, dessen Erzbischof zum Calvinismus übergetreten ist, zurückgewonnen. Als Bayern 1607 die Reichsstadt Donauwörth an sich reißt und rekatholisiert, schließen sich calvinistische und lutherische Reichsstände unter Friedrich V. v. d. Pfalz 1608 zur „Union" zusammen. Ein Jahr später organisiert Bayern die katholische Partei in der „Liga". 1618 bricht in Böhmen der bewaffnete Konflikt aus, der die Schrecken des großen Krieges einleitet. Sein Ende bringt eine völlige Neuordnung der europäischen Machtverhältnisse.

1618—1623	Böhmisch-pfälzischer Krieg
1623	Bayern erhält die Kurwürde
1625—1629	Niedersächsisch-dänischer Krieg
1629	Friede von Lübeck; Restitutionsedikt
1630—1635	Schwedischer Krieg
1632	Tod Gustav Adolfs in der Schlacht bei Lützen
1634	Wallensteins Absetzung und Ermordung
1635—1648	Schwedisch-französischer Krieg
1648	Westfälischer Friede

1 *Wodurch sind die einzelnen Abschnitte des Krieges gekennzeichnet?*
2 *Warum greifen Dänemark, Schweden und Frankreich ein?* 3 *Welche politischen Ziele verfolgt Wallenstein? Was führt zu seinem Fall?* 4 *Welche wichtigen kirchlichen Bestimmungen enthält der Westfälische Frieden?*
5 *Welche staatsrechtliche Bedeutung hat der Friedensvertrag?* 6 *Welche territorialen und machtpolitischen Veränderungen bringt das Ende des Krieges?*

1 Der Krieg besteht 1618—29 vorwiegend in einer Auseinandersetzung evangelischer Reichsstände mit der katholischen Fürstenpartei der Liga und dem Haus Habsburg. Durch eine Kette von Siegen der Liga (1620 am Weißen Berg, 1626 an der Elbbrücke bei Dessau und bei Lutter am Barenberg) gewinnt der Kaiser bedeutend an Macht. Durch das Restitutionsedikt (1629) verlangt er die Wiederherstellung aller geistlichen Territorien, die die Protestanten seit 1552 in Besitz haben.
Gustav Adolf von Schweden rettet den deutschen Protestantismus vor der Vernichtung (1631 bei Breitenfeld, 1632 bei Rain am Lech).
Nach dem Tode Gustav Adolfs (1632) und Wallensteins (1634) endet der Religionskrieg durch den Frieden von Prag (1635). Doch das Reich wird nun zum Schlachtfeld europäischer Mächte gegen Habsburg. Mit Frankreichs Kriegseintritt beginnt eine neue Epoche europäischer Geschichte, in der nicht mehr Religion, sondern Staatsraison bestimmend ist.

2 Christian IV. von Dänemark kämpft als Oberst des niedersächsischen Kreises für den bedrohten Protestantismus. Außerdem erstrebt er die dänische Vormachtstellung im Ostseeraum. — Gustav Adolf von Schweden greift als Schirmherr des Protestantismus und zur Verteidigung seiner durch Wallensteins Pläne bedrohten Ostseeherrschaft in den Krieg ein. — Frankreich, dessen Außenpolitik 1624—1642 Richelieu leitet, unterstützt alle Gegner Habsburgs; es zahlt den protestantischen Reichsständen, Holland, Dänemark und Schweden Subsidien und betreibt Wallensteins Absetzung, um die Macht des Kaisers zu schwächen. Sein Hauptfeind ist Spanien, aber der Gegensatz wird überwiegend im Reich ausgetragen.

3 Wallenstein will die kaiserliche Macht gegenüber den Fürsten stärken, und als „General des Ozeanischen und Baltischen Meeres" die kaiserliche Ostseeherrschaft begründen. Die Fürstenpartei unter Maximilian von Bayern betreibt seinen Sturz aus Protest gegen die absolutistische Politik des Kaisers. Nach seiner zweiten Berufung gerät er in Gegensatz zur spanisch-jesuitischen Partei in Wien und verhandelt ohne Wissen des Kaisers mit Schweden. Er wird geächtet und 1634 in Eger ermordet.

4 Im Westfälischen Frieden wird der Augsburger Religionsfriede auf die Reformierten ausgedehnt. Damit gibt es im Reich drei anerkannte und gleichberechtigte Konfessionen. Für den Bekenntnisstand und das Kirchengut wird 1624 als „Normaljahr" anerkannt. Damit bleibt Norddeutschland protestantisch, Österreich, Böhmen, Mähren und die Oberpfalz werden rekatholisiert.

5 Durch den Westfälischen Frieden erhalten die Reichsstände die volle Landeshoheit mit dem Recht, Bündnisse zu schließen, außer gegen Kaiser und Reich. Das Reich ist damit eigentlich ein Bund souveräner Staaten. Der Reichstag mit seinen 240 stimmberechtigten Ständen in drei Kurien, der seit 1663 ununterbrochen in Regensburg tagt, ist meist handlungsunfähig, da Einstimmigkeit für die Gültigkeit der Beschlüsse erforderlich ist.

6 1648 scheiden die Schweiz und die Generalstaaten auch de jure aus dem Reichsverband aus. Frankreich erhält endgültig Metz, Toul und Verdun, die Landgrafschaft Oberelsaß mit dem Sundgau, die Stadt Breisach und die Festung Philippsburg. Schweden bekommt Vorpommern, Bremen, Verden und Wismar. Brandenburg erwirbt Hinterpommern, Kammin, Halberstadt, Minden und die Anwartschaft auf Magdeburg.
Frankreich und Schweden, welche Gebiete des Reiches als Lehen und damit als Reichsstände Sitz und Stimme auf dem Reichstag haben, garantieren den Friedensvertrag und die Reichsverfassung. Die Ohnmacht des Reiches währt damit bis zu seinem Ende.
Spanien, das erst 1659 mit Frankreich den Pyrenäenfrieden schließt, scheidet als Großmacht aus. Das „Französische Zeitalter" beginnt.

41 Aufklärung und Absolutismus

Im 17. und 18. Jh. ergreift die geistige Bewegung des Rationalismus und der Aufklärung Westeuropa. Für sie ist die Welt auf Vernunft (ratio) gegründet, ihre Gesetze sind erkennbar. Eine Blütezeit der Naturwissenschaften (Newton) und der Mathematik (Descartes, Leibniz) entwickelt sich. Alle Bereiche der Kultur werden an der Vernunft gemessen, den bestehenden, staatlichen Ordnungen wird ein „Naturrecht" entgegengestellt, das Gott am Anfang der Dinge geschaffen haben soll. So entwickelt sich ein optimistischer Fortschrittsglaube und formt ein neues Bild von Gott, Staat und Gesellschaft. Im politischen Bereich wird die mittelalterliche feudal-ständische Ordnung bekämpft und im Absolutismus der moderne Staat vorbereitet. In Kant und Lessing erreicht die Aufklärung ihren Gipfel und wird zugleich überwunden.

1677	Spinoza gest.	1727	Newton gest.
1679	Hobbes gest.	1755	Montesquieu gest.
1704	Locke gest.	1778	Rousseau gest.
1716	Leibniz gest.	1804	Kant gest.

1 *Welches Bild von Gott und vom Menschen zeichnet der Rationalismus?* **2** *Wie sieht der Rationalismus die Entstehung des Staates?* **3** *Welche Formen des Herrschaftsvertrages gibt es?* **4** *Was bedeuten die Begriffe Volkssouveränität und Gewaltenteilung?* **5** *Worin unterscheiden sich die Lehren Rousseaus von denen Lockes und Montesquieus?* **6** *Was versteht man unter „Staatsräson"?* **7** *Was bedeutet Absolutismus?* **8** *Welches ist das wichtigste Ständerecht, und wie werden die Monarchen seiner ledig?*

1 Gott ist die Quelle der Vernunft, seine Existenz rational beweisbar. Er hat die Welt nach den Gesetzen der Vernunft geschaffen und kann sie so wenig ändern, wie er ein Naturgesetz ändern kann. Für die meisten Denker sind die Menschen von Natur aus gut, für alle frei, gleich an Rechten und Fähigkeiten. Jahrhundertelange Mißachtung der Vernunft hat die Menschheit unmündig gemacht. Vernunftgemäßes Handeln wird sie befreien und zu Tugend, Menschlichkeit, Toleranz, Freiheit und allgemeiner Wohlfahrt führen.

2 Am Anfang, im „Urstand", haben die Menschen sich zum Schutz ihrer Freiheit und Gleichheit durch einen „Staatsvertrag" verbunden. Der Staat ist also zweckmäßige Schöpfung freier Individuen. Die mittelalterliche Lehre vom göttlichen Ursprung des Staates wird abgelehnt. Daß er ein Ergebnis der Geschichte ist, vermag das geschichtsfremde Denken der Zeit nicht zu erkennen.

3 Neben dem Staatsvertrag steht der Herrschaftsvertrag; in ihm haben die Menschen ihre Obrigkeiten geschaffen. Die meisten Denker halten den Herrschaftsvertrag für kündbar und folgern daraus das Widerstandsrecht. Nur wenige nennen ihn wie Hobbes unkündbar.

4 Da das Volk den Staat gegründet hat, besitzt es die Souveränität. Es übt sie unmittelbar (Volksversammlung) oder mittelbar (durch Repräsentation) aus. Im Anschluß an Locke und die englische Verfassungswirklichkeit entwickelt Montesquieu die Lehre von der Teilung der drei Gewalten. Die Gesetzgebung (Legislative) behält sich das Volk vor, es beauftragt die ausübende Gewalt (Exekutive) und als dritte die Rechtsprechung (Judikative). Diese ist an Gesetz und Recht, nicht aber an gesetzgebende oder ausübende Gewalt gebunden. Die drei Gewalten begrenzen und kontrollieren einander.

5 Die Lehren von Locke und Montesquieu setzen die Gewaltenteilung und ein Recht der Minderheit auf Opposition an. Darin folgen ihnen die modernen westlichen Demokratien. Für Rousseau aber ist die Staatsgewalt unteilbar. Er unterscheidet den „Willen aller" vom „allgemeinen Willen" (volonté générale). Die volonté générale ist das richtige, auch wenn sie von einer Minderheit vertreten wird. Dieser schließlich doch nicht rationalen Willensbildung haben sich alle zu unterwerfen. Die modernen totalitären Staaten lehnen wie er Gewaltenteilung und Opposition ab.

6 Macchiavellis Lehre von der Staatsräson (s. S. 35) wird im 17. Jh. maßgebend. Für sie ist Machtgewinn Staatszweck. Ethische, traditionelle oder religiöse Motive verblassen. Vertragsbrüche und Koalitionswechsel sind häufig. Dennoch fühlen sich alle Staatsmänner an bestimmte Normen gebunden — anders als die totalitären Diktatoren —, denn für sie wirken die Glieder der „Staatengesellschaft" im „Konzert der Großmächte" auf der Basis der gemeinsamen weltlichen Kultur zusammen.

7 „Absolut" ist der Fürst gegenüber den Privilegien, vornehmlich des Adels. Gemessen an der Herrschaft der demokratischen Nationalstaaten und gar an der der Diktatoren des 20. Jh. ist die der absoluten Fürsten vielfach begrenzt durch Herkommen, politische Rücksichten und die unbestrittene Gültigkeit der christlichen Wertordnung.

8 Wichtigstes Recht der Stände ist das der Bewilligung neuer Steuern, nicht das Haushaltsrecht. So umgehen die „absoluten" Monarchen das Steuerbewilligungsrecht; ihre Mittel sind Sparsamkeit, Erhöhung bestehender Steuern, Einführung indirekter Steuern (die brandenburgische Akzise), Staatsmonopole.

42 Englands Weg in den Verfassungsstaat

In den europäischen Staaten außer Polen, den Schweizer Kantonen und den Niederlanden setzt sich während des 17. Jh. der Absolutismus durch. In England jedoch gelingt es dem im 13. Jh. entstandenen Parlament, die in der Magna Charta verbrieften Rechte zu sichern und auszubauen. Als auf Elisabeth I. 1603 die schottischen Stuarts folgen, kommt der Gegensatz zum Parlament, verstärkt durch religiös-konfessionelle Fragen, zum Ausbruch. Im folgenden Jahrhundert werden in England die Grundlagen der Entwicklung zum modernen Verfassungsstaat gelegt.

1215	Magna Charta libertatum
1642	Beginn des Bürgerkrieges zwischen König und Parlament
1649	Verurteilung und Hinrichtung König Karls I. Stuart
1651	Navigationsakte Cromwells
1679	Habeascorpusakte
1688—1689	Glorreiche Revolution — Declaration of rights

1 Welches sind die politischen und religiösen Ziele des Königtums der ersten Stuarts? 2 Welche entscheidenden politischen und religiösen Überzeugungen veranlassen das Parlament zum Aufstand gegen Karl I.? 3 Worin liegt die besondere Bedeutung der Hinrichtung Karls I.? 4 Inwiefern wandeln sich die politischen Anschauungen Cromwells, welches sind seine wichtigsten Maßnahmen? 5 Wie kommt es zu dem Ausgleich der Macht zwischen Parlament und Königtum? 6 In welchen Stufen bildet sich die englische Verfassung bis 1679 weiter? 7 Wie werden 1688/89 die Lehren der Volkssouveränität und des Staatsvertrages verwirklicht?

1 a) Die Stuarts vereinigen die Kronen von England, Schottland und Irland. Mystischer Glaube an die Würde des Königs verstärkt ihren Anspruch auf absolute Herrschaft. Sie mißachten die Rechte des Parlaments, besonders das der Steuerbewilligung, und brechen Widerstand durch Gewalt und das Ausnahmegericht der „Sternkammer".

b) Die Stuarts sind katholikenfreundlich. Die anglikanische Hochkirche mit ihrer bischöflich-hierarchischen Ordnung und der Kirchenhoheit des Königs soll ihren absolutistischen Zielen dienen. Ihr wollen sie gegenüber den anderen nichtkatholischen Glaubensrichtungen Alleingeltung verschaffen.

2 Die Kraft des Parlaments beruht auf dem Bürgertum, das durch Seehandel reich geworden ist. In ihm überwiegen die calvinistischen Presbyterianer und Puritaner. Diese berufen sich auf die Parlamentstradition und die calvinistischen Lehren vom Widerstandsrecht und von der Gemeindeordnung. So erklären sie die Hochkirche für „papistisch" und den Absolutismus für „Knechtschaft".

3 Mit Karl I. wird erstmals ein König einem Richterspruch zufolge hingerichtet. Darin bestätigen sich Widerstandsrecht und Volkssouveränität.

4 Cromwell beginnt als Verteidiger des Parlaments und der individuellen Gewissensfreiheit. Aber er entfernt bald die Presbyterianer aus Heer und Parlament, löst schließlich dieses auf, obwohl es nur noch aus seinen Glaubensgenossen, den Independenten, besteht. Als Lord-Protektor (1653—1658) herrscht er, entgegen seinem Programm, allein. Er führt die nichtkatholischen Glaubensrichtungen zum Sieg und unterwirft blutig die Katholiken Irlands. Außenpolitisch macht er England zur ersten protestantischen Macht Europas und legt den Grund zur englischen Weltmacht. Die Navigationsakte (1651) drängt die Holländer aus der Stellung des „Fuhrmanns der Völker". Im Krieg mit Holland (1652—1654) erringt England die Vormacht zur See.

5 Im 17. Jh. liegen Absolutismus und Parlamentarismus im Kampf. 1644/ 1645 siegt das Parlament, erhebt aber sogleich nicht minder absolutistische Ansprüche als die Könige. 1653 wird Cromwell Diktator. 1660 setzt das Parlament das Königtum wieder ein. Den erneuerten Absolutismus und die Konfessionspolitik des katholischen Jakob II. beseitigt das Parlament in der „Glorious Revolution" 1688. Zwar beruft es in Wilhelm von Oranien einen König, bindet ihn aber vertraglich an sich.

6 1215 bindet die Magna Charta die Krone an die Gesetze und das Recht der Barone auf Steuerbewilligung. 1265 wird das Parlament aus Klerus, Rittern und Bürgern geschaffen. 1628 erzwingt das Parlament in der Petition of rights Bestätigung seiner Rechte. Die Testakte (1673) schließt Dissenters und Katholiken, Gegner der königlichen Kirchenhoheit, von öffentlichen Ämtern aus und gibt der anglikanischen Staatskirche beherrschende Stellung. Die Habeaskorpusakte, 1679 vom Parlament durchgesetzt, schützt die persönliche Freiheit und sichert gegen willkürliche Verhaftung.

7 Die Declaration of rights (1689) ist ein Vertrag zwischen dem neuen König und dem im Namen des souveränen Volks handelnden Parlament. Gemäß der Staatstheorie John Lockes übernimmt das Parlament die gesetzgebende Gewalt, die Rechte der Steuerbewilligung, der Aufsicht über die Verwendung der staatlichen Gelder, der Ministerverantwortlichkeit sowie der Wahl- und Redefreiheit. Der König ist Staatsoberhaupt und Inhaber der ausführenden Gewalt. Garantiert wird der Vertrag durch die Autorität des Rechtes. Doch besteht trotz des Zweiparteiensystems von Whigs und Tories keine Demokratie in unserem Sinne, denn das Wahlrecht ist an Grundbesitz und hohes Einkommen gebunden, die Oberhaussitze sind erblich, tatsächlich sind etwa 70 alte Familien maßgebend.

Im 17. Jh. setzt sich in Frankreich der Absolutismus durch. Richelieu beseitigt die Sonderrechte der Reformierten (1628/29), Mazarin die Macht der Stände (Fronde, 1648—1653). Straffe Machtzentralisierung und ein stehendes Heer ermöglichen Ludwig XIV. eine expansive Außenpolitik gegen das niedergehende Spanien und das vom 30jährigen Krieg erschöpfte Reich. Staatsform, Wirtschaftssystem und Kultur Frankreichs werden Vorbild Europas. So erringt Ludwig XIV. zwar die Vormachtstellung, aber schon in den Erbfolgekriegen beginnt Frankreichs Niedergang.

1624—1661	Richelieu und (ab 1643) Mazarin leitende Minister
1661—1715	Regierungszeit Ludwigs XIV. (geb. 1638)
1667—1683	Expansion Frankreichs durch Kriege und Reunionen
1688—1714	Erbfolgekriege um die Pfalz (bis 1697) und Spanien (seit 1701)

1 *Wie ist der gesellschaftliche Aufbau des absolutistischen Frankreich beschaffen?* **2** *Welchem Zweck dient die Wirtschaft?* **3** *Wie wird das absolutistische Frankreich regiert?* **4** *Welche außenpolitischen Ziele erstrebt Ludwig XIV.?* **5** *Welches Ergebnis hat der Spanische Erbfolgekrieg?*

1 Adel und hoher Klerus sind bevorrechtet; sie genießen Steuerfreiheit. Der Geburtsadel lebt meist fern von seinen Gütern am Hofe des Königs. Er stellt fast ausschließlich die Offiziere. Der hohe Klerus entstammt ebenfalls dem Adel. Die übrige Bevölkerung ist vielfältig zusammengesetzt. Eine reiche Oberschicht (Kaufleute, Bankiers, „Industrielle") nähert sich in ihrer Lebensführung dem Adel. Ihre Mitglieder sind z. T. hochgebildet und Träger des Gedankenguts der Aufklärung. Bürger als Träger hoher Ämter (Parlamentsräte, Intendanten) können vom König geadelt werden (Amtsadel, „noblesse de robe"). Die Masse der kleinen Bürger, der Bauern und des niederen Klerus bilden den Dritten Stand (tiers état). Sie tragen die Steuerlasten, sind aber von politischen Rechten ausgeschlossen.

2 Die Wirtschaft steht im Dienst des Staates und wird von ihm reglementiert. Der Schöpfer dieses Systems ist Ludwigs XIV. Finanzminister Colbert. Nach seiner Ansicht beruhen Größe und Macht des Staates auf einem möglichst großen Staatsschatz (Edelmetall). Das Staatsgebiet wird als ein großer einheitlicher Markt betrachtet, Einfuhr und Ausfuhr werden überwacht. Die Regierung erstrebt einen Überschuß der Ausfuhr über die Einfuhr („aktive Handelsbilanz"). Der Kaufmann, der Waren exportiert und Geld (Edelmetall) hereinbringt, mißt diesem Wirtschaftssystem eine überragende Bedeutung bei; darum wird es als Merkantilismus bezeichnet (von mercator = Kaufmann). Ausfuhr von Rohstoffen wird verboten, Ausfuhr hochwertiger Fertigwaren gefördert.

Den absolutistischen Staaten dienen Kolonien als Rohstoffquellen und gesicherte Absatzmärkte. Wegen der Konkurrenz soll möglichst billig erzeugt werden; darum werden die Lebensmittelpreise niedrig gehalten und Getreideausfuhren verboten. Das merkantilistische System geht zu Lasten der Landwirtschaft. Dagegen werden Industrien gefördert und durch Zölle geschützt. Der Staat baut für den Handel Straßen und Kanäle.

3 Das Zentrum des Staates ist der König (roi soleil = Sonnenkönig). Der höfische Prunk (Schloß in Versailles, glänzender Hofstaat) dient der Darstellung der königlichen Macht und Würde. Er wird zum Vorbild in Europa (Barockschlösser, Theater, Opern, Ballett, festliche Musik). Ludwig XIV. aber ist nicht bloß Repräsentant, er regiert selbst. Er ist ein unermüdlicher Arbeiter und sein eigener Premierminister. Entscheidungen fällt nur er. Seine Minister, bisweilen von bürgerlicher Herkunft, sind seine „Experten" und Helfer. Die Verwaltung der Landesteile liegt in der Hand von 30 meist bürgerlichen, weisungsgebundenen Intendanten. Die Macht der Parlamente (Appellationsgerichte in Paris und anderen großen Städten mit dem Recht, königliche Dekrete auf ihre Rechtmäßigkeit zu prüfen) wird zurückgedrängt. Die adligen Provinzgouverneure haben fast nur noch repräsentative Aufgaben. Dem Adel bleiben nur die lokale Verwaltung in seinen Dörfern, die niedere Gerichtsbarkeit und der äußerlich glanzvolle Hofdienst.

4 Ludwig XIV. will die Grenzen Frankreichs gegen den Rhein vorschieben („natürliche Grenze"). Der Kampf geht gegen die spanischen Habsburger, die (das heutige) Belgien besitzen, und gegen das Reich. Ludwig bedient sich angeblicher Erbansprüche (Devolutionsrecht, daher Devolutionskriege) oder des Anspruchs auf Gebiete, die früher einmal mit jetzt französisch gewordenen Gebieten in Zusammenhang standen und nun „wieder" mit ihnen vereinigt werden sollen (Reunionen). Den Druck der Türken auf Wien nutzt er zu Eroberungen im Elsaß (Straßburg 1681) aus. Ludwigs Vormachtsstreben führt mehrfach zum Zusammenschluß anderer europäischer Mächte, so im Pfälzischen und im Spanischen Erbfolgekrieg.

5 Der Spanische Erbfolgekrieg, ein Weltkrieg unter Englands Führung gegen Frankreich, endet mit den Friedensschlüssen von Utrecht 1713 und Baden 1714. Das Erbe der spanischen Habsburger wird geteilt entsprechend dem von England gewünschten Gleichgewicht der Kräfte. Ludwigs XIV. Enkel Philipp erhält Spanien und dessen amerikanische Kolonien, doch darf es nie mit Frankreich vereinigt werden. Österreich gewinnt die spanischen Niederlande, Mailand, Neapel, Sardinien. England besetzt mit Gibraltar den Eingang zum Mittelmeer; außerdem werden die spanischen Kolonien in Südamerika dem englischen Handel, vor allem mit Negersklaven, geöffnet (Asiento-Vertrag 1713).

44 Osteuropa im Zeitalter Ludwigs XIV.

Während Frankreich seinen Machtbereich bis zum Rhein ausdehnt, wandeln sich auch die osteuropäischen Verhältnisse grundlegend. Österreich erweitert sein Territorium bis zur Save und in die Karpaten. Die Rückgewinnung der vom Islam eroberten Teile Europas wird Österreichs weltgeschichtliche Leistung. Prinz Eugen von Savoyen macht diesen christlichen Sendungsgedanken zu seinem Ziel. Rußland wird Großmacht, Schweden verliert seine Ostseestellung. Der Kurfürst von Sachsen gewinnt die polnische Krone. Der Eintritt Ostmitteleuropas und Rußlands in die Geschichte Europas schafft die Grundlagen des modernen Europa.

1683	Die Türken vor Wien
1697	Sachsen und Polen in Personalunion vereinigt
1682—1725	Peter der Große reformiert Rußland
1700—1721	Zusammenbruch Schwedens im Nordischen Krieg

1 Wie kommt es zur Belagerung Wiens durch die Türken? Was bedeutet der Sieg von 1683? 2 Welche Erfolge erringt Österreich in seinen Türkenkriegen? 3 Welche Aufgaben erwachsen Österreich in Südosteuropa? 4 Welche ethnischen, territorialen und konfessionellen Verhältnisse findet Peter der Große vor? 5 Worin besteht das Reformwerk Peters des Großen? 6 Welche außenpolitischen Maßnahmen ergreift Zar Peter? 7 Wie entwickelt sich Schweden im 17. Jh.? 8 Wie entwickelt sich Polen im 17. Jh.? 9 Welche entscheidenden Wandlungen macht Osteuropa im 17. Jh. durch?

1 1453 erobern die Türken Konstantinopel. Der Islam beginnt seinen Vormarsch nach Europa. Gegen Karl V. mit Frankreich verbündet, erringen die Türken die Herrschaft über Ungarn und dringen 1529 bis Wien vor. 1683 belagern sie es erneut im zweiten Bündnis mit Frankreich. Ein Heer aus Kontingenten deutscher und außerdeutscher Länder, geführt vom polnischen König Jan Sobieski, unterstützt durch päpstliche Gelder, entsetzt das heldenhaft verteidigte Wien. Im Kampf dieses übernationalen und überkonfessionellen Heeres wird noch einmal die mittelalterlich-christliche Reichsidee lebendig.

2 Bis zum Frieden von Karlowitz (1699) erobert Österreich Ungarn, Siebenbürgen, den größten Teil Slawoniens und Kroatiens, bis zum Frieden von Passarowitz (1718) das Banat, Nordserbien und Belgrad, die Kleine Walachei und Teile Bosniens. Österreich wird europäische Großmacht.

3 Österreich hat in den Türkenkriegen weite, kulturell weniger entwickelte Gebiete gewonnen. Sein siegreicher Feldherr, Prinz Eugen, ruft Deutsche als „Experten für Siedlung" ins Land. Österreich wird Erzieher der südosteuropäischen Völker. Allerdings wird es zugleich Vielvölkerstaat und beginnt, aus dem Reich herauszuwachsen.

4 Peter der Große erbt 1682 Rußland, das vorwiegend mit Slawen besiedelt ist. Nach Abschüttelung der Tatarenherrschaft hat es sich von Moskau aus ausgebreitet und bis zum Ende des 17. Jh. Sibirien unterworfen. Moskau ist statt Konstantinopel Zentrum der griechisch-orthodoxen Kirche. Peter d. Gr. macht sich zu ihrem Oberhaupt.

5 Zar Peter vollzieht den Anschluß dieses am Rande des damaligen Europa liegenden Riesenreiches an die Kultur des Westens. Die auf Reisen nach Westeuropa gewonnenen Erfahrungen veranlassen den genialen Zaren zu bedeutsamen Reformen. Nach westlichem Muster schafft er ein stehendes Heer, bricht die Macht des Adels und regiert absolutistisch. — Gemäß dem merkantilistischen System fördert er Handel, Gewerbe und Verkehr und strebt nach Warenaustausch mit dem Westen. Dazu benötigt der Binnenstaat Häfen.

6 Wirtschaftliche Bedürfnisse und Peters Machtstreben bestimmen seine Außenpolitik. Im Bunde mit Dänemark und Polen entreißt er im Nordischen Krieg (1700—1721) Karl XII. von Schweden Karelien, Ingermanland, Livland und Estland, gründet Petersburg und öffnet damit Rußland den Weg in den Westen.

7 Schweden hat im Dreißigjährigen Kriege Großmachtstellung errungen. In den folgenden Jahren verdrängt es Dänemark von der skandinavischen Halbinsel. Im Kriege gegen Brandenburg (Schlacht von Fehrbellin 1675) zeigt sich aber, daß Schweden seine Macht überspannt hat und mit den Mitteln des wirtschaftlich schwachen Bauernlandes seine Großmachtstellung nicht zu behaupten vermag. Karls XII. kühne, aber maßlose Politik vermag Schweden nicht zu retten.

8 Polens Macht ist im Sinken. Das Wahlkönigtum und das Vetorecht des Adels auf den Reichstagen machen den Staat aktionsunfähig und lassen ihn auswärtigen Einflüssen verfallen. Kurfürst August der Starke von Sachsen wird in Personalunion auch König von Polen.

9 In dieser Epoche treten die slawischen Völker des Ostens und Südostens Europas endgültig in die Geschichte ein. Rußland wird aus einem politisch bedeutungslosen, rückständigen Staat zur bündnisfähigen Großmacht und setzt sich an der Ostsee fest. Sein Einfluß wird um so bedeutender, als Polen und Schweden ihr politisches Gewicht verlieren. Österreich, zur Großmacht emporgewachsen, erschließt sich den vorderen Balkan. Hier liegt der Keim zu Gegensätzen, von denen die späteren Geschicke Europas wesentlich geprägt werden: der polnisch-russische, der russisch-österreichische Gegensatz und die Gegensätze zwischen der Türkei, Rußland und Österreich.

45 Der Aufstieg Brandenburg-Preußens zur Großmacht

Der Große Kurfürst erbt 1640 fünf getrennte, in Konfession, Verwaltung, Wirtschaft und Ständerechten verschiedene Territorien. Die Kernlande sind arm, die Streulage führt zu außenpolitischen Verwicklungen. Mit sicherem politischem Blick nutzen der Große Kurfürst, der „Soldatenkönig" und Friedrich d. Große wechselnde Koalitionen. Beseitigung der Ständerechte, stehendes Heer, straffe Finanzpolitik, genaue Verwaltung, ein zuverlässiges Beamtentum und „landesväterliche" Innenpolitik formen den Streubesitz zu einem einheitlichen Ganzen. Außenpolitische Erfolge und der Ruhm Friedrichs II. fördern die Entwicklung der preußischen Staatsnation. Im Siebenjährigen Krieg bewährt sie sich. In kaum 150 Jahren erringt der Mittelstaat Großmachtrang.

1640—1688	Friedrich Wilhelm I., der Große Kurfürst
1660	Friede von Oliva, Herzogtum Preußen souveräner Staat
1701	Preußen wird Königreich
1713—1740	Friedrich Wilhelm I., der Soldatenkönig
1740—1786	Friedrich II., der Große. Aufgeklärter Absolutismus
1740—1780	Maria Theresia in Österreich
1756—1763	Siebenjähriger Krieg
1772	Erste Teilung Polens

1 *Wann und wie erwerben die Hohenzollern bis 1640 ihre Besitzungen?*
2 *Welches Programm gibt die Streulage ihrer Gebiete den Hohenzollern; welche Erwerbungen erfüllen es, welche sind außerdem wichtig?* **3** *Welche Maßnahmen entwickeln die Wirtschaft?* **4** *Welche Tugenden tragen den Staat, welche Schwächen hat er?* **5** *Welche Merkmale kennzeichnen den „aufgeklärten Absolutismus"?* **6** *Wie entsteht und verläuft der Konflikt mit Österreich?* **7** *Wie setzt sich die „Große Koalition" gegen Friedrich II. zusammen, welche weltpolitischen und welche innenpolitischen Momente retten ihn?* **8** *Was bedeuten die Friedensschlüsse von Paris und Hubertusburg (1763) für Deutschland und Europa?*

1 Die Hohenzollern erwerben: 1415 als Lehen die Mark Brandenburg, als Erbe 1614 Cleve, Mark, Ravensberg, 1618 das Ordensland Preußen.

2 a) Die Streulage nötigt zum Erwerb von „Landbrücken". Nach Osten: 1648 Hinterpommern, 1720 Stettin und Vorpommern bis zur Peene, 1772 Westpreußen. Nach Westen: 1648 Minden, Halberstadt, Magdeburg, 1815 die Rheinprovinz, 1867 Hannover, Hessen, Nassau, Frankfurt. Preußens Territorium ist geschlossen.
b) 1742 Schlesien, 1815 Provinz Sachsen, 1867 Holstein, Schleswig bis zur Königsau.

3 Das entvölkerte Land nimmt Glaubensvertriebene aus Frankreich (nach 1685) und Salzburg (1732) auf. Agrarpolitik und Merkantilismus greifen ineinander. Innere Kolonisation: Blüte von Handel und Gewerbe, Ausbau der Land- und Wasserwege. Das Generaldirektorium steht als oberste Finanzbehörde über den „Kriegs- und Domänenkammern". Die „Oberrechenkammer" kontrolliert das Finanzwesen des Staates.

4 Das Vorbild der drei Monarchen, des Beamtenstandes und des für den Offiziersdienst gewonnenen Adels macht Pflichterfüllung, Zucht, Sparsamkeit, Hingabe an das Ganze und Gehorsam zu verbindlichen Tugenden. Schwächen: Persönliche Unabhängigkeit wahrt sich nur der politisch nahezu rechtlos gewordene grundbesitzende Adel. Die straffe Verwaltung und der Vorrang von Heer und Beamtentum prägen den „staatstreuen Untertanen". Preußen wird Obrigkeitsstaat, in dem „alles für das Volk, aber nichts durch das Volk" geschieht.

5 Für Friedrich ist der König erster Diener des Staates; der Staat dient Recht und Gesetz, die Vernunft ist das oberste Prinzip. Sie verpflichtet den König zum Wirken für materielles wie sittliches Wohl der Untertanen, für Hebung der Kultur und Geltung des Staates. Religiöse Toleranz und die Unabhängigkeit der Richter bekunden den humanen Geist der Aufklärung. Dieser aufgeklärte Absolutismus, in dessen Verwaltung der ludovizische Absolutismus fortgebildet ist, bewahrt in seiner hierarchischen Ordnung Züge des Ordensstaates, in seinem Fürsorgeethos eine säkularisierte Form der „christlichen Obrigkeit" Luthers.

6 Die „Pragmatische Sanktion" soll in Österreich die weibliche Erbfolge sichern. Sachsen und Bayern erheben Erbansprüche, von Frankreich gestützt. Friedrich II. besetzt Schlesien. Frankreich, Spanien, Bayern und Sachsen verbünden sich mit ihm, England mit Österreich. Der Konflikt zwischen Frankreich und England greift auf Europa über. Der Friede von Aachen (1748) entscheidet ihn nicht, Preußen behält Schlesien.

7 Um Schlesien zurückzugewinnen und Preußen zu zerschlagen, verbindet sich Österreich mit Rußland, Frankreich, Schweden und Sachsen. England zahlt Preußen Subsidien, damit es Hannover schütze und Frankreichs Kräfte auf dem Kontinent binde, während in Amerika und Indien der Krieg geführt wird. Diese Hilfe und die innere Festigkeit Preußens befähigen Friedrich II., den Krieg durchzuhalten.

8 Preußen wird Großmacht. Das Ringen zwischen Österreich und Preußen um die Vorherrschaft in Deutschland, erst 1866 entschieden, wird eines der Hauptprobleme Europas. Friedrichs II. Sieg von Roßbach 1757 wird als Triumph über Frankreich gewertet, stärkt das Ansehen Preußens und das deutsche Selbstbewußtsein. Frankreichs Kolonialpläne sind gescheitert. Von nun an strebt Preußen ein gutes Verhältnis zu Rußland an.

46 Der Weg der USA in die Unabhängigkeit

Der alte englisch-französische Gegensatz spitzt sich in den Kolonien zu, als die beiderseitigen Interessen um die Mitte des 18. Jh. in Amerika und Indien zusammenstoßen. England will Frankreich in den Kolonien ausschalten. Der Siebenjährige Krieg bringt ihm den Sieg. Aber gegen seine Kolonialherrschaft in Amerika sträubt sich das Selbstbewußtsein der Siedler. Ihnen ist der „Staatsvertrag" geschichtliche Wirklichkeit. Sie wollen im Parlament vertreten sein. Die Unabhängigkeitserklärung gibt der Bewegung ihr Programm und ihre welthistorische Bedeutung. George Washington wird Führer des Aufstandes. Mit französischer Hilfe erkämpft er die Freiheit. Die Vereinigten Staaten sind der erste selbständige Staat auf Kolonialboden. In der gleichen Zeit erobert England in Indien neue Kolonien.

1757	Siege bei Roßbach und in Bengalen über Frankreich
1760	Sieg englischer Truppen über französische in Nordamerika
1763	Friede von Paris
1775—1783	Unabhängigkeitskrieg. 1783 Friede von Versailles
1776	Unabhängigkeitserklärung
1787	17. September. Verfassung der Vereinigten Staaten

1 Welche amerikanischen Gebiete gewinnt England im Frieden von Paris? 2 Warum ist der „Staatsvertrag" für die Kolonisten historische Wirklichkeit und nicht bloße philosophische Theorie? 3 Welches ist der wichtigste Grund für den amerikanischen Aufstand? 4 Welche Hauptgedanken enthält die Unabhängigkeitserklärung? 5 Welche Gebiete muß England im Frieden von Versailles abtreten? 6 Was bedeuten die Friedensschlüsse von Paris und Versailles? 7 Wie kommt es, daß Frankreich in Indien unterliegt? 8 Welches sind die Grundzüge der Verfassung von 1787?

1 Frankreich tritt Kanada und Louisiana östlich des Mississippi an England ab. Spanien überläßt England Florida.

2 Die ersten Siedler (Mayflower 1620) siedeln weit verstreut. Ihrer puritanischen Tradition gemäß und aus praktischer Notwendigkeit schaffen sie in freier Übereinkunft die Anfänge staatlicher Ordnung: Friedensrichter und Sheriff sind auf Zeit gewählt und der Gemeinde verantwortlich.

3 Das Selbstbewußtsein der Siedler ist im 18. Jh. gewaltig gestiegen und empört sich gegen das merkantilistische System der englischen Kolonialverwaltung. Wegen der Kosten des Kolonialkrieges erhöht England die Steuern. Gemäß der demokratischen Tradition des Puritanertums wollen die Siedler nur Steuern zahlen, die sie mitbewilligt haben (no taxation without representation), und fordern Sitz und Stimme im britischen

46

Parlament. England verweigert diese Forderung, weicht aber angesichts der Boykotte und Unruhen in den Kolonien so weit zurück, daß es nur noch einen Teezoll fordert. Dieser hat rechtliche, aber keine wirtschaftliche Bedeutung. Die 13 Kolonien erheben sich trotzdem endgültig.

4 Alle Menschen sind gleich; zu ihren Rechten gehören Leben, Freiheit und das Streben nach Glück. Sie setzen sich Regierungen, damit diese die Menschenrechte schützen. Das Volk hat das Recht und die Pflicht, Regierungen abzusetzen, welche diese Rechte verletzen. Der „Generalkongreß" der amerikanischen Staaten erklärt diese für frei und unabhängig, da die britische Regierung ihre Pflicht nicht erfüllt habe.

5 England tritt die 13 amerikanischen Staaten und ihr Hinterland bis zum Mississippi ab, nordwärts begrenzen die großen Seen das USA-Territorium. Florida wird an Spanien zurückgegeben.

6 a) Nordamerika wird in Lebensführung, Denken und Sprache seiner Bewohner angelsächsisch. Einwanderer anderen Volkstums werden eingeschmolzen. Die amerikanische Staatsnation entsteht. Indien wird Quell englischen Reichtums und Bewährungsfeld seiner Mittel- und Oberschicht in Militär, Verwaltung und Wirtschaft. b) Die USA sind der erste große demokratische Bundesstaat der Welt; sie werden in Europa, besonders in Frankreich als Vorkämpfer der modernen Freiheitsidee betrachtet, sind das Vorbild der Französischen Revolution, ihre Unabhängigkeitserklärung wird Vorbild der „Erklärung der Menschenrechte" in Frankreich (1789). Sie ist seitdem in fast alle liberal-demokratischen Verfassungen eingegangen und kehrt in den Grundsätzen zahlreicher internationaler Organisationen, wie z. B. der UN, wieder. Sie bildet ein Element des amerikanischen Sendungsbewußtseins.

7 Frankreich hat sich zwar ca. 30 Millionen Inder botmäßig gemacht. Aber seine Finanzkraft ist zerrüttet. So kann England seine wenigen Stützpunkte (Madras, Kalkutta, Bombay) mittels seiner überlegenen Flotte, seiner Kapitalkraft und der einflußreichen Ostindischen Handelskompanie nützen und den französischen Wettbewerb ausschalten.

8 Die USA sind ein Bundesstaat. Der Kongreß besteht aus Senat und Repräsentantenhaus. Er übt die Gesetzgebung aus. Der auf vier Jahre gewählte Präsident hat gegenüber dem Kongreß ein aufschiebendes Vetorecht, leitet die Regierung und die Außenpolitik. Er befehligt die Streitkräfte. Das oberste Bundesgericht prüft die Verfassungsmäßigkeit aller Gesetze und Verordnungen. Es bildet das beharrende Element der Verfassung. Noch heute gültige Ordnungen (Wahltermine, -männer, Stellung des Vizepräsidenten) erklären sich aus der Verkehrs- und Wirtschaftslage von 1787.

47 Das Zeitalter der Französischen Revolution

Das französische Volk beseitigt den Absolutismus und die Reste des Feudalismus. Politische und soziale Zustände sowie die Wesensart des Volkes und das Auftreten ungewöhnlicher Persönlichkeiten wirken zusammen. Drei Ideen bilden sich heraus, die liberal-demokratische, die soziale und die nationale. Sie werden bestimmend für die Entwicklung des kommenden Jahrhunderts.

1789	Berufung der Generalstände — ihre Umwandlung zur Nationalversammlung — 14. Juli Erstürmung der Bastille
1791	Die erste Verfassung
1792	Zusammenstoß mit Österreich und Preußen — Frankreich Republik — Nationalkonvent
1793	Hinrichtung Ludwigs XVI. — Schreckensherrschaft unter Robespierre — Eroberungen an der Ostgrenze
1795	Friede von Basel — Direktorialverfassung — 3. Teilung Polens
1799	Am 9. November (18. Brumaire) Staatsstreich Napoleons — Konsulatsverfassung
1801	Friede von Lunéville mit dem Reich, linkes Rheinufer französisch — Konkordat

1 *Welches sind die wichtigsten Ursachen der Revolution?* **2** *Welches sind die Grundzüge der Verfassungen von 1791, 1793 und 1795?* **3** *Welches sind die Ursachen des Revolutionskrieges?* **4** *Welches neue Element tritt damit in die Geschichte ein?* **5** *Welche innen- und außenpolitischen Gründe erzwingen 1793 die Zentralisation, und welche Wandlungen der Revolutionsidee und der politischen Zustände führt die „Schreckensherrschaft" herbei?* **6** *Worin liegt die Bedeutung des Friedens von Basel?* **7** *Welches sind die Ergebnisse der Kämpfe zwischen 1795 und 1801?* **8** *Was bedeutet die Konsulatsverfassung für Frankreich und Europa?* **9** *Welche Elemente der Verfassung von 1791 sind noch heute gültiges Recht in der westlichen Welt?*

1 Das absolutistische Königtum ist machtlos gegenüber der privilegierten Oberschicht von Adel, Klerus und Richterstand; Verwaltung und Recht sind zerrüttet. Das erstarkte wohlhabende Bürgertum (Bourgeoisie) erstrebt Gleichstellung mit den Privilegierten. Der Bauernstand, durch Merkantilismus, gutsherrliche Abgaben und Steuern zum Teil verarmt, erstrebt Freiheit. Außenpolitische Mißerfolge schwächen das Ansehen der Monarchie. Die Kosten von Hof, Heer und Verwaltung haben ein riesiges Staatsdefizit erzeugt. Das Proletariat von Paris liefert die Massen, deren jede Revolution bedarf. Der König ist entschlußlos; zielbewußte Politiker reißen das Volk mit. Zentrale Ursache ist die Gedankenwelt der Aufklärung und ihre Verwirklichung im amerikanischen Unabhängigkeitskrieg.

2 1791: Frankreich wird auf Gewaltenteilung gegründete Monarchie. Der König erhält nur ein aufschiebendes Veto, das Parlament übt die Gesetzgebung, ihm sind die Minister verantwortlich. Das Wahlrecht ist an die Steuerhöhe gebunden (Zensuswahl). Das Bürgertum hat gesiegt.
1793: Erste republikanische Verfassung Frankreichs. Allgemeines gleiches Männerwahlrecht ohne Zensus. Alle Gewalt liegt beim Konvent („Gewaltenvereinigung"), praktisch herrscht der Wohlfahrtsausschuß diktatorisch. Die von den Jakobinern geführte Masse hat ihre Forderung nach unbedingter Gleichheit durchgesetzt.
1795: Die Gewaltenteilung wird wiederhergestellt. Das durch Zensuswahl gebildete Parlament übt die Legislative, ein fünfköpfiges Direktorium die Exekutive. Das Bürgertum hat seine Stellung wieder gefestigt.

3 Die Revolution fühlt sich zur Befreiung der Völker vom Absolutismus berufen. Die „alten Mächte" verteidigen ihren Bestand und ihr System.

4 „Freiheit" und „Ordnung" stehen gegeneinander. Der Krieg ist zugleich eine Auseinandersetzung um die Gestalt der Gesellschaft; die Ideologie beherrscht zunehmend das politische Geschehen.

5 Die Verfassung von 1791 hat Frankreich durch die Selbstverwaltungsordnung der Departements dezentralisiert. Paris steht vor einer Hungersnot, die vordringende Koalitionsarmee bedroht die Revolution. Nur eine Zusammenfassung aller Kräfte kann den Staat retten. Das revolutionäre Sendungsbewußtsein läßt aus der weltbürgerlichen Bewegung eine nationale werden, aus dem Kreuzzug für die Freiheit wird ein Eroberungskrieg um die „natürlichen Grenzen". Die Revolution lenkt in die Bahn der Eroberungspolitik Ludwigs XIV. zurück.

6 1795 wendet sich Preußen nach dem Osten, um an der 3. polnischen Teilung gewinnen zu können. Indem es so zu der friderizianischen Machtpolitik zurückkehrt, gibt es Österreich und das linke Rheinufer preis und gefährdet den Bestand des Reiches.

7 Frankreich schafft sich an seiner Ost- und Nordgrenze Vasallenrepubliken und erringt dadurch die Vorherrschaft auf dem Kontinent.

8 Die Konsulatsverfassung stellt einen Scheinparlamentarismus dar. Napoleon, der Erste Konsul, stützt sich auf Heer und Masse. Er gibt der Nation den inneren Frieden, läßt die Emigranten zurückkehren und versöhnt Frankreich mit dem Papst (1801). Der Code civil (1804) setzt die unbedingte Rechtsgleichheit. Der Nationalgedanke gewinnt neue Antriebe. Der „Cäsarismus" beschränkt zwar die individuelle Freiheit, stärkt aber das Bürgertum und entschädigt die Nation durch Ehre und Ruhm.

9 Die „Erklärung der Menschenrechte" („Grundrechte") und die Gewaltenteilung sind in den späteren westeuropäischen Verfassungen enthalten.

Napoleon, General des Direktoriums, durch Staatsstreich Erster Konsul, dann Kaiser, hat die Revolution überwunden und mit ihren Idealen doch ganz Europa beeinflußt. Dabei sieht sich die französische Republik als Erbin der römischen, die Kaiserzeit als die Cäsars und des römischen Welt- reiches. Überlegen als Feldherr und Politiker errichtet Napoleon seine Herrschaft. Gipfel seiner Macht ist das „System von Tilsit". England, den letzten Gegner, soll die Kontinentalsperre bezwingen.

1803	Reichsdeputationshauptschluß: Neuordnung im Reich
1804	Kaiserkrönung Napoleons I., Österreich Kaisertum
1805	Dritter Koalitionskrieg Englands, Österreichs und Rußlands gegen Frankreich — Trafalgar, Austerlitz
1806	Rheinbund — Auflösung des Reiches — Krieg gegen Preußen und Rußland — Jena und Auerstedt
1807	Frieden von Tilsit — Kontinentalsperre

1 *Worin zeigt sich die Wirkung der römischen Tradition in Frankreich?*
2 *Was bewirken die Verträge von 1803, 1805 und 1806?*   3 *Was bedeutet Napoleons Gegnerschaft gegen England?*   4 *Welches sind Inhalt und Bedeutung des Friedens von Tilsit?*   5 *Welches sind die unmittelbaren und mittelbaren Folgen der Festlandsperre?*

1 Namen, Begriffe und Symbole aus dem alten Rom leben wieder auf: Die Tochterrepubliken heißen z. B. Helvetische oder Batavische Repu- blik; die Vorsteher der Departements erhalten den Titel Präfekt. Auch deren Stellung in der Verwaltungsordnung ist der Kaiserzeit nachgeahmt. Napoleon macht sich zum „Konsul". Der „Kaiser" (Empereur) beherrscht das „Empire" (imperium). Adler, nicht Fahnen, dienen als Feldzeichen des Heeres, die „Ehrenlegion" wird Staatsorden. Mode und Stil erinnern an die römische Antike.

2 Der Friede von Lunéville (1801) hat die schon 1795 von Preußen und 1797 von Österreich gebilligte Abtretung des linken Rheinufers an Frankreich bestätigt. Zur Entschädigung der betroffenen Fürsten werden 1803 im Reichsdeputationshauptschluß die meisten geistlichen Territorien „säku- larisiert" und fast alle Reichsstädte und -stände „mediatisiert". Dabei erhält besonders Preußen Gewinne. An die Stelle der zahlreichen Reichs- stände treten lebens- und bündnisfähige Mittelstaaten. Wieweit diese Neuordnung der späteren Einigung Deutschlands vorgearbeitet hat, ist umstritten, doch haben sich die Einführung der Rechtsgleichheit und die Beseitigung der Feudalrechte angebahnt. Für die Reichsgeschichte be- deutet diese Epoche den Sieg der partikularen Gewalten. — Im Frieden von Preßburg 1805 wird Österreich entscheidend geschwächt, dagegen werden Bayern und Württemberg zu Königreichen, Baden zum Groß- herzogtum erhoben. Im Rheinbund 1806 verbindet Napoleon die Mittel-

staaten mit Frankreich und schafft sich ein strategisches Vorfeld bis zur Elbe. Dadurch, mittels der Rangerhöhungen der Fürsten und durch ein dem französischen angenähertes Verwaltungssystem schwächt er den Einfluß Österreichs in Süd- und Westdeutschland.

3 England, der stärkste und nach Tilsit einzige Rivale Frankreichs, ist für Napoleon seit dem Verlust seiner Seemacht bei Trafalgar militärisch unerreichbar, eine Invasion muß aufgegeben werden. Der Versuch, es auf dem Festland zu treffen, bestimmt deshalb mehr und mehr Napoleons Politik. Gegen die englische Blockade steht der bald offensive Ausbau der Kontinentalsperre. Hierdurch wird Napoleon aber 1808 zum Krieg gegen Spanien und 1812 zur Wendung gegen Rußland, also zur immer größeren Ausdehnung seiner Macht gezwungen. Schließlich gerät er an die Grenze seiner Möglichkeiten.

4 Rußland scheidet aus dem Bündnis gegen Napoleon aus, verbindet sich mit Frankreich, tritt der Kontinentalsperre bei und bekommt dafür Zugeständnisse in der Türkei und in Finnland (1809 russisch). Preußen bleibt als Staat nur dank der Fürsprache des Zaren bestehen. Es muß abtreten: seine sämtlichen westelbischen Besitzungen an das neugeschaffene Königreich Westfalen; die Erwerbungen aus der zweiten und dritten Teilung Polens an das Herzogtum Warschau; Danzig wird Freie Stadt mit französischer Besatzung. Bis zur Zahlung einer Kontribution von unbestimmter Höhe bleiben seine Festungen in französischer Hand. Das Heer darf nur 42 000 Mann umfassen. — Dieser Sieg über Preußen erhöht Napoleons Ansehen („Sieger über die Armee Friedrichs"); der Rheinbund und die Verständigung mit Rußland sichern ihm die Herrschaft über den Kontinent und bringen ihn auf die Höhe seiner Macht.

5 Die Kontinentalsperre ist der erste Versuch in der Geschichte, einen weiträumigen Krieg durch wirtschaftliche Maßnahmen zu entscheiden. Weder sie noch die englische Gegenblockade haben aber durchschlagende Wirkung, da die noch weitgehend agrarischen Wirtschaftssysteme nicht so zu treffen sind wie etwa die Industrie des 20. Jahrhunderts. Auch muß jeder der Gegner zugunsten des eigenen Handels Ausnahmen zulassen, die zu umfangreichem Schmuggel führen. Die Sperre bringt England zwar an den Rand des Ruins, schädigt aber auch das kontinentale Wirtschaftsleben. Alle Kolonialwaren fehlen, der Handel schrumpft, die Holz- und Getreideausfuhr aus Rußland und Ostdeutschland wird unmöglich. Andererseits schützt die Sperre die junge festländische Industrie vor der überlegenen englischen Konkurrenz und läßt neue Industrien entstehen. Besonders bedeutsam wird der Anbau der Zuckerrübe. Indem die wirtschaftliche Unabhängigkeit Deutschlands erzwungen wird, wird zugleich der Keim für seine industrielle Entwicklung gelegt.

49 Die preußischen Reformen

Die Niederlage von Jena und Auerstedt und der ihr folgende Zusammenbruch bedeuten das Ende des friderizianischen Preußen. Der Reichsfreiherr vom Stein hat schon vorher erkannt, daß Staat und Gesellschaft gründlich reformiert werden müssen. Seine Reformen entstammen dem Geist des deutschen Idealismus. Sie wollen Selbsttätigkeit, Verantwortungsbewußtsein, Bürgersinn und das Nationalbewußtsein wecken und bereiten so die Erhebung gegen die Fremdherrschaft vor.

1806	Jena und Auerstedt — Zusammenbruch Preußens
1807—1808	Reformen Steins
1810	Wilhelm v. Humboldt gründet die Universität Berlin
1811—1812	Reformen Hardenbergs
1814	Preußisches Wehrgesetz

1 *Welches sind die Ursachen des Zusammenbruchs von 1806?* 2 *Welche Quellen hat das deutsche Nationalbewußtsein?* 3 *Welches sind die geistigen Wurzeln der Gedankenwelt Steins?* 4 *Welches sind die wichtigsten Maßnahmen und Pläne Steins?* 5 *Wie setzt Hardenberg Steins Reformen fort?* 6 *Was kennzeichnet die Heeresreform?* 7 *Was unterscheidet die Grundsätze Steins von denen der Französischen Revolution?* 8 *Inwiefern gehört die Gründung der Universität Berlin zum Reformwerk?*

1 Preußen ist „auf den Lorbeeren Friedrichs II. eingeschlafen". Infolgedessen fehlt seiner Diplomatie der Weitblick; es wird politisch isoliert, versäumt den Anschluß an die Koalition von 1805 und entschließt sich erst zum Kriege gegen Napoleon, als es viel an Prestige verloren und Napoleon alle seine anderen Gegner besiegt hat.

2 Aufklärung und Klassik haben ein weltbürgerliches Humanitätsideal geschaffen; die Französische Revolution aber hat die Kraft der Nationalidee erkennen lassen. Die Romantik, die an Gedanken Herders anknüpft, hilft ein deutsches Nationalbewußtsein entwickeln. Sie entdeckt die Macht der Geschichte und die Bedeutung des Politischen. Bisher hat die deutsche Bildungswelt dem Staat kühl gegenübergestanden. Jetzt erkennt sie seine Notwendigkeit und begreift das Wirken für Nation und Staat als sittliche Aufgabe (Fichte); der Dienst fürs Vaterland findet z. T. überschwengliche religiöse Begründungen. Nationales und weltbürgerliches Denken, Kultur und Macht, Vaterlandsliebe und Gottesliebe, preußisches Staats- und deutsches Nationalbewußtsein durchdringen einander.

3 Stein denkt historisch, nicht rationalistisch. Er will den „Gemeingeist" der ständischen Zeit wiederbeleben. Reste der Ständeordnung in den westlichen Teilen Preußens sind ihm so vorbildlich wie die englische Selbstverwaltung. Der aufblühende Nationalgedanke erweckt in dem Reichsritter das Streben nach einer Erneuerung des deutschen Reiches.

Den Erziehungsgedanken des deutschen Idealismus wendet Stein ins Politische. Er fordert vom Bürger Selbständigkeit, Verantwortungsbereitschaft und Vaterlandsliebe. Damit er diese Tugenden dienend üben kann, muß ihm nach Steins Überzeugung Freiheit gegeben werden.

4 Das Edikt von 1807 löst die Berufswahl von den Standesschranken. Jetzt kann auch der Bürger adligen oder bäuerlichen Grundbesitz erwerben, Adlige und Bauern können städtische Berufe ergreifen. Der Bauer ist „nach dem Martinitage 1810" persönlich frei, jedoch die Verpflichtungen gegen den Grundherrn bleiben als „dingliche" Lasten bestehen.
Die Städteordnung von 1808 schafft die Gemeindeselbstverwaltung. Die Bürger wählen Stadtverordnete, diese den Magistrat. Zu einer Selbstverwaltung der Landgemeinden aber kommt es nicht mehr.
Die Behördenorganisation (1808) trennt Justiz und Verwaltung. Provinzialminister und Generaldirektorium werden durch Ressortminister ersetzt.

5 Hardenberg ist der Aufklärung stärker als Stein verhaftet. Das Prinzip der Gleichheit führt ihn zur Einführung der Gewerbefreiheit (Aufhebung der Zünfte), zur Ablösung der dinglichen Lasten der Bauern durch Geld (1811) und zur Judenemanzipation (1812). Das Streben nach Zentralisation läßt ihn im Gendarmerieedikt (1812) an die Stelle des gewählten Landrats den vom König ernannten Kreisdirektor setzen. Damit wird die Selbstverwaltung geschwächt.

6 Aus Steins Lehre, daß der einzelne der Allgemeinheit zu dienen habe, folgern Scharnhorst und Gneisenau die Allgemeine Wehrpflicht. Heeresdienst ist Ehrendienst. Entehrende Strafen und Adelsvorrechte werden abgeschafft, jeder Gebildete kann Offizier werden. Die Armee gliedert sich in Linie (Aktive), Landwehr und Landsturm. Die von Napoleon verfügte Höchststärke umgehen die Reformer durch Einberufungen auf Zeit.

7 Stein will die „Reform von oben", die „Krone" ist ihm „unantastbar". Er will durch sittliche und religiöse Erziehung aus den gering geachteten „Untertanen" Staatsbürger machen. Er knüpft an Bestehendes an und bildet es fort, denkt also geschichtlich. Die Französische Revolution dagegen mobilisiert Kräfte „von unten", gründet sich auf die Gedankenkonstruktionen der Aufklärung und will den einzelnen befreien, ohne zunächst nach dem Ganzen zu fragen.

8 Das 18. Jh. hält Erziehung und Bildung für Mächte, mit denen man die Menschheit umbilden könnte. Wilhelm von Humboldt lebt in dieser Gedankenwelt. Fichte, später der erste Rektor der Berliner Universität, fordert in seinen „Reden" eine neue Erziehung, um „die deutsche Nation im Dasein zu erhalten".

Das napoleonische System von eroberten Provinzen, künstlich gebildeten Königtümern und Zwangsverbündeten kann keine dauerhafte Ordnung begründen. Auch Napoleons Versuch, seine Herrschaft durch die Heirat mit der österreichischen Kaisertochter Marie-Louise „legitim" zu machen, bleibt politisch ohne Erfolg. Allenthalben, sogar in Frankreich selbst, wächst die Mißstimmung. Erhebungen folgen. Der Zusammenbruch hat seine Wurzel im Kampf mit England (Trafalgar, 1805). Der Untergang beginnt mit der Katastrophe in Rußland, setzt sich in den Befreiungskriegen fort und kann auch durch das Abenteuer der „Hundert Tage" nicht aufgehalten werden.

1808—1809	Erhebungen in Spanien und Österreich
1812	Katastrophe der „Großen Armee" in Rußland
1813—1815	Die Befreiungskriege
1815	Wiener Kongreß, Napoleons Rückkehr, Niederlage bei Waterloo

1 Aus welchen Gründen wächst die Mißstimmung in Frankreich? 2 Warum erhebt sich das spanische Volk? 3 Woran scheitert die Erhebung Österreichs 1809? 4 Inwiefern trägt die Kontinentalsperre zum Untergang Napoleons bei? 5 Woran scheitert der russische Feldzug? 6 Welches sind die wichtigsten Ereignisse der Befreiungskriege? 7 Inwiefern bewährt sich der Geist der preußischen Reformen? 8 Welche Motive bestimmen die Haltung Österreichs im Sommer 1813? 9 Welches sind die wichtigsten Ergebnisse der Befreiungskriege?

1 Napoleon hat seinem Staat keinen Frieden gegeben. Seine Kriege fordern immer neue Blutopfer und erschöpfen Land und Bevölkerung. Der wachsende Despotismus erregt Haß.

2 Um die Pyrenäenhalbinsel dem Einfluß Englands zu entziehen, besetzt Napoleon Portugal und zwingt den Spaniern seinen Bruder Joseph als König auf. Nationale und religiöse Motive lassen das Volk den Kleinkrieg gegen die „Fremdherrschaft der Aufklärer" mit englischer Waffenhilfe (Wellington) durchhalten.

3 Zwar ist Österreichs Heer reformiert, aber es steht allein gegen Napoleon. Den Nationalkrieg wie in Spanien kann Österreich nicht entfesseln, weil die Monarchie selbst ein Nationalitätenstaat ist.

4 Die Kontinentalsperre ist ein Eingriff in das Wirtschaftsleben der europäischen Völker, der mit politischen Mitteln um eines politischen Zieles willen (Vernichtung Englands) erzwungen wird. Sie verletzt empfindlich die Interessen der Völker und treibt Napoleon, seine Macht zu übersteigern. Schweden muß in die Sperre gezwungen werden, Dänemark wird, weil es die Sperre anerkennt, von England seiner Flotte beraubt. Die wirtschaftlichen Schäden erhöhen die Verbitterung in Europa. Schließlich muß Rußland am Ausbrechen aus der Sperre gehindert werden.

5 Der russische Feldzug scheitert: am Mangel an Ausrüstung und Nach-schub für den Winterkrieg; an der Weite des Landes; daran, daß die Russen einer Entscheidungsschlacht ausweichen; am Brand Moskaus.

6 Stein überzeugt Alexander I. davon, daß seine Aufgabe noch nicht mit der Vernichtung der Großen Armee, sondern erst mit dem Sturz Napoleons erfüllt sei. So verbündet sich der Zar im Vertrag von Kalisch mit Preußen (Februar 1813). Aber Napoleons neu aufgestellte Armee siegt in zwei Schlachten über Russen und Preußen. Österreich vermittelt darauf im Sommer 1813 einen Waffenstillstand. Es will zwar Napoleon die Rhein-grenze zugestehen, fordert aber Illyrien zurück und die Auflösung des Rheinbundes und des Herzogtums Warschau. Da Napoleon diese Macht-minderung ablehnt, tritt Österreich der Koalition bei. Diese hat den Zeit-gewinn der Waffenruhe genutzt. Auch Schweden schließt sich an, England zahlt Subsidien. Napoleon wird in der Völkerschlacht bei Leipzig (1813) geschlagen, muß sich zurückziehen und 1814 abdanken. Die Bourbonen werden wieder eingesetzt. Der erste Pariser Friede wird geschlossen (1814).

7 Mit dem Landwehrgesetz vom 17. März 1813 erklärt sich der König gegen Napoleon. Die Erhebung beginnt schon vorher: Am 30. Dezember löst General von Yorck das preußische Hilfskorps im Neutralitätsvertrag von Tauroggen von Napoleon; Stein und Yorck führen in Ostpreußen die Volksbewaffnung durch. Die nach Breslau strömenden Freiwilligen aus allen deutschen Staaten erhoffen Krieg gegen Napoleon, Befreiung von der Fremdherrschaft und Erneuerung des Reiches. Diese scheint auch der Aufruf vom 17. März zu verheißen.

8 Aus Gründen der Staatsräson will Metternich Frankreichs Vorherrschaft brechen und Steins Pläne durchkreuzen, da sie den Nationalitätenstaat Österreich bedrohen. Aus dynastischen Gründen will er Napoleon die Krone erhalten, da dieser Schwiegersohn des Kaisers von Österreich ist.

9 a) Den Kampf der Großmächte hat England gewonnen. Es ist erste See-, Kolonial- und Wirtschaftsmacht. Frankreichs Hegemonie auf dem Fest-land ist zerschlagen. b) Im Kampf der Ideen haben Nationalbewußtsein und Freiheitsstreben gesiegt. Wohl ist Frankreich einst in ihrem Namen aufgebrochen, aber dem rational durchorganisierten „Universalstaat" Napoleons ist der Mensch nur Werkzeug. c) Die Freiheitsbewegung in Preußen und Österreich entbehrt der revolutionären Massen und erreicht die Bildung eines nationalen deutschen Staates nicht. So münden die „Freiheitskriege" in die Epoche der Restauration. d) Wirtschaftlich ist der Kontinent geschwächt.

51 Der Wiener Kongreß

Der Wiener Kongreß (Sept. 1814—Juni 1815) soll nach den Umwälzungen der Französischen Revolution und der napoleonischen Herrschaft eine dauerhafte Friedensordnung in Europa aufrichten. Die Großmächte wollen das „Gleichgewicht der Mächte" wiederherstellen und durch Verträge sichern. Umstritten sind die Ergebnisse des Kongresses dort, wo eine Wiederherstellung der alten Ordnung nicht möglich ist (Deutschland, Polen) oder wo der Einfluß auswärtiger Mächte verewigt wird (Italien). Der Kongreß steht den nationalen Einigungsbewegungen in diesen Ländern entgegen. Er enttäuscht deshalb die Hoffnungen der Patrioten. Heute weiß man die Leistung des Kongresses und seiner Staatsmänner zu schätzen. Ihnen verdankt Europa für hundert Jahre ein ausgewogenes System von fünf Großmächten und für mehrere Jahrzehnte Frieden.

1 Welches sind die führenden Staatsmänner des Kongresses?   2 Was erstreben die einzelnen Großmächte?   3 Welche Grundsätze sollen die Friedensordnung tragen?   4 Welche Streitfrage bestimmt vor allem den Verlauf des Kongresses?   5 Welches sind die wichtigsten territorialen Ergebnisse des Kongresses?   6 Welche Ordnung erhält Deutschland? 7 Warum stellt sich Metternich der nationalen Einheitsbewegung entgegen?

1 Es verhandeln: für Österreich Fürst Metternich, zugleich Präsident des Kongresses; für Preußen Graf Hardenberg und Wilhelm von Humboldt; für England Lord Castlereagh, später abgelöst durch Wellington; für Rußland Zar Alexander I. Talleyrand erreicht die Gleichberechtigung Frankreichs.

2 Jede Großmacht will ihre eigenen Ziele durchsetzen, alle bleiben aber damit im Rahmen einer gemeinsamen europäischen Ordnung. Geleitet von der Forderung nach dem europäischen Gleichgewicht wünscht England nach der Niederwerfung Frankreichs, Rußland zurückzudrängen. Preußen erstrebt eine führende Stellung in Norddeutschland, Österreich in Italien und Süddeutschland. Rußland will nach Westen vordringen und eine vorherrschende Rolle in Europa spielen. Alle Mächte fordern Sicherheit gegen neue Angriffe Frankreichs. Dadurch wird Frankreich für Jahrzehnte politisch isoliert.

3 Die Großmächte kommen überein, nur solche Regierungen als rechtmäßig anzuerkennen, die sich auf ein historisches Recht stützen können („Legitimität"). Wo „legitime" Regierungen beseitigt sind, sollen sie wiederhergestellt werden („Restauration"). Alle Mächte sollen gemeinsam die Aufrechterhaltung des Friedens garantieren („Solidarität"). Das Prinzip der Legitimität dient der Rechtfertigung Frankreichs: nachdem der

Revolutionskaiser entthront ist, kann das „legitime" Königtum der Bourbonen ein Mitspracherecht beanspruchen. Das Prinzip der Restauration steht in Deutschland im Gegensatz zu den Wünschen der Patrioten (z. B. Steins), die ein deutsches Kaisertum schaffen wollen.

4 Die polnisch-sächsische Frage hätte fast die Allianz der Großmächte gesprengt. Denn Rußland fordert ganz Polen, Preußen ganz Sachsen. Dagegen verbünden sich Österreich und England mit Frankreich. Dadurch wird Frankreich wieder als Großmacht anerkannt.

5 Als englisches Bollwerk gegen Frankreich wird das Vereinigte Königreich der Niederlande (Belgien und Holland) begründet. England behält Malta, Helgoland, Ceylon, das Kapland. Zwischen Frankreich und Italien entsteht das Königreich Sardinien-Savoyen. Der Besitz der meisten linksrheinischen deutschen Gebiete gibt Preußen eine starke Stellung gegen Frankreich. Es wird zur beherrschenden Macht Norddeutschlands. Es gewinnt den nördlichen Teil Sachsens und mit Posen, Thorn und Danzig eine günstige Verbindung zu seinen östlichen Gebieten. Rußland dringt weit nach Westen vor; der Zar erhält als König von Polen Warschau („Kongreßpolen"). Österreich gewinnt Tirol, Kroatien sowie Dalmatien und mit Venetien und der Lombardei die Vorherrschaft in Italien zurück. Infolge des Verzichts auf Breisgau und Niederlande wird Österreich zur Ostmacht. Bayern erhält für Tirol Teile von Franken und Kurmainz sowie die linksrheinische Pfalz.

6 Der Deutsche Bund (Bundesakte vom 8. 6. 1815) ist ein loser Staatenbund zum Zwecke der „Erhaltung der äußeren und inneren Sicherheit Deutschlands und der Unabhängigkeit und Unverletzbarkeit der einzelnen deutschen Staaten". Indem er den Deutschen Bund schafft, zeigt sich Metternich als Realist, der die vorhandenen Kräfte zu schonen und für ein größeres Ganzes zu nutzen weiß. Die von Humboldt betriebene Darlegung der Freiheitsrechte unterbleibt bis auf den Satz, daß in den Bundesstaaten „landständische Verfassungen stattfinden" werden.

7 Nationalgedanke und Liberalismus stammen aus den gleichen Wurzeln wie die Französische Revolution. Metternich weiß, daß er am Ende eines Zeitalters lebt und sieht voraus, daß die nationale Bewegung den Frieden Europas gefährdet. Er will das Bestehende erhalten und verbündet sich deshalb nach dem zweiten Pariser Frieden mit Preußen und Rußland in der „Heiligen Allianz". Im gleichen Maße, wie sich das Nationalgefühl entwickelt, erwacht das Machtstreben der Staaten wieder. So zerbricht die „Solidarität der Mächte". Metternichs Grundsätze werden von der Geschichte überholt, seine Voraussagen aber bestätigen sich.

52 Nationale und liberale Bewegungen

Seit der Gründung der USA und der Französischen Revolution regt sich überall in Europa und im europäisch beherrschten Südamerika das Streben nach politischer Freiheit und nationaler Einheit der Völker. Der Wiener Kongreß hat unter dem Prinzip der monarchischen Legitimität und der Restauration dieses Streben nicht berücksichtigt. Die Heilige Allianz sucht das bestehende System zu erhalten. Spannungen und Revolutionen sind die Folge. Die entstehende soziale Frage kompliziert die Verhältnisse. In Deutschland und Italien wird später die nationale Frage „von oben her" gelöst. Die liberale und die soziale Frage bleiben weitgehend offen. Doch werden in Süddeutschland 1818/19 absolutistische Regierungssysteme weitgehend durch Einführung von landständischen Verfassungen abgelöst. Die neuen Landtage werden Mittelpunkt liberaler und nationaler Betätigung. Die nationale Frage hat den Osten und Südosten Europas ständig beunruhigt und seit 1878 dort zur Bildung völlig neuer staatlicher Ordnungen geführt. Heute entwickeln ehemals koloniale und halbkoloniale Völker der außereuropäischen Welt einen militanten Nationalismus.

seit 1810	Erhebung der spanischen Kolonien Südamerikas (Bolívar)
1818/19	Verfassungen in Bayern, Baden, Württemberg
1820	Revolution der „Liberalen" in Spanien und Portugal
1830	Revolution in Paris, Brüssel, in einzelnen deutschen Staaten, polnische Revolution

1 *Was versteht man seit Beginn des 19. Jh. unter Nation?* **2** *Was versteht man unter dem liberalen Gedanken?* **3** *Welche Kennzeichen hat der deutsche Frühliberalismus und welche Wandlungen erfährt er durch die Reaktion?* **4** *Wie hat die soziale Bewegung die Liberalen beeinflußt?*

1 Der nationale Gedanke hat eine westeuropäische und eine deutsche Wurzel und Ausprägung. Das Wort „Nation" erhält in Westeuropa den Sinn von Staat oder Staatsvolk, da in Spanien, Frankreich und England seit dem späten Mittelalter national geschlossene Staaten entstanden sind. Dieser Sinn läßt sich bis zum Völkerbund von 1920 (League of Nations) und zur Weltorganisation von 1945 (United Nations Organization) verfolgen. Dem Deutschen hingegen bedeutet „Nation" ein Volk als Träger einer besonderen Kulturgestalt. In dieser Hinsicht unterscheiden sich die Nationen durch ihr Nationalbewußtsein, wie es sich in Frankreich durch die Revolution, in Deutschland im Reformzeitalter und durch die Romantik ausbildet. Auch schon vor der Bildung eines gemeinsamen Staates empfinden sich die Deutschen als „Kulturnation". Die Freiheitskämpfer erstreben ein aus Nationalstaaten bestehendes, friedliches Europa. Keine Nation soll andere beherrschen. Sie denken national und weltbürgerlich zugleich. Als sich das Nationalbewußtsein später zum Nationalismus radikalisiert, wird dieser zu einer Gefahr für den Frieden, da vor allem in Osteuropa Volkstumsgrenzen und Staatsgrenzen einander nicht entsprechen. Das Nationalbewußtsein der Polen wächst gerade nach der Aufteilung ihres Staates. Die Ausbreitung des Nationalbewußtseins im 19. Jh. treibt allenthalben zu Gegensätzen, besonders bedroht es den Bestand des Vielvölkerstaates Österreich.

2 Der Name der „Liberalen" stammt aus Spanien (1823). Der Liberalismus fordert für den einzelnen: a) geistig Glaubens-, Meinungs- und Gewissensfreiheit; b) wirtschaftlich ungehinderte Entfaltung (A. Smith, Ricardo, F. List); c) politisch das Recht auf Leben, Freiheit und Eigentum. Gewaltenteilung im Sinne Montesquieus, Ministerverantwortung gegenüber der Volksvertretung, Schwurgerichte, Volksbewaffnung und Pressefreiheit sollen diese Rechte sichern. Dem Staat obliegt nur der Schutz dieser Freiheiten nach innen und außen.

3 Für die deutschen Frühliberalen gehören Reichs-, Staats- und Freiheitsidee zusammen. Der Staat hat nach ihrer Auffassung religiös-ethische Aufgaben. Stein und die Romantik entnehmen der Geschichte, Hegel der Philosophie die Überzeugung, daß der Staat bestimmt sei, die Menschheit zur Freiheit zu erziehen. Hegels Lehren allerdings werden zu einer „Staatsvergötzung" entwickelt, die sich in der Reaktionszeit und bei den Alldeutschen verhängnisvoll auswirkt und Hitler den Weg bahnen hilft. Die Reaktion entfremdet viele Liberale dem Staat. 1813 steht das Streben nach Einheit im Mittelpunkt (Arndt: „Das ganze Deutschland soll es sein"). Aber schon 1832 erklingt auf dem Hambacher Fest der Ruf: „Lieber Freiheit ohne Einheit als Einheit ohne Freiheit." So entsteht in Deutschland ein Gegensatz zwischen Staatsbewußtsein und Freiheitsstreben. Er schließt sich 1848 noch einmal, führt aber in der folgenden Zeit der Reaktion zur Staatsfremdheit der Gebildeten. Diese wirkt weit bis ins 20. Jh. hinein.

4 Die Träger der liberalen und nationalen Idee sind meist bürgerlicher Herkunft. Der soziale Gedanke ist ihnen fremd, denn er ist nicht ohne die von ihnen abgelehnten staatlichen Eingriffe in das Privatleben des einzelnen zu verwirklichen. Forderungen, wie Beseitigung des bürgerlichen Eigentums und „soziale Revolution" während der Revolutionen von 1830 und 1848, machen die Vertreter der liberalen und nationalen Ideen bereit zum Paktieren mit den alten Obrigkeiten. Um der Garantie von persönlicher Freiheit und Eigentum willen sind sie mit sehr bescheidener Mitwirkung am Staate zufrieden.

53 Der Kampf zwischen Restauration und Liberalismus

Zunächst behauptet sich die Restauration siegreich gegen die neuen Ideen: Auch in Südeuropa kann sie sich noch einmal durchsetzen. In Lateinamerika aber widersetzen sich ihr England und die USA, in Griechenland wirkt sich das Interesse der Großmächte gegen die Restauration aus. So zerbricht die Heilige Allianz. Die französische Julirevolution, Aufstände in Polen, Belgien und den deutschen Ländern erregen zwar neue Demagogenverfolgungen, zeigen aber auch die Kraft der liberalen Idee und bereiten die Revolutionen von 1848 vor.

1815	Heilige Allianz
1817	Wartburgfest der Deutschen Burschenschaft
1819	Ermordung Kotzebues — Karlsbader Beschlüsse
1821—1829	Griechischer Befreiungskampf
1823	Monroedoktrin „Amerika den Amerikanern"
1830	Französische Julirevolution
1837	Göttinger Sieben

1   *Welche Ziele hat die Heilige Allianz?*   2   *Was will die Burschenschaft, warum feiert sie das Wartburgfest?*   3   *Wie nutzt Metternich den Mord an Kotzebue?*   4   *Welche Folgen haben die Karlsbader Beschlüsse in Preußen?*   5   *Was wird aus den preußischen Reformen?*   6   *Was bedeuten die Aufstände in Südeuropa und Lateinamerika für die Allianz?*   7   *Welche europäische Bedeutung hat der griechische Aufstand?*   8   *Welche Gründe und Auswirkungen hat die Julirevolution?*   9   *Warum entsteht 1840 Kriegsgefahr, welche Folgen hat sie?*

1 Die Heilige Allianz verbindet die Herrscher Österreichs, Rußlands und Preußens. Sie wollen ihre Staaten patriarchalisch regieren, die Revolution niederhalten und christliche Grundsätze in der Politik verwirklichen. Metternich nutzt die Allianz zur Erhaltung der Ordnung von 1815. England distanziert sich, Frankreich nimmt eine vermittelnde Rolle ein.

2 Die Deutsche Burschenschaft, 1815 von Kriegsfreiwilligen gegründet, will die Studenten für Freiheit und Einheit gewinnen. Das Wartburgfest soll an den Thesenanschlag Luthers 1517 und die Völkerschlacht von Leipzig erinnern. Dabei werden Symbole der Reaktion verbrannt.

3 Der Burschenschafter Sand ermordet den Schriftsteller Kotzebue, weil er ihn für einen russischen Spion hält. Metternich setzt daraufhin die „Karlsbader Beschlüsse" (1819) durch: Verbot der Burschenschaft, Pressezensur, Aufsicht über die Universitäten, Verfolgung der „Demagogen". Diese Beschlüsse erweitern die Kompetenz des Deutschen Bundes stark.

4 Friedrich Wilhelm III. führt die Karlsbader Beschlüsse straff durch. E. M. Arndt verliert seine Professur, Jahn wird verhaftet, Prozesse gegen

„Demagogen" mit Zuchthausstrafen, selbst Stein und Gneisenau gelten als „verdächtig".

5 Die Reformen werden verlangsamt, aufgehoben oder ins Gegenteil verkehrt. So führt die Bauernbefreiung zur Stärkung des Großgrundbesitzes und zur Entstehung ländlichen Proletariats. Viele Bauern verlieren durch die „Regulierung" ihre Höfe und wandern ab. Es gibt in den Landgemeinden weder Selbstverwaltung noch Volksvertretung.

6 Freiheitsbewegungen in Spanien werden von Frankreich, in Italien von Österreich unterdrückt. In Lateinamerika, das sich seit 1810 im Aufstand befindet, scheitert die Allianz. Monroe, der Präsident der USA, erklärt sich gegen die Einmischung nichteuropäischer Mächte (1823). England steht ihm bei und schützt auch die neue portugiesische Verfassung. Dabei ist es von politischen wie wirtschaftlichen Gründen geleitet.

7 Die Griechen erheben sich gegen die Türken. Metternich sieht darin ein gefährliches Vorbild und befürchtet Machtveränderungen auf dem Balkan. Aber die Eifersucht der Mächte, insbesondere Rußlands Interesse an der Schwächung der Türkei, ist stärker als das Streben nach Erhaltung des status quo. Griechenland wird unabhängig, die „orientalische Frage" entsteht und schafft wechselnde Spannungen zwischen Österreich, Rußland und England um Meerengen und Balkan.

8 Karl X. will die durch die „Charte" von 1814 verbürgten Rechte des Bürgertums einengen. Er wird vertrieben, Louis Philippe, vom Bürgertum gestützt, wird König. Frankreich wird parlamentarische Monarchie. Auswirkungen: a) Im belgischen Aufstand zerfallen die national und konfessionell uneinheitlichen Vereinigten Niederlande in zwei Staaten. Belgien wird durch Beschluß der Londoner Konferenz neutralisiert (1831). b) Polen erhebt sich gegen Rußland und wird niedergeworfen. c) Sachsen, Kurhessen und Hannover erhalten landständische Verfassungen. d) Das Hambacher Fest (1832) und eine Radikalisierung der Studenten geben Anlaß zu neuen Demagogenverfolgungen. e) Die Göttinger Sieben protestieren vergebens gegen die Aufhebung der eben gewährten Verfassung (1837). f) Allgemein erstarkt die liberale Bewegung. Erfolge auf wirtschaftlichem Gebiet (Zollverein, Eisenbahn) stärken Selbstbewußtsein und Einheitshoffnungen der Deutschen.

9 Die französische Kolonial- und Eroberungspolitik in Afrika (1830 Algerien) wendet sich gegen die Türkei, trifft dabei aber auf die Gegnerschaft der anderen Großmächte. Die Kriegsgefahr weckt in Frankreich und Deutschland nationale Begeisterung. Frankreich muß zurückweichen. Der Meerengenvertrag von 1841, der Dardanellen und Bosporus für Kriegsschiffe sperrt, beseitigt die Spannung.

Die Industrielle Revolution beginnt im 18. Jh. in England. Im 19. Jh.
greift sie auf den Kontinent über, in Deutschland setzt sie um die Jahrhundertmitte voll ein. Bevölkerungszunahme, Landflucht und technische
Erfindungen treiben sie weiter voran. Sie führt einen Wandel der Lebens-
formen und der Gesellschaft herbei. Darum ist sie für die Entwicklung der
modernen Welt nicht weniger bedeutsam als die Französische Revolution.

1769	James Watt erhält Patent auf eine Dampfmaschine
1775, 1786	Spinnmaschine und mechanischer Webstuhl in England
1814	In England baut Stevenson die erste Lokomotive
1825	Erste deutsche Technische Hochschule in Karlsruhe
1834	Deutscher Zollverein
1835	Erste deutsche Eisenbahnlinie (Nürnberg—Fürth)
1867	Siemens entdeckt das dynamo-elektrische Prinzip

1 *Welches sind wichtige Voraussetzungen der Industrialisierung?* **2** *Welche Grundzüge zeigt die industrielle Entwicklung Englands?* **3** *Welches
sind die Grundüberzeugungen von Adam Smith?* **4** *Wie und wann beginnt die industrielle Entwicklung Deutschlands?* **5** *Welches sind die
Grundgedanken von Friedrich List?* **6** *Welche Maßnahmen fördern die
deutsche Industrialisierung?* **7** *Welche Erfindungen bereiten der Industrialisierung den Weg?*

1 Industrialisierung, technische Entwicklung und Bevölkerungszunahme
bedingen einander. Denn eine wachsende Bevölkerung benötigt Verbrauchsgüter und stellt die Arbeitskräfte, ohne die eine Industrie nicht
aufgebaut werden kann. Die Bevölkerungszunahme ist weniger eine
Folge steigender Geburtenzahlen als eines Abnehmens der Sterblichkeit.
Durch Landflucht ballen sich die Menschenmassen in bestimmten Räumen.

2 Der industriellen geht die agrarische Revolution voran. Der landwirt-
schaftliche Kleinbesitz verfällt; der Großbesitz wird vermehrt, rationeller
betrieben und ertragreicher. Die abwandernden Kleinbauern werden
Industriearbeiter. Erfindungen ermöglichen textile Massenproduktion,
die Dampfmaschine (1769) macht die Industrie von Naturkräften (Wasser,
Wind) unabhängig und gestattet, die Bergwerke tiefer zu treiben
(Grubenwasser kann ausgepumpt werden).

3 Adam Smith (1723—1790) entwickelt eine neue Wirtschaftstheorie
(1776): a) Das Interesse des einzelnen ist die Triebfeder wirtschaftlichen
Lebens. — b) An der Produktion sind Arbeit, Kapital und Boden beteiligt;
der wichtigste Produktionsfaktor ist die Arbeit. — c) Die Produktivität wird
durch Arbeitsteilung gehoben. — d) Der Staat soll die wirtschaftlich täti-

gen Menschen nicht an der Entfaltung ihrer Kräfte hindern (Liberalismus).
— e) Wenn jeder seinen Nutzen sucht, ist das Ergebnis der Nutzen aller.

4 In Deutschland setzt die industrielle Entwicklung später ein als in England. Wegen der vielen Zollgrenzen fehlt ein einheitlicher Markt; es fehlen Arbeitskräfte. Ein erster Ausbau der kleinen deutschen Industrie erfolgt, als die Kontinentalsperre die überlegene englische Konkurrenz fernhält. Nach 1815 kommt ein Rückschlag, der auch den landwirtschaftlichen Export von den ostdeutschen Gütern trifft. Nun wirken sich auch die Stein-Hardenbergschen Reformen (Regulierungsedikt von 1811) durch starke Landflucht aus. Bauern strömen als Arbeiter in die Städte.

5 Friedrich List (1789—1846) tritt bereits 1819 für einheitliche Zollpolitik des Bundes und Beseitigung der Binnenzölle ein. Sehr früh hat er die Bedeutung der Eisenbahnen erkannt. In seinem Hauptwerk „Das nationale System der politischen Ökonomie" (1841) fordert er: a) Schutzzölle, solange die eigene Industrie noch schwach; erst nach ihrem Erstarken Übergang zum Freihandel — b) Förderung der Industrialisierung zur Stärkung des inneren Marktes, staatliche Lenkung der Auswanderung, damit die Bevölkerung der Nation nicht nutzlos verlorengeht — c) Industrielle Wirtschaft setzt freiheitlichen Staat voraus.

6 Lists Schutzzollforderung (1819) wird vom Bundestag abgelehnt, er selbst als Demagoge verbannt. Aber der preußische Finanzminister Motz errichtet 1834 den Zollverein. Die übrigen Klein- und Mittelstaaten schließen sich allmählich an, da der wirtschaftliche Vorteil eines großen Marktes offensichtlich ist. Österreich wird nicht Mitglied. Wirtschaftliche und politische Grenzen des Deutschen Bundes decken sich nicht mehr.

7 Zollverein und Eisenbahn fördern die deutsche Industrie. 27 Jahre nach Stevenson baut Borsig Lokomotiven. Der Eisenbahnbau wird von England unabhängig. Der Telegraph (1833, Gauß und Weber) und umwälzende Erfindungen von Siemens (Isolierung durch Guttapercha 1841, Dynamo 1867) sind Anfänge der schnell aufwachsenden Elektrotechnik.

Bevölkerungszunahme und Bevölkerungsverschiebung in Tausend:

Volkszahl	1816	1864	1910	Zunahme in %
Stadt Berlin	198	633	2 071	945,9
Kgr. Sachsen	1 194	2 337	4 807	302,6
Hamburg	154	279	1 015	559,1
Deutsches Reich	23 552	39 392	64 926	161,9

Je tausend Einwohner werden in Deutschland geboren und sterben

um 1850	* 36,1	† 27,0	Innerhalb von 60 Jahren sinkt also die
um 1870	37,4	28,0	Geburtenzahl um 6 Promille, die Sterb-
um 1900	35,7	20,8	lichkeit aber um 10,1 Promille!
um 1910	30,0	16,9	

55 Die soziale Frage

Die soziale Bewegung hat ihre politische Voraussetzung im Gleichheitsstreben der Französischen Revolution, ihre wirtschaftliche in der Industrialisierung des 19. Jh. Aus dieser erwächst infolge der damals geltenden wirtschaftsliberalen Ansichten die materielle und seelische Not des entwurzelten Großstadtproletariats. Von den Kämpfern für das soziale Recht des Proletariers sind Lassalle und Marx am erfolgreichsten. Sie geben den besitzlosen Massen das Programm des Sozialismus. Er führt zur Entwicklung einer politischen Partei, die in scharfen Gegensatz zum Kaiserreich tritt. Bismarck versucht, die neue Partei mit den Mitteln des Polizeistaates zu bekämpfen und bemüht sich, die materielle Not der Arbeiter durch eine soziale Gesetzgebung zu beseitigen.

1818—1883	Karl Marx
1847	Das Kommunistische Manifest von Marx
1864	Ferdinand Lassalle im Duell getötet
1863—1864	Allgemeiner Deutscher Arbeiterverein (Lassalle) — Internationale Arbeiterassoziation (Marx)
1872	Verein für Sozialpolitik
1878	Sozialistengesetz (bis 1890)
1883—1889	Bismarcks Sozialgesetzgebung
1891	Erfurter Programm der Sozialdemokratie

1 *Welches sind die sozialen Folgen der Industrialisierung?* **2** *Welche Ziele verfolgt Lassalle?* **3** *Welches sind die Grundzüge der Lehre von Karl Marx?* **4** *Welche anderen sozialen Bewegungen gibt es, und was erstreben sie?* **5** *Wie entwickelt sich die Sozialdemokratie?* **6** *Warum erläßt Bismarck das Sozialistengesetz?* **7** *Was enthält die Sozialgesetzgebung? Was bedeutet sie damals?*

1 Die Industrialisierung schafft zwei neue gesellschaftliche Gruppen: den kapitalbesitzenden Unternehmer und den besitzlosen Arbeiter, den Proletarier. Der Aufbau der Industrie verlangt, anders als der Handwerksbetrieb, bedeutende Kapitalien. Das Risiko für den Unternehmer ist groß, Gewinne werden dagegen oft erst spät erzielt. So trachtet der Unternehmer nach billigen Arbeitskräften. Sie bieten sich aus den durch die Landflucht Entwurzelten und aus Handwerkern, deren Betriebe nicht mehr konkurrenzfähig sind. Der Liberalismus kennt keine Fürsorge für den Schwachen. Niedrige Löhne zwingen den Arbeiter zu langen Arbeitszeiten. Sonntags-, Frauen- und Kinderarbeit werden zur Regel. Unruhen setzen ein. Die Maschine gilt als Feind (Maschinenstürmer in England 1811, Seidenweber in Lyon 1831, Weber in Schlesien 1844). 1839 wird in Preußen das erste Arbeiterschutzgesetz erlassen; in England bereits 1833.

2 Lassalles „Allgemeiner Deutscher Arbeiterverein" (1863) hat als politisches Ziel das allgemeine Wahlrecht, als wirtschaftliches die Gründung staatlich geförderter Produktivgenossenschaften. Im Gegensatz zum Liberalismus will Lassalle staatliche Kontrolle über die Wirtschaft. Er erstrebt für den Arbeiterstand politische Rechte.

3 Karl Marx lehnt im Gegensatz zu Lassalle den bestehenden Staat ab. Seine „materialistische Geschichtsauffassung" nimmt einen gesetzmäßigen Verlauf der Geschichte an. Danach muß der Kapitalismus sich naturnotwendig eines Tages selbst vernichten; die „Diktatur des Proletariats" schafft die Voraussetzung für den Endzustand, die klassenlose Gesellschaft, Staaten und nationale Unterschiede werden verschwinden. Diese Gedanken geben dem Marxismus und den auf ihm basierenden Lehren einen eschatologischen Zug und machen sie zu einer „Heilslehre" („Ersatzreligion"). Marx' „Internationale Arbeiterassoziation" (1864) verbindet die „Arbeiterklasse" gegen die „Kapitalisten". In fast allen europäischen Staaten entstehen politische Arbeiterparteien und Gewerkschaften.

4 Der „Verein für Socialpolitik" (1872 gegründet) wendet sich aus humanitären, nationalen und religiösen Gründen gegen die liberale Wirtschaftsfreiheit. In der katholischen Kirche setzen sich der Bischof Ketteler und Kolping, in der evangelischen Theodor Fliedner, Wichern (Gründer der Inneren Mission 1848), Bodelschwingh (Bethel) und der Hofprediger Stöcker für die Sache des Arbeiterstandes ein. Christliche Gewerkschaften entstehen neben den sozialistischen.

5 Aus regionalen Arbeiterbildungsvereinen gründen Wilhelm Liebknecht und August Bebel 1869 in Eisenach die Sozialdemokratische Arbeiterpartei. Sie vereinigt sich auf einem Kongreß in Gotha 1875 mit den Anhängern Lassalles und gewinnt dabei die Führung. 1890 formiert sie sich nach Auslaufen des Sozialistengesetzes neu als Sozialdemokratische Partei Deutschlands und stellt sich im Erfurter Programm 1891 ganz auf den Boden des Marxismus.

6 Da die deutsche Sozialdemokratie den herrschenden Staat ablehnt und den Umsturz erwartet, sieht Bismarck in ihr eine Gefahr für das Reich und unterdrückt die sozialistischen Vereinigungen mit Hilfe des „Sozialistengesetzes". Diese Politik bleibt aber erfolglos.

7 Die Versicherungen gegen Krankheit (1883), Unfall (1884), Alter und Invalidität (1889) sorgen für den Arbeiter im Falle zeitlicher und dauernder Arbeitsunfähigkeit. Die Mittel werden von Arbeitern, Unternehmern und dem Staat aufgebracht. Bismarck setzt dieses umfassende Gesetzgebungswerk gegen den Widerstand der Liberalen durch, findet aber auch bei den Sozialisten wenig Widerhall. In Anlage und Durchführung entspringt es durchaus obrigkeitsstaatlichem Denken, an die Mitwirkung der Arbeiterverbände ist nicht gedacht. Im Grundsatz ist es aber für die anderen Staaten vorbildlich geworden.

56 Das Revolutionsjahr 1848 und die Preußische Union

1848 wird zum europäischen Revolutionsjahr. Erfolge der Liberalen in Preußen 1847 und in der Schweiz sind erste Vorboten, die Februarrevolution in Paris der erste Sieg. In Deutschland wirkt dieses Vorbild, denn das Selbstvertrauen des Bürgertums ist gewachsen, wirtschaftliche Schwierigkeiten und Mißernten haben die allgemeine Erregung verstärkt. In der Paulskirche wird eine deutsche Verfassung beraten, jedoch werfen inzwischen die Fürsten einzelne Erhebungen nieder. Österreich, der entschlossenste Gegner der deutschen Einheit, läßt nach dem Siege über die Volksbewegung auch den preußischen Einigungsplan scheitern.

1847	Vereinigter Landtag in Preußen — Sonderbundskrieg in der Schweiz
1848	Revolution: Februar in Frankreich — März in Deutschland
1850	Vertrag von Olmütz

1 *Welche Ereignisse von 1847 sind Vorboten der Revolution?* 2 *Wie kommt es zur Februarrevolution?* 3 *Welches sind die wichtigsten Ereignisse des März 1848?* 4 *Wie ist die Nationalversammlung zusammengesetzt?* 5 *Welches sind die Grundprobleme der deutschen Verfassung?* 6 *Welche Maßnahmen ergreifen die Großmächte Sommer und Herbst 1848?* 7 *Welche Folgen hat die Politik der Großmächte für die Paulskirche?* 8 *Was ist Inhalt und Schicksal des preußischen Unionsplanes?* 9 *Woran scheitern die Einheitspläne, und worin liegt ihr Wert?* 10 *Wie entwickelt sich das Verhältnis von Revolution und Reaktion?*

1 Zwar wird in Preußen der „Vereinigte Landtag" einberufen, bekommt aber nur die alten Ständerechte (Bewilligung neuer Steuern, beratende Funktion, keine regelmäßige Einberufung), so daß er sich auflöst, ohne seine Aufgabe (Bewilligung der Ostbahn) erfüllt zu haben. — In der Schweiz siegen die „Demokraten" über die katholischen Kantone (Sonderbund). Aus dem Staatenbund von 1815 wird ein Bundesstaat.

2 Unzufriedenheit mit Zensuswahlrecht und Regierung sowie soziale Umsturzpläne der Radikalen führen zum Sturz des Bürgerkönigs und zu sozialistischen Maßnahmen (Recht auf Arbeit, Nationalwerkstätten).

3 a) In den deutschen Mittel- und Kleinstaaten erzwingen die Volksmassen liberale Ministerien. b) In Österreich, Böhmen und Ungarn erheben sich die Landstände. Metternich flieht. In den Provinzen Aufstände. Einberufung eines verfassunggebenden Reichstages nach Wien. c) In Preußen kommt das „Patent" des Königs (Bundesreform und Pressefreiheit) zu spät. Die Volksbewegung zwingt ihn zur Unterwerfung.

4 Für je 50 000 Seelen wird ein Abgeordneter gewählt, etwa 75 % der Abgeordneten sind Akademiker, wenige Bauern, keiner Arbeiter. Die Bewe-

gung ist bürgerlich, nicht proletarisch, hat keine Parteien, nur in ihrer Zusammensetzung wechselnde Gruppen.

5 a) Eine Exekutive wird zwar geschaffen (Reichsverweser Erzherzog Johann und Minister); sie ist aber ohne Verwaltung, Heer, feste Einnahmen machtlos und wird vom Ausland nicht anerkannt. b) Die parlamentarisch ungeübte Versammlung kennt weder Ausschüsse noch Fraktionen. Erst im Oktober sind die Grundrechte formuliert. c) Die Reichsverfassung soll zwei Großmächte in einem Verband einen, deren eine ein Nationalitätenstaat ist. Folgende Möglichkeiten bieten sich:

Umfang:	kleindeutsch: unter Preußen ohne Österreich
	großdeutsch: mit Österreichs deutschen Teilen
Bundesverhältnis:	unitarisch — föderalistisch
Staatsform:	republikanisch — monarchisch
Regierung:	parlamentarisch — konstitutionell

Die radikalste Lösung ist eine unitarische, national geschlossene Republik. Die Fürsten müßten abgesetzt, Österreich zerschlagen werden.

6 a) Österreich: Aufstände bedrohen den Bestand des Staates. Der Reichstag, nach Kremsier verlegt, ist machtlos. Das Heer schlägt die Erhebungen in Prag und Wien nieder. b) Preußen: Der König läßt durch General Wrangel Berlin besetzen.

7 Am 9. März 1849 fordert Schwarzenberg Aufnahme des österreichischen Gesamtstaates in den Bund. Darauf entschließt sich eine Mehrheit für die kleindeutsche Lösung. Jedoch Friedrich Wilhelm IV. lehnt die Kaiserkrone ab. Die Nationalversammlung löst sich auf. Aufstände der Radikalen in Sachsen, der Pfalz und Baden werden blutig niedergeworfen.

8 Die Union soll ein Fürstenbund sein. Österreich lehnt auch diese Form der „kleindeutschen Lösung" ab. Rußland steht hinter ihm. Preußen wagt deswegen keinen Krieg und nimmt den Vertrag von Olmütz an (1850).

9 a) Der preußisch-österreichische Dualismus ist nur militärisch zu lösen. Der preußische König will weder die Kaiserkrone vom Volk noch den Kampf mit Österreich und Rußland. Die Abgeordneten der Paulskirche haben tatenlos zugesehen, als die Fürsten die Revolution niederwarfen. b) Die Grundrechte sind in Deutschland zum erstenmal formuliert. Das deutsche Bürgertum hat die Einheit bejaht und die Revolution gewagt. Der deutsche Nationalstaat kann nur gegen Österreich geschaffen werden.

10 Die Revolutionen haben große Anfangserfolge, aber die Reaktion erholt sich schnell. a) Frankreich: In der Junischlacht werden die Radikalen geschlagen. Frankreich wird bürgerliche Republik, ein Neffe Napoleons I. Präsident (Dez. 1848). b) Mitteleuropa: Die Aufstände scheitern; Preußen oktroyiert im Dezember 1848, Österreich im März 1849, noch vor der Kaiserwahl der Nationalversammlung also, autoritäre Verfassungen.

Die europäische Mitte ist durch die Revolution geschwächt. Rußland gewinnt in Europa wieder Einfluß. Frankreich wird unter Napoleon III. politisch aktiv. Das Bündnis mit England gegen Rußland befreit es aus seiner Isolierung, seine Erfolge im Krimkrieg und bei der Einigung Italiens stärken sein Ansehen und machen es zur Vormacht des Festlandes. Da aber Preußen um der deutschen Einheit willen in die europäische Politik eingreift, Italien seine Einheit ohne Frankreich vollendet und der von Napoleon gestützte Habsburger Maximilian in Mexiko scheitert (1867), beginnt Frankreichs Ansehen wieder zu schwinden. Die USA festigen ihre Einheit nach dem Bürgerkrieg.

1848—1870	Napoleon Präsident und 1852 Kaiser der Franzosen
1853—1856	Krimkrieg
1859—1861	Italienischer Einigungskrieg — Königreich Italien
1861—1865	Amerikanischer Bürgerkrieg

1 *Welche Maßnahmen kennzeichnen die Reaktion in Österreich und Preußen?* 2 *Wie gestalten sich die inneren Verhältnisse Frankreichs nach 1848?* 3 *Warum treibt Napoleon III. aktive Außenpolitik?* 4 *Welches sind die Gründe für den Krimkrieg? Zu welchen Ergebnissen führt er?* 5 *Welche Machtverhältnisse verhindern die Einigung Italiens?* 6 *In welchen vier Abschnitten erfolgt die Einigung Italiens?* 7 *Welches sind die beiden Phasen der Westexpansion des Territoriums der heutigen USA?* 8 *Welche Gegensätze trennen die Süd- und Nordstaaten der USA?* 9 *Warum bricht der amerikanische Bürgerkrieg aus? Worin liegt seine Bedeutung?*

1 Österreich: Oktroyierte Verfassung aufgehoben; Franz Josephs (1848 bis 1916) zentralistisch-absolutistische Alleinregierung, gestützt auf Bürokratie, Heer und Kirche. Preußen: Enges Zusammengehen mit Österreich. Einführung des Dreiklassenwahlrechts und Errichtung des Herrenhauses stärken das konservative Element.

2 Louis Napoleon, Neffe Napoleons I., verlängert seine Präsidentschaft durch Staatsstreich (1851) auf 10 Jahre. 1852 als Napoleon III. Kaiser. Plebiszitäre Scheindemokratie. Fürsorge für Industrie, Landwirtschaft, Arbeiter. Ausbau des Verkehrsnetzes. Modernisierung der Städte.

3 Royalisten und Republikaner lehnen den Neubonapartismus ab. Für seine Plebiszite bedarf Napoleon der Gunst der Massen, er sucht außenpolitische Erfolge und will das seit 1815 politisch isolierte liberale Frankreich zur Vormacht und zum Gegenpol des reaktionären Rußland machen.

4 Rußland erstrebt gegen die Türken die Gründung selbständiger Balkanstaaten und die Herrschaft über die Meerengen. England sieht dadurch seine Mittelmeerstellung bedroht. Das französische Heer ist ihm willkom-

mener Helfer. Auf der Krim wird Rußland geschlagen (Sewastopol 1854/55), muß die Donaumündung abtreten, das Schwarze Meer wird neutrales Gewässer, die Meerengen werden für alle Kriegsschiffe gesperrt. England hat die Türkei gerettet. Sein Gegensatz zu Rußland wird Element der Politik, die orientalische Frage europäisches Problem. Österreich hat durch seine neutrale Haltung im Krimkrieg seinem Ansehen geschadet und Rußland verstimmt. Beginn der österreichisch-russischen Feindschaft.

5 Italien wird 1815 politisch zerrissen. Lombardei und Venetien kommen zu Österreich, Parma, Modena, Toskana und das Königreich beider Sizilien unter landfremde Dynastien.

6 a) Das Königreich Piemont-Sardinien macht Cavour, der ,,Bismarck Italiens", zum liberalen Musterstaat, seine Trikolore zum Symbol des nationalen Einheitsstrebens.
b) Cavour glaubt, daß die Einigung nur durch Krieg möglich ist. Napoleon III. steht ihm bei und schlägt bei Magenta und Solferino (1859) Österreich. Preußen will, französischen Machtzuwachs fürchtend, den ,,Po am Rhein" verteidigen. Aus Furcht vor Preußen schließen Österreich und Frankreich Frieden (Villafranca 1859). Sardinien bekommt die Lombardei. Garibaldi erregt eine Volkserhebung zur Gründung des Königreichs Italien. Frankreich bekommt Nizza und Savoyen. c) Im Bündnis mit Preußen gewinnt Italien 1866 Venetien von Österreich. d) 1870 verleibt es sich den Kirchenstaat ein. Napoleon III., der diesen bisher geschützt hat, braucht seine Truppen im Deutsch-Französischen Krieg.

7 a) Im Frieden von Paris (1763) wird der Mississippi Westgrenze. b) Bis 1848 wird der Stille Ozean erreicht.

8 a) In den Südstaaten betreiben aristokratische Grundbesitzer mit Negersklaven Plantagenwirtschaft. Sie wollen Freihandel, um ihre Baumwolle gegen Fertigwaren aus Europa tauschen zu können. b) Das Klima des Nordens erlaubt europäische Ackerbauformen. Einwanderer aus Mittel- und Nordeuropa schaffen Farmen und eine eigene Industrie. Diese bedarf der Schutzzölle. Sklaven sind nicht notwendig.

9 Die Wahl Abraham Lincolns zum ersten republikanischen Präsidenten (1860) veranlaßt die südstaatlichen Demokraten zum Austritt aus der Union und zur Bildung der ,,Konföderation". Die Nordstaaten dagegen erklären die Union als unauflösbar. Die Südstaaten verfügen über europäische Hilfe: England braucht Amerika als Baumwollieferanten und Abnehmer seiner Erzeugnisse. Frankreich sucht Prestigeerfolge: es macht den Habsburger Maximilian zum Kaiser von Mexiko, um so den Südstaaten zu helfen. Mit den Nordstaaten siegen die Einheitsidee, die Monroedoktrin und das Streben nach wirtschaftlicher Unabhängigkeit. Die Sklaverei wird verboten.

Die „Neue Ära" des Prinzregenten Wilhelm beendet in Preußen die Reaktion. Seine gemäßigt-liberale Regierung, die Einigung Italiens, das Nachgeben Österreichs stärken die deutschen Einheitshoffnungen. Bismarck setzt sich im Heereskonflikt durch, verhindert den Bundesreformplan Österreichs, gewinnt Schleswig und Holstein, besiegt Österreich, macht Preußen zum territorial geschlossenen Staat und gründet den Norddeutschen Bund. Österreich wandelt sich zur Doppelmonarchie.

1852	Londoner Protokoll der Großmächte über die Herzogtümer
1858—1888	Wilhelm I. (bis 1861 Prinzregent, 1871 deutscher Kaiser)
1862	Bismarck Ministerpräsident
1864	Krieg Österreichs und Preußens gegen Dänemark
1866	Krieg Preußens gegen Österreich und seine Bundesgenossen
1867	Doppelmonarchie Österreich-Ungarn — Norddeutscher Bund

1 *Warum ist die preußische Heeresreform nötig, warum kommt es zum Konflikt?* **2** *Wie verläuft der Streit zwischen Krone und Zweiter Kammer?* **3** *Wie liegen 1863 die Verhältnisse in Schleswig und Holstein?* **4** *Welche Stellung bezieht Bismarck in dieser Frage?* **5** *Warum kommt es 1866 zum Kriege?* **6** *Welches sind die Ergebnisse des Krieges von 1866?* **7** *Wie hängen die Niederlage von 1866 und die Gründung der Doppelmonarchie zusammen?* **8** *Wie versöhnt sich Bismarck mit dem Abgeordnetenhaus? Was bedeutet die Indemnität für die Liberalen?* **9** *Wie entwickeln sich die inneren Verhältnisse Frankreichs?* **10** *Wie betreibt Bismarck angesichts der französischen Haltung seine Einigungspolitik?*

1 Durch die Heeresreform soll die Heeresstärke der Bevölkerungszahl angepaßt werden. Der König will drei-, das Abgeordnetenhaus zweijährige Wehrpflicht; der König legt das Schwergewicht auf die aktive Truppe, die Kammer gemäß liberaler Tradition auf Reserve und Landwehr. Es geht um die Stellung des Heeres im Verfassungsstaat, um die Frage: Parlamentsheer oder Königsheer?

2 Die Mehrkosten werden 1861 bewilligt, 1862 verweigert, vom Herrenhaus gebilligt. Neuwahlen bringen eine starke liberale Mehrheit. Das Abgeordnetenhaus bleibt bei der Ablehnung, das Herrenhaus bei der Bewilligung. Bismarck spricht von einer „Lücke" in der Verfassung, entscheidet gegen das Abgeordnetenhaus im Sinne der Krone und erhebt die Steuern. Diese Maßnahme ist so verfassungswidrig wie die Begründung. Vergebens rufen die Liberalen zur Steuerverweigerung auf.

3 1460 Personalunion der Herzogtümer mit Dänemark. Holstein — zum Reich gehörend — in Realunion mit Schleswig (up ewig ungedeelt). Im 19. Jh. Danisierungspolitik („Eiderdänen"). 1848 nationale Erhebung gegen Dänemark erfolglos. 1852 Kompromiß der Großmächte (Londoner Protokoll): Personalunion bleibt, dänische Thronfolgeordnung auch in den Herzogtümern. 1863 Einverleibung Schleswigs durch „Gesamtstaatsverfassung". Die Herzogtümer fordern Unabhängigkeit unter eigenem Fürsten. Deutsche Liberale stimmen zu.

4 Bismarck fordert Aufrechterhaltung der Ordnung von 1852. Die Großmächte müssen ihm beistehen. Preußen und Österreich besiegen Dänemark. Die gemeinsame Besetzung führt zu Spannungen. Der Vertrag von Gastein (1865) wendet die Kriegsgefahr ab. Österreich verwaltet Holstein, Preußen Schleswig mit Kiel als Kriegshafen.

5 Trotz des Vertrages von Gastein bleiben die Spannungen. Bismarck, der Neutralität Frankreichs und der Freundschaft Rußlands gewiß, gewinnt Italien zum Bündnis und schlägt ein deutsches Bundesparlament vor. Österreich nutzt die Furcht der Mittelstaaten vor Preußen und ruft wegen der Herzogtümer den Bund an. Preußen erklärt den Vertrag von Gastein für gebrochen, besetzt Holstein und verläßt den Bund.

6 Nach Königgrätz will Bismarck Frieden schließen. Er will Napoleons III. Vermittlung zuvorkommen und eine Demütigung Österreichs vermeiden. Mit dessen Einwilligung gründet er den Norddeutschen Bund und annektiert Hannover, Kurhessen, Nassau und Frankfurt. Österreich ist in Norddeutschland ausgeschaltet. Preußen wird geschlossenes Staatsgebiet.

7 Schon seit der Niederlage in Italien (1859) versucht Österreich, der inneren Schwierigkeiten durch Reformen Herr zu werden. Der „Ausgleich" (1867) mit den Ungarn teilt den Gesamtstaat in Cis- und Transleithanien. Ungarn wird mit Österreich durch Personalunion verbunden, jedoch bleiben Auswärtiges, Heer und Finanzen für beide Reichsteile gemeinsam. Dieser Dualismus rettet den Staat und besteht bis 1918.

8 Mit der Indemnitätsforderung erkennt Bismarck das Haushaltsrecht der Kammer an. Die Liberalen spalten sich. Der linke Flügel (Fortschrittspartei) bleibt in der Opposition, der rechte (Nationalliberale) fügt sich angesichts der Einheitspolitik Bismarcks.

9 Napoleons Mißerfolge (in Mexiko, bei den Kompensationsforderungen gegenüber Preußen, beim Versuch, Luxemburg zu gewinnen) stärken die demokratisch-republikanische Opposition. Eine Armeereform wird verweigert. Er muß einer halbparlamentarischen Verfassung zustimmen. Sein Außenminister setzt die der deutschen Einheit feindliche Politik Napoleons fort und reißt damit Frankreich in den Krieg (1870).

10 Bismarck hat 1866 die süddeutschen Staaten geschont und mit ihnen angesichts der französischen Kompensationsforderungen ein geheimes Bündnis geschlossen. Das Zollparlament (1868) soll die Einheit Deutschlands wirtschaftlich vorbereiten. Jedoch verhindert die drohende Haltung Frankreichs eine weitere Annäherung.

Die französisch-preußischen Spannungen folgen aus dem Machtgewinn Preußens in den beiden Einigungskriegen, dem Scheitern der französischen Kompensationswünsche und seiner Luxemburgpolitik. Die spanische Thronfolgefrage will Napoleon nutzen, um sein Ansehen wiederherzustellen. Bismarcks Diplomatie setzt Napoleon ins Unrecht und isoliert Frankreich. Da Napoleon den Krieg wagt und verliert, kann Bismarck, gestützt auf die nationale Begeisterung der Deutschen, den Norddeutschen Bund zum Deutschen Reich erweitern. Zwar ist das neue Reich nur „kleindeutsch" und ein Bundesstaat, aber seine Gründung ist auch deshalb ein besonderer Erfolg, weil keine der Großmächte Einspruch erhebt.

1870/71	Deutsch-Französischer Krieg
1871	Reichsgründung, Kaiserproklamation

1 Wie entsteht die spanische Thronfolgefrage, und wie kann Bismarck sie für seine Politik gegen Napoleon III. nützen? 2 Welche Ziele verfolgen Bismarck und Napoleon III.? 3 Aus welchen beiden Phasen besteht der Krieg? 4 Welches sind die Bedingungen des Friedens von Frankfurt? 5 Welches sind die Organe des Reichs; worin besteht seine föderalistische, seine unitarische und seine konstitutionelle Tendenz? 6 Worauf gründet sich die führende Politik Preußens? 7 Inwiefern ist der Reichstag eine fortschrittliche Einrichtung? 8 Welche Stellung bekommt Elsaß-Lothringen, welche Folgen entstehen daraus? 9 Durch welche Maßnahmen werden Justiz, Wirtschaft und Verkehrswesen vereinheitlicht?

1 In Spanien sind 1868 die Bourbonen vertrieben worden. Dem katholischen Erbprinzen von Hohenzollern-Sigmaringen wird die Krone angeboten, er nimmt sie auf Bismarcks Rat an. Frankreich fürchtet eine Umklammerung wie zur Zeit Karls V. Im Einverständnis mit Wilhelm I. verzichtet der Prinz. Preußen hat eine diplomatische Niederlage erlitten. Frankreich fordert darüber hinaus vom König, der in Bad Ems zur Kur weilt, die Erklärung, daß nie ein Hohenzoller die spanische Krone annehme. Der König berichtet darüber telegraphisch an Bismarck. Dieser veröffentlicht die „Emser Depesche" so, daß der Vorgang als Demütigung Frankreichs erscheint.

2 Beide sehen den Krieg kommen. Bismarck will das ohnehin erschütterte Ansehen Napoleons III. so weit schädigen, daß Frankreich nicht in Verbindung mit anderen Mächten (Österreich) Preußen gefährden kann. Napoleon hofft auf einen Prestigeerfolg. Er weiß, daß Preußen um der spanischen Krone willen keinen Krieg beginnen wird. Da er aber mit dem ersten Erfolg, der im Thronverzicht des Prinzen liegt, nicht zufrieden ist, wird er durch Bismarcks geschickte Diplomatie in eine Lage gedrängt, aus der er sich nur durch Krieg retten zu können glaubt.

3 Die erste Kriegsphase endet mit der Gefangennahme Napoleons bei Sedan. Die zweite beginnt mit der Ausrufung der Dritten Republik. Sie setzt den Krieg als Volkskrieg fort. Nationaler Haß steigert ihn zu einer bis dahin kaum gekannten Härte der Kampfmittel (Franktireure). Erst Hungersnot in Paris zwingt Frankreich zur Kapitulation.

4 Frankreich muß 5 Milliarden Franken Kriegsentschädigung zahlen, bis zur Tilgung deutsche Besatzung dulden und Elsaß-Lothringen abtreten.

5 a) Organe: Der Kaiser, der Bundesrat, der Reichstag. b) Föderalistisch: Träger der Souveränität ist der Bundesrat. Er besteht aus den Vertretern der Einzelstaaten; Reichstagsbeschlüsse werden nur mit seiner Zustimmung Gesetz. c) Unitarisch: Der Reichstag hat das Haushaltsrecht und wirkt bei der Gesetzgebung mit. d) Konstitutionell: Der Reichskanzler ist weder dem Reichstag noch dem Bundesrat verantwortlich und führt Vorsitz im Bundesrat.

6 Preußen hat zwar nur 17 von 58 Stimmen im Bundesrat, kann jedoch Verfassungsänderungen verhindern, außerdem kann es sich auf einen Teil der norddeutschen Fürsten verlassen. Die Armee untersteht im Kriege dem Kaiser — also dem König von Preußen, er vertritt das Reich völkerrechtlich, entscheidet über Krieg und Frieden mit Zustimmung des Bundesrats und hat den Oberbefehl. Er ernennt den Reichskanzler.

7 Zwar erscheint die Kompetenz des Reichstages gering, aber er ist die erste europäische Volksvertretung, die aus allgemeiner, gleicher und direkter Männerwahl hervorgeht. Das Haushaltsrecht wird zudem in einer Zeit, in der die Wirtschaft an Bedeutung gewinnt, zum Machtfaktor. So ist z. B. die Bewilligung der Kriegskredite durch den Reichstag die entscheidende Voraussetzung für die deutschen Kriegserklärungen 1914.

8 Elsaß-Lothringen untersteht als Reichsland dem Bundesrat, ist aber erst ab 1911 darin vertreten, ist also weder Bundesstaat noch Teil eines solchen. Das wirtschaftlich und kulturell hochstehende und an demokratische Ordnungen gewöhnte Land fühlt sich benachteiligt. Die aus strategischen Gründen erfolgte Einverleibung französischer Volksteile widerspricht dem nationalen Prinzip und verschärft die Mißstimmung.

9 Handelsgesetzbuch (1869), Strafgesetzbuch (1872), Gerichtsverfassung für alle Staaten (1879), Bürgerliches Gesetzbuch (1900). Der Instanzenzug wird bestimmt, das Reichsgericht in Leipzig errichtet. Vereinheitlichung von Währung: Mark; Maß: Meter; Gewicht: Kilogramm; Hohlmaß: Liter. Reichspost. Die Eisenbahnen allerdings verbleiben gegen Bismarcks Absicht den Bundesstaaten.

Bismarcks Innenpolitik beruht auf dem konstitutionellen System. Da der Kanzler vom Vertrauen des Reichstags unabhängig ist, steht er über den Parteien. So regiert er, an den Reichstag nur durch dessen Budgetrecht gebunden, bis 1878 mit den Nationalliberalen. Nach dem Scheitern seiner Politik im Kulturkampf stützt er sich auf Konservative und Zentrum und macht mit diesen seine Schutzzoll- und Sozialgesetzgebung (s. S. 55). Ebenso leiten ihn taktische Erwägungen, wenn er auch die von wagemutigen Kaufleuten gegründeten Handelsniederlassungen als Schutzgebiete anerkennt.

1870	Erstes Vatikanisches Konzil — Unfehlbarkeit des Papstes — Ende des Kirchenstaates
1871	Kulturkampf; seit 1878 zunehmende Einschränkung
1878	Schutzzollgesetzgebung — Sozialistengesetz
1884—1885	Gründung von deutschen Kolonien (Schutzgebiete)

1   Welche Ergebnisse hat die wirtschaftliche Zusammenarbeit zwischen Bismarck und den Nationalliberalen?   2   Welche Entscheidungen bringt das Jahr 1870 der katholischen Kirche?   3   Welche Forderungen erhebt die Zentrumspartei? Wie verhält sich das Reich dazu?   4   Was bedeutet der Begriff „Kulturkampf"? Warum muß Bismarck ihn abbrechen?   5   Welche der „Kulturkampfgesetze" bleiben bestehen?   6   Aus welchen wirtschaftlichen Gründen wendet sich Bismarck zu Zentrum und Konservativen?   7   Wie steht Bismarck zu den Parteien? Welche Folgen ergeben sich später daraus?   8   Warum kann Bismarck 1884 koloniale Erwerbungen wagen? Wie steht er grundsätzlich zur Kolonialpolitik?

1 Bismarck vermeidet staatliche Eingriffe in die Wirtschaft, vor allem in die Handels- und Gewerbepolitik. Die französischen Milliarden werden früher als vereinbart abbezahlt (bis 1873). Die überraschende Kapitalfülle führt zu den „Gründerjahren". Diese verursachen, da sie auf unechtem Bedarf basieren, eine schwere Wirtschaftskrise, den „großen Krach" (1873). Zweifel am liberalen Wirtschaftssystem tauchen auf.

2 Das Vatikanische Konzil erhebt die Lehre von der Unfehlbarkeit des Papstes in Fragen des Glaubens und der Sitte gegen Widerstände zum Dogma. Italien besetzt das bisher von französischen Truppen geschützte Rom und verleibt den Kirchenstaat dem Königreich ein (Oktober 1870).

3 Die Zentrumspartei fordert Schutz der Religionsgemeinschaften (und so der katholischen Kirche) gegen Eingriffe der Gesetzgebung; sie tritt ein für die Wiederherstellung des Kirchenstaates; in ihr sammeln sich neben den Katholiken des Reiches die unzufriedenen Welfen, Polen, Elsässer. Bismarck lehnt mit Rücksicht auf Italien, das er von Frankreich fernhalten will, das Eintreten für den Kirchenstaat ab. Vergeblich sucht

er Rom und das Zentrum zu trennen. Hinter dem Streit steht die Machtfrage zwischen Staat und Kirche.

4 Der Begriff „Kulturkampf" stammt von dem Liberalen Virchow: Kampf für die Kultur gegen geistige Bevormundung durch die Kirche. Der Konflikt war politisch vorbereitet durch die Gegensätze zwischen der katholischen Kirche und dem Nationalismus und Liberalismus. Bismarck will die innerkatholische Krise um das Unfehlbarkeitsdogma (Abspaltung der Altkatholiken) nützen. Ein Teil der Liberalen erstrebt eine „romfreie" katholische Kirche in Deutschland. Zahlreiche Gesetze richten sich gegen die Wirksamkeit der Kirche im öffentlichen Leben. Es kommt zu Polizeimaßnahmen und Verhaftungen selbst von Bischöfen. Doch kann sich Bismarck in diesem Kampf, der auch von Protestanten abgelehnt wird, nicht durchsetzen. 1878 braucht er im Reichstag das Zentrum. Er beendet den Kulturkampf, dessen Gesetze zum Teil abgebaut werden. Das Verhältnis der Konfessionen in Deutschland aber ist auf lange geschädigt.

5 Die alleinige Rechtsgültigkeit der Zivilehe (1875); staatliche statt der geistlichen Schulaufsicht; der Kanzelparagraph (1871; Geistliche, die im Amt Staatsangelegenheiten in friedensgefährdender Weise behandeln, können bestraft werden; aufgehoben 1953); Verbot des Jesuitenordens (1872, aufgehoben 1917).

6 Der liberale Freihandel wird für Landwirtschaft wie Eisenindustrie gefährlich. Mit Schutzzöllen auf Eisen, Holz, Getreide und Vieh verbindet Bismarck Finanzzölle auf Kaffee, Tee, Wein und Tabak, um Reichseinnahmen zu gewinnen. Gegen die freihändlerischen Nationalliberalen benötigt er die Konservativen und das Zentrum.

7 Bismarck denkt obrigkeitsstaatlich und antiparlamentarisch. Die Parteien sind für ihn nicht Träger politischen Willens, sondern Mittel zum Zweck der Machterhöhung von Reich und Krone. So werden Parteien und Volk nicht zu politischem Denken und Handeln erzogen. Das wirkt sich später verhängnisvoll aus.

8 Die Bündnissicherung Deutschlands und Spannungen zwischen England und Rußland sowie Frankreich erlauben es Bismarck, außereuropäische deutsche Handelsniederlassungen unter den Schutz des Reiches zu stellen: 1884 Lüderitzland, Togo, Kamerun, 1885 ostafrikanische Gebiete, Bismarck-Archipel, Kaiser-Wilhelm-Land. — Bismarck denkt kontinentaleuropäisch. Kolonialerwerb ist für ihn Wirtschaftspolitik. Zudem sollen diese „Schutzgebiete" Deutschen, die sonst in fremde Kolonialgebiete auswandern würden, ein Tätigkeitsfeld bieten und sie der Nation erhalten. Als in der Zeit des Imperialismus Kolonien Machtfaktoren werden, ist es für deutsche Kolonialerwerbungen zu spät.

61 Bismarcks Außenpolitik

Die Reichsgründung von 1871 schafft zum ersten Male seit dem Mittelalter eine starke europäische Mitte. Sie ist durch Kriege entstanden und erfüllt darum die europäischen Mächte mit Mißtrauen. Bismarck fürchtet Koalitionen gegen das Reich. Er will den Frieden um der inneren Festigkeit des Reichs und um Europas willen. Darum erklärt er das Reich für „saturiert" und strebt nach einem Zustand, in der alle Mächte des Reiches bedürfen und durch ihre Beziehungen zueinander von Koalitionen gegen das Reich abgehalten werden.

1873	Dreikaiserabkommen Österreich-Ungarn — Rußland — Reich
1878	Berliner Kongreß
1879	Zweibund Deutschlands mit Österreich-Ungarn
1882	Dreibund Deutschlands mit Österreich-Ungarn und Italien
1887	Rückversicherungsvertrag mit Rußland

1 Welche Ziele verfolgt Bismarcks Politik gegenüber Frankreich? 2 Warum veranlaßt Bismarck das Dreikaiserabkommen? 3 Welche innerrussischen Entwicklungen verursachen den russisch-türkischen Krieg? 4 Zu welchen Ergebnissen lenkt Bismarck als „ehrlicher Makler" den Berliner Kongreß? 5 Welche Bedingungen enthält der defensive Zweibundvertrag? 6 Was enthält der Neutralitätsvertrag der drei Kaiser von 1881? 7 Warum tritt Italien dem Zweibund bei und zu welchen Bedingungen? 8 Was führt zum Rückversicherungsvertrag? Was enthält er? 9 Welche Gefahren drohen Bismarcks kompliziertem Bündnissystem? 10 Auf welchen Grundsätzen und Voraussetzungen beruht Bismarcks System?

1 Bismarck will Frankreich isolieren, denn die Dritte Republik festigt sich, aber der Groll über die Niederlage von 1870/71 und den Verlust Elsaß-Lothringens schwindet nicht. Bismarcks Pressefeldzug und diplomatische Schritte gegen eine französische Heeresvermehrung (1875) zeigen, daß England und Rußland Frankreich nicht weiter geschwächt sehen wollen. Bismarck fördert deshalb Frankreichs Kolonialpolitik, aber es gelingt ihm nicht, Frankreich zu versöhnen.

2 Das Dreikaiserabkommen soll Rußland und Österreich-Ungarn von Frankreich fernhalten und das Reich vor einem Zweifrontenkrieg sichern. Grundlage ist der gemeinsame monarchische Gedanke; die Spannung zwischen Rußland und Österreich-Ungarn wegen der Balkanfragen bildet jedoch ein Gefahrenmoment.

3 Der russische Nationalismus (Panslawismus, s. S. 63) will alle Slawen vereinigen. Er richtet sich gegen die Türkei und Österreich-Ungarn. Anläßlich des Aufstands in der Herzegowina (1875) droht Krieg mit Österreich-Ungarn, weil Rußland die Slawen von den Türken befreien will. Bismarck sucht auszugleichen. Rußland wirft die Türkei nieder

(1877/78). Den Machtgewinn Rußlands fürchtend, rüsten England und Österreich gegen das vom Krieg erschöpfte Zarenreich.

4 Der Kongreß, von Bismarck aus Sorge um den Frieden Europas veranlaßt, ordnet die Balkanverhältnisse. Rußland bekommt Bessarabien, verzichtet aber auf die Errichtung eines ihm genehmen Großbulgarien (bis zur Adria). Die Türkei wird auf dem Balkan wiederhergestellt. Österreich-Ungarn bekommt die Verwaltung von Bosnien und Herzegowina. England garantiert die asiatische Türkei und erhält Zypern.

5 Die Mächte helfen einander bei einem Angriff Rußlands, bei einem Angriff durch eine dritte Macht wahren sie wohlwollende Neutralität.

6 Im Falle eines Krieges einer der drei Mächte mit einer vierten bleiben die anderen wohlwollend neutral. Handelt es sich um die Türkei, so verständigen sie sich über die Ziele. Bulgarien soll zur russischen, der Westbalkan zur österreichisch-ungarischen Interessensphäre gehören.

7 a) Frankreich hat Tunis (1881) besetzt, dessen Besitz Italien erstrebt. b) Bei einem Angriff Frankreichs auf Italien leisten die Partner Hilfe. Bei einem Angriff Frankreichs auf das Reich hilft nur Italien. Greift eine dritte Macht an, so bleiben die anderen wohlwollend neutral. Hilft dem Angreifer eine zweite Großmacht, so ist der Bündnisfall gegeben. Der Vertrag richtet sich nicht gegen England, dessen Flotte Italien bedrohen kann.

8 a) Im bulgarisch-serbischen Krieg (1885) greift Österreich-Ungarn in die Interessensphäre Rußlands ein. Damit ist praktisch der Vertrag von 1881 gebrochen; b) Um den „Draht nach Petersburg" nicht abreißen zu lassen, schließt Bismarck mit Rußland den geheimen Rückversicherungsvertrag. Er sichert dem Reich die Neutralität Rußlands bei einem französischen, Rußland die Neutralität des Reiches bei einem österreichischen Angriff. Das Reich will Rußlands Interessen in Bulgarien fördern und neutral bleiben, wenn Rußland die Meerengen besetzt.

9 a) Der Widerspruch zwischen Mittelmeerentente von 1887, in der sich England, Österreich und Italien für den status quo im Orient erklären, und Rückversicherungsvertrag; b) die österreichisch-italienische Spannung um Südtirol und Triest; c) die Abhängigkeit Italiens von England; d) die Möglichkeit, daß sich England einer der beiden Rand-Großmächte nähert; e) die Kurzfristigkeit des Rückversicherungsvertrages schließt die Möglichkeit einer russisch-französischen Verbindung nicht aus.

10 Grundlegend ist der Defensiv-Charakter des Systems. Es isoliert den Angreifer, sichert dem Angegriffenen Hilfe. Darum wird jede Macht den Angriff scheuen. Das System beruht allerdings darauf, daß „der Angreifer" eindeutig erkennbar ist. Voraussetzung ist ein Politiker von Fähigkeiten und Ansehen, der „fünf Bälle gleichzeitig spielen" (Caprivi) und hoffen kann, einen Krieg zu verhindern.

England hat im Kampf gegen Napoleon I. die Seeherrschaft errungen und sein Kolonialreich erweitert. In den folgenden Jahrzehnten gewinnt es in der Entwicklung zum Industriestaat einen Vorsprung vor den Festlandsmächten, den es lange zu behaupten vermag. Stetige Reformen bewahren England vor Revolutionen und passen seine politische Ordnung den sich wandelnden gesellschaftlichen Zuständen an. Unter der Königin Viktoria entwickelt sich England zur ersten Handels-, Industrie- und Wirtschaftsmacht der Erde. Es vollendet zugleich das parlamentarische Zweiparteiensystem. Außenpolitisch verharrt es gegenüber den europäischen krisenhaften und kriegerischen Verwicklungen bis zum Jahrhundertende in der Politik der „splendid isolation". Im steten Wechsel und fruchtbaren Gegeneinander steigern liberale und konservative Regierungen die Macht des Weltreichs.

1832	Erste Parlamentsreform
1837—1901	Königin Viktoria — Das viktorianische Zeitalter
1867	Zweite Parlamentsreform
1868—1894	Disraeli und Gladstone entscheidend für die englische Politik
1884	Dritte Parlamentsreform

1 *Was erreichen die Parlamentsreformen von 1832, 1867 und 1884, und was bedeuten sie für die englische Entwicklung?* **2** *Inwiefern dient die Aufhebung der Kornzölle 1846 der Industrialisierung?* **3** *Was bedeuten die Arbeiterschutzgesetze?* **4** *Wie entwickelt sich unter Königin Viktoria die Stellung der Krone?* **5** *Welche wesentlichen Merkmale zeigt der englische Parlamentarismus?* **6** *Welche wichtigen Kolonien erwirbt England im 19. Jh.?* **7** *Welche politischen Grundsätze vertreten die Liberalen, welche die Konservativen Englands? Wer führt diese Parteien?*

1 Die Reformen betreffen das Wahlrecht. a) 1832: Nicht mehr Grundbesitz, sondern hoher Steuerzensus verleiht das Wahlrecht. Dadurch verdoppelt sich die Zahl der Aktivwähler, die Industriestädte bekommen Parlamentssitze. Die neue Unternehmerschicht tritt gleichberechtigt neben die Grundbesitzer — b) 1867: Jeder Inhaber einer städtischen Wohnung wird wahlberechtigt — c) 1884: Dieses Prinzip wird auf die ländlichen Gebiete ausgeweitet. Jetzt sind alle wirtschaftlich einigermaßen gesicherten Engländer (60% der volljährigen Männer) unabhängig von ihrem Beruf politisch gleichberechtigt, auch der Arbeiter nimmt am Staatsleben teil.

2 Die Aufhebung der Kornzölle (1846) war ein Sieg von Adam Smiths freihändlerischen Lehren (vgl. S. 54). Der Freihandel ermöglicht niedrige Löhne. Die englische Industrieproduktion bleibt konkurrenzfähig. Aber auch die Reste der Landwirtschaft werden nicht geschädigt. Die noch hohen Transportkosten für Importe halten die Preise für die heimischen Agrarerzeugnisse. Die Einkommensteuer wird geschaffen und bildet die Grundlage der englischen Staatsfinanz.

3 Die Arbeiterbewegung (Chartismus), die im Grundsatz nach dem allgemeinen, gleichen Wahlrecht strebt, erlangt 1833 eine Beschränkung der Arbeitszeit für Jugendliche auf 12, für Kinder auf 9 Stunden; 1850 wird der 10-Stunden-Tag durchgesetzt. Diese im Grundsatz antiliberalen Gesetze und das Wirken der Gewerkvereine (trade-unions) bringen auch die Facharbeiter zu bescheidenem Wohlstand und mindern zusammen mit der Ausweitung des Wahlrechts die sozialen Spannungen. So findet z. B. der Marxismus in England geringen Widerhall.

4 Die Königin verfügt nicht über tatsächliche Macht. Der Führer der stärksten Partei wird Premierminister. Folglich liegt das Gewicht der Krone bei der persönlichen Autorität ihres jeweiligen Trägers und bei seinem Einfluß auf die von ihm unabhängigen Minister. Die Krone steht außerhalb und oberhalb der Parteigegensätze und „macht nicht Politik". So wird die Krone zum Symbol des Staatsganzen und vermag sich in einer demokratischen Zeit zu behaupten. Gerade in der Zeit der Umwandlung des Empire in das Commonwealth ist ihre einende Kraft bedeutsam.

5 a) Das Zweiparteiensystem schafft klare, nicht von Koalitionen getrübte Verantwortungen. b) Der Premier ist grundsätzlich von Parteigruppen unabhängig und allein für die Politik verantwortlich. c) Das reine Mehrheitswahlrecht bindet den Kandidaten eng an seine Wähler, macht Wahl und Wiederwahl von Persönlichkeit und Bewährung abhängig. d) Der fast regelmäßige Wechsel von liberaler und konservativer Mehrheit zeigt den politischen Sinn des englischen Wählers, der der Opposition eine Chance zu geben bereit ist. e) Die Parteien sind keine „Weltanschauungsparteien".

6 1839 Aden; 1842 Hongkong; 1858 Indien britische Kronkolonie (1877 Kaiserreich Indien); 1878 Zypern; 1882 Ägypten; 1884 Britisch-Neuguinea und Somaliland; 1885 Ostafrika und Betschuanaland; 1888 Rhodesien; 1899 Sudan; 1902 die Burenrepubliken.

7 Die Liberalen (Gladstone ist in der zweiten Jahrhunderthälfte ihr markantester Repräsentant) wollen den freiheitlichen inneren Reichsausbau (Gesetze: Abschaffung des Vorrechts der Hochkirche in Irland 1869, Wahlreform von 1884). Die Konservativen (Disraeli, Lord of Beaconsfield, ist in Gladstones Zeit ihr Führer) vertreten die koloniale Expansion und den Reichsausbau (Leistungen: Erwerb der Suezkanal-Aktienmehrheit, Erhebung Viktorias zur Kaiserin von Indien 1877, Eingreifen in den Russisch-Türkischen Krieg 1877/78).

63 Das Zeitalter des Imperialismus

Gegen Ende des 19. Jh. treibt das Bedürfnis nach Absatzmärkten und Streben nach Weltgeltung die alten Mächte Europas über ihre Grenzen: Imperialismus. Neue Großmächte treten auf. Die USA drängen in den Mexikanischen Golf und den Pazifik, Japan greift nach dem ostasiatischen Festland. Diese Bestrebungen schaffen neue Spannungsherde, weiten den bisher kontinentalen Horizont der Politik über den Erdball aus und führen zu neuen Machtkonstellationen. Die Lage wird weiter kompliziert, da jede der großen Nationen ein Sendungsbewußtsein entwickelt und als Mittel ihrer Machtpolitik gegen die anderen einsetzt. Wirtschaftliche, machtpolitische und ideologische Motive durchdringen einander in verhängnisvoller Weise.

1898   **Faschoda — Krieg der USA gegen Spanien — Beginn der Weltpolitik der USA**

1 *Was bedeuten die Begriffe Nationalstaat, Nationalismus, Imperialismus, Sendungsbewußtsein?*   2 *Welche Inhalte hat das Sendungsbewußtsein Englands, Frankreichs, Rußlands, Deutschlands und der USA?*   3 *Worin liegt die politische Bedeutung des Sendungsbewußtseins?*   4 *Wie wirkt sich die imperialistische Politik der Mächte aus?*   5 *Welche neuen Spannungsherde entstehen, welche Folgen haben sie für Europa?*

1 Der Gedanke des Nationalstaats ist im 18. Jh. entstanden. Für Herder (1744—1803) sind Völker „Individualitäten". Sie sollen in geschlossenen Staaten zusammenleben. Herder erwartet davon den Weltfrieden. Der Machtgedanke und die Erkenntnis, daß die Völker Mittel- und Osteuropas nicht durch Liniengrenzen getrennt sind, ist ihm fremd. — Nationalismus meint das übersteigerte Selbstbewußtsein einer Nation, die sich für wertvoller als andere hält. — Der Begriff Imperialismus entsteht im England des 19. Jh. Er kennzeichnet die Hegemonialpolitik der Konservativen. Wirtschaftliche und politische Motive liegen zugrunde. Religiöse oder philosophische Überzeugungen oder Stolz auf historische Leistungen geben dem Imperialismus verschiedene Farbe. Politisch zielt er auf ein den Nationalstaat überschreitendes Herrschaftsgebiet und strebt nach Hegemonie. — Sendungsbewußtsein ist die Überzeugung einer Nation, daß gerade sie eine besondere Aufgabe zu erfüllen habe.

2 a) Die Engländer erhalten aus dem Puritanismus die Überzeugung, wie einst Israel „auserwählt" zu sein. Gott hat ihnen den Auftrag erteilt, andere Völker zu erziehen. Aufklärung und Parlamentstradition verwandeln diesen religiösen Gedanken in einen politischen Moralismus. b) Die Franzosen berufen sich auf Aufklärung und Revolution von 1789. Beides macht sie „zum Herz der Zivilisation" (Michelet) und Bannerträger von Fortschritt und Freiheit. c) Die Russen berufen sich auf die Stellung

Moskaus („Drittes Rom") als Zentrum der orthodoxen Kirche. Die Missionsidee verbindet sich mit der slawischen Idee (Panslawismus): alle Slawen in ein (russisches) Reich! d) Die Deutschen berufen sich auf ihre Geschichte: die Germanen der Völkerwanderung, die mittelalterlichen Kaiser; die Weltgeltung der Dichtung und der Philosophie des Deutschen Idealismus weckt mit dem Nationalstolz das Streben nach politischer Weltgeltung. e) Die Amerikaner fühlen sich als Nachkommen der Pilgerväter (1620), die sich gesandt glaubten, den Indianern Christentum und Gesittung zu bringen. Der Unabhängigkeitskrieg stärkt das Bewußtsein dieser damals jüngsten Nation der Erde, Vorkämpfer für Freiheit, Gleichheit und Menschenrechte zu sein.

3 In keinem der Völker sind solche Vorstellungen primär politisches Programm. Aber sie liefern radikalen oder militanten Gruppen zugkräftige und das Zusammenleben der Völker bedrohende Schlagworte.

4 Cecil Rhodes will die Herrschaft über Ostafrika und den Indischen Ozean erzwingen (Kap — Kairo — Kalkutta). England erobert die Burenrepubliken (1899—1902) und den Sudan (Faschoda 1898). — Deutschland erwirbt von Spanien die Karolinen-, Marianen- und die Palauinseln, durch Vertrag mit England und den USA Teile Samoas (1899), pachtet von China Kiautschau und vereinbart mit der Türkei den Bau der Bagdadbahn (1898). — Die USA haben 1867 von Rußland Alaska gekauft, gewinnen Teile von Samoa (1898), erobern 1898 Kuba und die Philippinen, annektieren Hawaii (1898) und streben nach der Hegemonie in Mittelamerika (Bau des Panamakanals 1881—1914). — Japan hat sich bis 1854 gegen äußere Einflüsse abgekapselt. Unter amerikanischem Druck beendet es diese Abschließung, nimmt Preußens Verfassung und Heeressystem an, industrialisiert sich und strebt nach Expansion (Mandschurei, Nordchina, Korea). Im Russisch-Japanischen Kriege (1905) siegt es, erhält Port Arthur, Schutzherrschaft über Korea und Süd-Sachalin. — Italiens Versuch, Abessinien zu erobern (1896), scheitert, es bereitet aber im Einverständnis mit Frankreich den Erwerb von Tripolis vor. — Frankreich will den Sudan, gibt aber auf (Faschoda 1898), um England für seine kontinentalen Pläne zu gewinnen. — Rußland trachtet nach Ostasien (Niederlage gegen Japan 1905), zum Persischen Golf und zu den Meerengen.

5 Ferner Osten und Pazifik: Rußland, England, USA, Japan. — Afrika: England, Frankreich, Deutschland. — Naher Osten: Deutschland, England, Rußland. — Mittlerer Osten: Rußland, England. — Diese neuen Spannungsherde weiten den politischen Horizont aus und machen eine kontinentale Politik im Stile Bismarcks unmöglich.

Der Beginn des imperialistischen Zeitalters trifft mit folgenreichen inner-
deutschen Wandlungen zusammen. Der Thronwechsel von 1888 über-
springt eine Herrschergeneration. Bismarck wird entlassen, die Politik
des jungen Kaisers Wilhelm II. ist ohne feste Ziele. Im Inneren wächst
der Gegensatz zwischen Arbeiterbewegung und Regierung. Außenpolitisch weckt die Politik der „freien Hand" und der Aufrüstung das
Mißtrauen der Großmächte. Neue Machtverbindungen entstehen, Frankreich befreit sich aus der Isolierung, Bismarcks System löst sich auf. Das
Reich ist in einer Zeit zunehmender weltpolitischer Spannungen allein auf
den Dreibund angewiesen.

1888—1918	Wilhelm II.
1890	Entlassung Bismarcks — Rückversicherungsvertrag nicht er-neuert
1894	Französisch-russisches Bündnis
1902	Englisch-japanisches Bündnis
1905	Russische Niederlage im Krieg gegen Japan
1904/1907	Ententen Englands mit Frankreich und Rußland

1 *Welche sachlichen und persönlichen Gegensätze führen zu Bismarcks Ent-
lassung?* **2** *Welche Folgen haben die ersten außenpolitischen Maßnahmen
Wilhelms II.?* **3** *Warum kommt es 1898—1901 zu deutsch-englischen
Bündnisverhandlungen? 4 Welche Bindungen geht England nach 1901 mit
Japan, Frankreich und Rußland ein? Welche Folgen entstehen daraus?*
5 *Wie reagieren die Großmächte auf die Politik des Reiches nach der Ent-
lassung Bismarcks?* **6** *Welche Schwerpunkte zeigt die Wirtschaftsent-
wicklung in Deutschland?* **7** *Welche politischen und sozialen Forderungen erheben die Arbeiter, und wie verhält sich der Kaiser dazu?*

1 Bismarck will das Sozialistengesetz verschärfen und den Rückversicherungsvertrag erneuern. Der Kaiser will den sozialen Frieden und glaubt,
falsch informiert, Rußland bereite einen Angriff vor. Bismarcks Verbot,
daß Minister unmittelbar beim Kaiser vortragen (Order von 1852), führt
zum Bruch. Wesentlicher als die sachlichen Gegensätze sind die persönlichen. Sie liegen in Wesensart und Lebensalter beider.

2 Der Rückversicherungsvertrag, dessen Schlüsselfunktion im Bismarck-
schen System der Kaiser nicht erkennt, wird nicht erneuert. Der Tausch
des deutschen Sansibar gegen das bis dahin englische Helgoland (1890)
bestärkt Rußlands Furcht vor einem deutschen Kurs gegen Rußland.
Es schließt 1894 ein Defensivbündnis mit Frankreich. Dem Reich droht
ein Zweifrontenkrieg.

3 England will angesichts der zunehmenden weltpolitischen Spannungen
aus seiner Isolierung heraus. Das Reich fordert ein festes Bündnis. England
lehnt es ab. Es will sich weder für Österreich-Ungarn noch für das Reich
der Gefahr eines Krieges mit Rußland und Frankreich aussetzen.

4 England schließt mit Japan ein Defensiv-Bündnis, um in Ostasien keine russische Hegemonie entstehen zu lassen. England und Frankreich grenzen in einer „Entente cordiale" ihre Interessensphären in Nordafrika ab. Frankreich erkennt Englands Stellung in Ägypten an, England Frankreichs Ansprüche auf Marokko, das aber noch souverän ist. In Fortsetzung der nachgiebigen Haltung von Faschoda (1898) fördert Frankreich die Beziehungen zu England. Im Vertrag von 1907 grenzen Rußland und England ihre Interessensphären im Mittleren Osten ab. England verzichtet auf eine Ausweitung Indiens (Tibet, Afghanistan), Rußland erkennt eine neutrale Zone zwischen seinem und englischem Einflußgebiet in Persien an. Dadurch ist nach dem ostasiatischen der mittelasiatische russisch-englische Gefahrenherd beseitigt. Rußland ist ein zweiter Weg ans Meer versperrt, um so bestimmter wendet es sich gegen den Westen.

5 Der ziellose „Zickzackkurs" der Politik der „freien Hand" beruht auf der irrigen Annahme, daß Englands Gegensätze zu Frankreich und Rußland unaufhebbar seien. So löst sich Wilhelm II. 1890 von Rußland. Jedoch seine These vom „Platz an der Sonne", der Bau der Hochseeflotte und das Trachten nach kolonialem Machtgewinn sowie seine harte Haltung in den Bündnisverhandlungen 1898/1901 erscheinen England als Bedrohung. Der Bau der Bagdadbahn (seit 1902) ist für England und Rußland ein Eingriff in ihre alten Interessenbereiche. Rußland wird auch durch die Unterstützung des Reiches im Krieg gegen Japan nicht versöhnt. So findet Englands Absicht, auch unter Opfern Anschluß an Frankreich und Rußland zu gewinnen, Erfolg. Sind doch beide Mächte mit Ententen zufrieden und fordern kein Bündnis. Infolgedessen ist das Reich auf den Dreibund angewiesen. Dieser aber ist durch wachsende Spannungen um Südtirol und die innerösterreichischen Nationalitätenfragen brüchig.

6 Die Industrialisierung macht große Fortschritte, in der Elektrotechnik und der chemischen Industrie wird Deutschland führend. Zugleich wird das Reich infolge der Bevölkerungszunahme von der Weltwirtschaft abhängiger (Einfuhr von Lebensmitteln notwendig).

7 Die Zunahme der Industriearbeiterschaft steigert deren Macht. Sie fordert politische Gleichberechtigung (Aufhebung des Dreiklassenwahlrechts in Preußen, parlamentarische Regierung). Der Kaiser schwankt zwischen einer zeitgemäßen Aussöhnung mit der Arbeiterschaft durch Arbeiterschutzgesetzgebung und scharfen Erklärungen gegen die Sozialdemokratie. Zum Frieden kommt es nicht, die Sozialdemokratie bleibt in der Opposition (Erfurter Programm 1891).

Im Jahrzehnt vor Kriegsausbruch erschüttern schwere Krisen Europa. Die Ententemächte werden enger zusammengeführt, dem Reich bleibt als einziger Partner die Donaumonarchie; deren Einfluß im Zweibund wächst daher. Marokko und Balkan bilden Krisenherde, eine Verständigung zwischen England und Deutschland scheitert, ebenso die Bemühungen der Haager Friedenskonferenzen um den Weltfrieden.

1905—1906	Erste Marokkokrise — Konferenz von Algeciras
1908—1909	Bosnische Krise
1911	Zweite Marokkokrise
1912—1913	Balkankriege — deutsch-englische Verhandlungen — Haldane

1 *Welche Lage entsteht 1904 durch die Marokkofrage für das Reich?*
2 *Welche Folgen ergeben sich aus dem Tangerbesuch Wilhelms II.?*
3 *Was erreicht Wilhelm II. durch den „Panthersprung nach Agadir"?*
4 *Wie kommt es zur Bosnischen Krise, und wie endet sie? Welche Folgen hat sie für Deutschland und Rußland?* 5 *Welche Ereignisse führen zu den beiden Balkankriegen? Welches sind ihre Ergebnisse?* 6 *Was erreichen die Haager Konferenzen?* 7 *Warum scheitern die deutsch-englischen Verständigungsversuche?* 8 *Welche militärischen Maßnahmen der Mächte verstärken die Kriegsgefahr?* 9 *In welcher Lage befindet sich das Reich 1912—1914?* 10 *Welche Pläne verfolgt Erzherzog Franz-Ferdinand?*

1 Da Frankreich, gestützt auf die Entente von 1904, die „friedliche Durchdringung" Marokkos beginnt, muß das Reich eine wirtschaftliche und politische Benachteiligung hinnehmen oder protestieren.

2 Der Kaiser tritt für die Souveränität des Sultans und die deutschen wirtschaftlichen Interessen in Marokko ein und fordert eine internationale Konferenz. Rußland ist geschwächt, Frankreich muß sich fügen. Auf der Konferenz von Algeciras (1906) aber ist das Reich isoliert, nicht einmal Österreich steht fest zu ihm. Zwar werden die wirtschaftlichen Rechte aller in Marokko anerkannt, praktisch aber ist die französische Protektoratspolitik erfolgreich.

3 Für Frankreichs Erfolg in Marokko erstrebt das Reich Ersatz und entsendet das Kanonenboot „Panther" nach Agadir („Panthersprung"). Da England sich hinter Frankreich stellt, bekommt das Reich statt des französischen Kongos nur einen Gebietsstreifen (1911).

4 Die Jungtürkische Revolution (1908) bringt der Türkei eine Verfassung. Österreich annektiert Bosnien und die Herzegowina, die es seit 1878 besetzt hat, weil es eine türkische Machtzunahme fürchtet. Serbien, von Rußland unterstützt, protestiert. Da England vermittelt und das Reich

hinter Österreich steht, gibt Rußland nach. Zum ersten Male hat entgegen den Grundsätzen Bismarcks das Reich Österreichs militante Balkanpläne gefördert. Österreichs Einfluß im Zweibund wächst.· Rußland ist verbittert, es verstärkt seinen Einfluß auf dem Balkan.

5 Rußland stützt einen Vierbund gegen die Türkei. Diese wird besiegt (1912—1913). Im Streit um die Beute greift Bulgarien Serbien an. Griechenland, Rumänien und die Türkei helfen Serbien. Bulgarien unterliegt (1913.) — England hält Rußland, das Reich Österreich vom Eingreifen ab. Auf dem Balkan bestehen jetzt die Staaten Albanien, Montenegro; durch sie von der Adria getrennt: Serbien, Griechenland, Rumänien, Bulgarien und die Türkei.

6 Die 1. Friedenskonferenz (26 Staaten) gründet 1899 den internationalen Schiedsgerichtshof und schafft die „Haager Landkriegsordnung". Auf der zweiten (47 Staaten) lehnt England 1907 eine Seekriegsordnung ab. Die Konferenzen bleiben ohne wirksames Ergebnis, weil die Mächte weder Souveränitäts- noch Rüstungsbegrenzungen wollen.

7 England will erst verhandeln, wenn das Reich den Flottenbau verlangsamt, Deutschland den Flottenbau erst verlangsamen, wenn ihm England für den Kriegsfall Neutralität zusichert. Die Haldane-Mission bildet den letzten Versuch, diese gegensätzlichen Ansprüche zu überwinden.

8 Ein Wettrüsten zu Lande und zur See beginnt (1913 deutsche Heeresvermehrung, dreijährige Dienstzeit in Frankreich, Rüstungsprogramm Rußlands). Die englisch-französischen Generalstabsbesprechungen (seit 1906) werden konkret: Die englische Flotte soll im Kriegsfall die Kanalküste, die französische das Mittelmeer schützen, englische Landungstruppen in Nordfrankreich eingesetzt werden. Zwar sind diese Besprechungen rechtlich nicht bindend, engen aber Englands Aktionsfreiheit ein. Frankreichs Einfluß auf die Politik der Entente nimmt zu.

9 Das Reich hat sich weder England noch Rußland zu nähern noch die Ententen aufzuweichen vermocht. Vielmehr haben sich die Fronten verhärtet; Konfliktstoffe sind die Ententepolitik und der Gegensatz zwischen Rußland und Österreich-Ungarn.

10 Der Nationalismus radikalisiert die Völker der Donaumonarchie. Österreichs Thronfolger Franz-Ferdinand will den Dualismus in einen Trialismus (Österreich — Ungarn — Slawen) umformen, um den staatstreuen Teil der Slawen gegen den panslawistischen Radikalismus zu stärken. Diese Versöhnungspolitik veranlaßt den slawischen Geheimbund der „Schwarzen Hand" zum Mord an Franz-Ferdinand.

Anlaß des 1. Weltkrieges ist die Ermordung des österreichisch-ungarischen Thronfolgers Franz-Ferdinand. Der Konflikt zwischen der Donaumonarchie und Serbien weitet sich aber zum europäischen, der europäische durch das Eingreifen der USA zum weltweiten Krieg aus. Seine Dauer führt zur „Zermürbungsstrategie", der die Mittelmächte aus Mangel an Menschen und Material erliegen müssen. Der Krieg wird zum modernen Krieg, weil er durch den Einsatz der Technik die wirtschaftlichen Kräfte der Völker mehr denn je zuvor anspannt und auch die Zivilbevölkerung nicht schont. Er wird zur Vorstufe des totalen Krieges.

1914	Mord von Sarajewo — Kriegserklärungen — Bewegungskrieg
1914—1915	Erstarrung der Fronten in West und Ost (Stellungskrieg)
1917	Friedensversuche — Kriegseintritt der USA — Russische Revolutionen
1918	Friede von Brest-Litowsk — Zusammenbruch der Mittelmächte

1 *Welche Ereignisse im Juni und Juli 1914 führen zum Ausbruch des Krieges?* **2** *Warum duldet Deutschland Österreichs Vorgehen gegen Serbien? Warum läßt sich der Konflikt nicht lokalisieren?* **3** *Warum erklärt Deutschland Rußland und Frankreich den Krieg und verletzt die Neutralität Belgiens?* **4** *Warum tritt England in den Krieg ein?* **5** *Welches sind die wichtigsten militärischen Ereignisse?* **6** *Welches sind die wichtigsten politischen Ereignisse?* **7** *Welche Forderungen stellen Wilsons 14 Punkte auf?* **8** *Welches sind die wichtigsten innerpolitischen Vorgänge in Deutschland?* **9** *Welche Bedingungen enthält der Frieden von Brest-Litowsk?* **10** *Wie ist die Frage nach der Schuld am Kriege zu beantworten?*

1 28. Juni Mord von Sarajewo — 23. Juli Ultimatum Österreichs an Serbien — 25. Juli taktisch geschickte Antwort Serbiens an Österreich — beide Länder machen mobil — britische Vermittlung scheitert — 28. Juli Kriegserklärung Österreichs an Serbien — 30. Juli Mobilmachung Rußlands — 1. August deutsche Kriegserklärung an Rußland — 3. August Kriegserklärung Deutschlands an Frankreich — 4. August deutscher Einmarsch in Belgien, Kriegserklärung Englands und Belgiens an Deutschland — 6. August Kriegserklärung Österreich-Ungarns an Rußland.

2 Das Reich will seinen Bundesgenossen weder demütigen lassen noch verlieren. Es hofft wie Österreich auf Eingrenzung des Konfliktes. Rußland aber macht vorsorglich mobil, weil es Serbien erhalten sehen will. Damit ist für Deutschland der Bündnisfall aus dem Zweibundvertrag gegeben.

3 Das Reich fühlt sich durch die russische Mobilmachung bedroht. Sein Kriegsplan (Schlieffenplan) sieht vor, im Falle eines Zweifrontenkrieges zuerst Frankreich nach einem Durchmarsch durch Belgien zu schlagen (Vernichtungsstrategie) und sich danach Rußland zuzuwenden, von dem vermutet wird, daß sein Aufmarsch Monate dauere. Militärische Gründe bestimmen das politische Handeln („Militarismus").

4 England will die Ententemächte nicht preisgeben und fürchtet eine deutsche Vormacht ebensosehr wie eine russische. Die Verletzung der Neutralität Belgiens bedroht Englands Interessen unmittelbar.

5 Übergang vom Bewegungskrieg zum Stellungskrieg (Westen: Ende 1914, Osten: Oktober 1915). Geschlossene Fronten: von der Kanalküste bis zur Schweizer Grenze — von Riga bis Rumänien. — Kriegsausweitung. Die Mittelmächte gewinnen Türkei und Bulgarien, die Entente Italien, Japan, Rumänien, USA, Griechenland — insgesamt 28 Staaten. — Fronten 1917: im Westen wenig verändert, im Osten bis zum Schwarzen Meer verlängert, Salonikifront bis zur Adria. Fronten: Isonzo — Suez — Palästina — Dardanellen — Kaukasus — Persien. — Materialschlachten um Verdun, an der Somme und in der Champagne. — Unentschiedene Seeschlacht vor dem Skagerrak — U-Boot-Krieg — Kaperkrieg in allen Meeren.

6 November 1916: Errichtung des Staates Polen — 1916—1917 Friedensschritt des USA-Präsidenten Wilson — Februar und Oktober 1917: russische Revolutionen — Lenin mit Ludendorffs Einverständnis nach Petersburg — April 1917: uneingeschränkter U-Bootkrieg löst Kriegserklärung der USA aus — August 1917: Friedensschritt des Papstes — Januar 1918: 14 Punkte Wilsons — März 1918: Friede von Brest-Litowsk.

7 Völkerbund — Selbstbestimmungsrecht der Völker — Freiheit der Meere — Keine Geheimdiplomatie — Unabhängigkeit Belgiens und Polens (mit Zugang zum Meer) — Elsaß-Lothringen an Frankreich — Gerechte Regelung der Kolonialfragen unter Mitspracherecht der Eingeborenen.

8 1914 Bewilligung der Kriegskredite durch den Reichstag — Burgfrieden — 1915 Rationierung der Lebensmittel — Ende 1916: Zivildienstpflicht (Hindenburgprogramm) — zunehmender Einfluß der Obersten Heeresleitung auf die politische Führung — Ostern 1917: Ankündigung der Reform des preußischen Dreiklassenwahlrechts, Gründung der Unabhängigen Sozialdemokratischen Partei Deutschlands (USPD) — Juli 1917: Friedensresolution der Reichstagsmehrheit fordert „Verständigungsfrieden". 28. Oktober 1918: Reform der Reichsverfassung.

9 Rußland muß Polen, Litauen, Kurland, Estland, Livland, Finnland und die Ukraine als selbständige Staaten anerkennen. So liegt ein Staatengürtel zwischen dem revolutionären Staat und dem Westen.

10 Die Forschungsarbeit aller Nationen hat ergeben, daß kein Staatsmann 1914 den allgemeinen Krieg gewollt, keiner aber auch mit Entschlossenheit den Frieden zu bewahren versucht hat.

Mit dem Zusammenbruch des Reiches ist nach 4 Jahren und 3 Monaten der Krieg beendet. Das Reich bewahrt seine Einheit und schafft sich nach schweren inneren Kämpfen eine liberal-demokratische Ordnung. Die Friedenskonferenz hat die Aufgabe, Mittel- und Osteuropa nach dem Zerfall der drei großen Monarchien neu zu ordnen. Sie steht aber unter dem Druck der vom Nationalismus aufgepeitschten Massen, die Vergeltung fordern. So kommen Vertragswerke zustande, die niemanden befriedigen. Die USA ziehen sich sogar von Europa zurück und bleiben dem Völkerbund fern. Der ersehnte Weltfrieden ist keineswegs gesichert.

1919   Versailler Vertrag und Pariser Vorortverträge — Völkerbund — Nationalversammlung in Weimar; Verfassung

1 Welche Vorgänge führen zum deutschen Zusammenbruch und zu Waffenstillstandsverhandlungen? 2 Hat die Novemberrevolution den Zusammenbruch herbeigeführt? 3 Welche Waffenstillstandsbedingungen muß Deutschland annehmen? 4 Wie verläuft die deutsche Revolution nach der Abdankung des Kaisers? 5 Was enthält die Völkerbundssatzung? 6 Welche Bedingungen enthält der Vertrag von Versailles? 7 In welchen Gebieten finden Abstimmungen statt? Was ergeben sie? 8 Welche Bedingungen enthält der Vertrag von St. Germain? 9 Welches sind die allgemeinen Folgen des Krieges?

1 Erfolge der Entente-Offensiven an der Westfront und in Mazedonien — 29. September: die Oberste Heeresleitung fordert Waffenstillstandsverhandlung und Reform der Verfassung — 3. Oktober: Kabinett des Prinzen Max von Baden auf parlamentarischer Grundlage — Waffenstillstandsangebot des Reiches, Österreich-Ungarns und der Türkei an Wilson 28. Oktober: parlamentarische Reichsverfassung erlassen — 4. November: Waffenstillstand Österreich-Ungarns — Revolution in Kiel — 8.—11. November: Waffenstillstandsverhandlungen bei Compiègne — 9. November: Revolution in Berlin — Abdankung des Kaisers.

2 Indem die OHL am 29. September Waffenstillstandsverhandlungen fordert, erklärt sie die Fortsetzung des Krieges für aussichtslos. Die Revolution beginnt, als der Krieg verloren ist. Das widerlegt die „Dolchstoßlegende".

3 Rückzug der Truppen auf das rechte Rheinufer — Räumung der Brückenköpfe am Rhein, des Balkans und Österreich-Ungarns — Ablieferung von Waffen und Transportmitteln — Internierung der Hochseeflotte. Waffenruhe gilt 36 Tage, dann Verlängerung unter neuen Bedingungen.

4 Am 11. November wird der „Rat der Volksbeauftragten" paritätisch aus den beiden revolutionären Gruppen gebildet, bricht aber auseinander, als Ebert (SPD) die Mehrheit der Arbeiter- und Soldatenräte für den Parlamentarismus gewinnt. USPD und Spartakusbund unter Rosa Luxemburg und Liebknecht wollen gewaltsam eine Räterepublik durchsetzen. Die SPD hat keine Kampfverbände. So muß Ebert den Generalstabschef Groener und Freiwillige aus der alten Armee gewinnen, um Republik und Reich zu retten. Allgemeine Wahlen schaffen die Nationalversammlung in Weimar. Ebert wird Reichspräsident, Scheidemann bildet die Regierung der „Weimarer Koalition" aus SPD, DDP und Zentrum.

5 Nach Wilsons Idee soll der Völkerbund den Weltfrieden sichern und eine allgemeine Abrüstung einleiten. Organe: Völkerbundsrat, Völkerbundsversammlung, Ständiges Sekretariat in Genf. Streitigkeiten soll der Internationale Gerichtshof im Haag schlichten, Friedensstörer sollen mit Sanktionen belegt werden.

6 Gebietsabtretung ohne Abstimmung: u.a. Elsaß-Lothringen, Posen und Westpreußen fast vollständig — Danzig Freie Stadt — Memelgebiet — Volksabstimmungen in Grenzgebieten — Kolonien werden Völkerbundsmandate. — Entwaffnung: Berufsheer 100 000, Berufsmarine 15 000 Mann — Besetzung des Rheinlands und der Brückenköpfe auf 5—15 Jahre — entmilitarisierte Zone links und 50 km rechts des Rheins — Ablieferung der Hochseeflotte (versenkt sich in Scapa Flow selbst am 21. Juni) — Beschränkung auf leichte Waffen. — Reparationen: Zahlungen in später festzusetzender Höhe — Sachleistungen (Zuchttiere, Maschinen, Baumaterial, Kohle, größter Teil der Handelsflotte, Auslandsguthaben). Kriegsschuld: Deutschland wird als „Urheber des Krieges" für „alle Schäden und Verluste" haftbar und verantwortlich gemacht.

7 Die Volksabstimmungen ergeben: Abtretung Eupen-Malmédys, der ersten Zone Nordschleswigs, großer Teile des oberschlesischen Industriegebiets. Allenstein und Westpreußen stimmen mit 98% für Deutschland; das Saargebiet soll nach 15jähriger Verwaltung durch den Völkerbund abstimmen, die Eigentumsrechte für die Gruben erhält Frankreich.

8 Die Donaumonarchie hat sich bereits am 31. Oktober aufgelöst. Dem deutschsprachigen Restteil wird Südtirol genommen, der Anschluß an das Reich wird ihm verboten, das Bundesheer auf 30 000 Mann begrenzt.

9 Menschenopfer: ca. 10 Millionen (Deutschland 1,7, Frankreich 1,3). Wirtschaft: alle Länder verschuldet, Währungen erschüttert, der Welthandel vernichtet. Politik: neue Nationalitätenstaaten entstehen auf dem Gebiet der Donaumonarchie („Nachfolgestaaten") und Rußlands („Randstaaten"), Mandatsgebiete auf ehemalig türkischem Gebiet.

Die Zeit zwischen den Kriegen ist von Krisen erfüllt. Zwar hat der demokratische Gedanke gesiegt, wird aber in Staaten ohne demokratische
Tradition fast überall von Diktaturen verdrängt. Machtstreben und
Nationalismus wirken weiter, der Antisemitismus und die Rassenlehren
gewinnen politischen Einfluß. Die Welt gerät in eine Wirtschaftskrise,
zu deren Folgen eine allgemeine Aufrüstung zählt.

1920	Erhebung der Türkei unter Kemal Pascha
1922	Mussolinis „Marsch auf Rom"
1929	Weltwirtschaftskrise
1933	Roosevelt Präsident

1 *Welche 8 Staaten entstehen in Ost- und Südosteuropa? Was charakterisiert
ihre politische Lage?* **2** *Wie entwickelt sich die Türkei unter Kemal?*
3 *Warum wird Japan expansiv, wohin wendet es sich?* **4** *Welche
Außenpolitik verfolgen die USA?* **5** *Welche Umstände treiben die USA
in die Weltwirtschaftskrise von 1929?* **6** *Wie versucht die New-Deal-
Politik Roosevelts, die Krise zu meistern?* **7** *Wie entwickelt sich das
Commonwealth?* **8** *Welche Ursachen führen zu Mussolinis „Marsch
auf Rom"? Wie baut Mussolini seinen Einparteienstaat auf?* **9** *Welche
Schwierigkeiten stören Frankreichs innere Entwicklung?*

1 Randstaaten: Finnland, Estland, Lettland, Litauen, Polen; Nachfolgestaaten: Tschechoslowakei, Ungarn, Jugoslawien — Die Randstaaten
haben zu Rußland gehört, die Balkanstaaten zu seinem Einflußgebiet.
Polen und die Kleine Entente (Tschechoslowakei, Rumänien, Jugoslawien)
suchen Schutz bei Frankreich — Diese sind Nationalitätenstaaten und
kommen darum nicht zur Befriedung. Bis auf die Tschechoslowakei
gehen diese Staaten nach und nach zu diktatorischen Regierungen über.

2 Kemal Pascha erhebt sich gegen den Sultan und erlangt eine Revision des
Vertrags von Sèvres (1919). Smyrna wird zurückgegeben und der europäische Besitz erweitert. Kemal reformiert die Türkei nach europäischem
Vorbild. In der Konferenz von Montreux (1936) wird ihm die Wiederbe-
festigung der Meerengen zugestanden. Die Türkei nähert sich England.

3 Schnelle Bevölkerungszunahme, soziale Spannungen und die Weltwirtschaftskrise treiben Japan zur Expansion. Es entreißt China die Mandschurei (1931) und tritt aus dem Völkerbund aus (1933).

4 Die USA lehnen den Vertrag von Versailles ab (1921 Sonderfrieden mit
dem Reich) und ziehen sich enttäuscht in eine isolationistische Politik
zurück (bis 1933). In der Konferenz von Washington (1920—1921) erreichen sie eine Abrüstung zur See (**Parität mit England**) und die Zustimmung der beteiligten Mächte zur Erhaltung des Status quo im Pazifik

sowie der Unabhängigkeit Chinas. England verzichtet auf die Verlängerung des Bündnisses mit Japan und nähert sich so den USA.

5 Die Wirtschaftskraft der USA ist durch den Krieg gewachsen, England und Frankreich sind bei den USA verschuldet. Hohe Dollaranleihen werden nach Europa vergeben. Deutschland zahlt aus diesen Anleihen seine Reparationen. 1922 will England die Kriegsschuldenfrage durch Streichung aller „politischen Schulden" lösen, um auch die deutschen Reparationen ermäßigen zu können. Aber die USA lehnen ab und kreditieren weiter. Fortschreitende Rationalisierung der Produktion und Steigerung des Außenhandels heizen die USA-Wirtschaft weiter an. 1929 setzt ein Umschwung ein: bei Hochkonjunktur und Börsenhausse kommt es zu Überproduktion und gewagten Spekulationen. Europa kann nur wenig importieren, die Dominions haben zum Teil auf eigene Industrieproduktion umgestellt. Die Handelsabsätze sinken. Die USA holen ihre Guthaben aus Europa zurück, vor allem die kurzfristigen Anleihen. Das Kreditgebäude stürzt ein und reißt die Schuldnerländer mit in die Krise.

6 Roosevelt bricht mit der streng liberalen Privatwirtschaftspolitik seiner Vorgänger. Staatliche Eingriffe (Zahlungsmoratorium, Prämien für Einschränkung der agrarischen Produktion, Arbeitsbeschaffung) und soziale Reformen (Rechtsstellung der Gewerkschaften gebessert) mildern die Lage. Aber erst Kriegswirtschaft (1938) beseitigt die Arbeitslosigkeit.

7 Das Empire wandelt sich (Reichskonferenz von 1926) zum Commonwealth of Nations. Die Gleichberechtigung der Dominions mit dem Mutterland ist anerkannt; einziges Band die Krone. Dominion werden: 1909 Südafrikanische Union, 1921 Irland außer Ulster, 1936 Ägypten, 1947 Indien.

8 Italien gehört zwar zu den Siegermächten, fühlt sich aber benachteiligt (Fiume); keine Kolonie-Erwerbungen. Die sozialen Gegensätze führen zur Radikalisierung. Mussolini gründet die faschistische Partei, bildet eine Miliz und erzwingt durch den Marsch auf Rom seine Ernennung zum Ministerpräsidenten (1922). Er will das Imperium Romanum erneuern. Mittel dazu ist der Einparteienstaat. Das Parlament wird durch „Korporationen" ersetzt, der soziale Frieden erzwungen (Arbeitsbeschaffung, innere Kolonisation). Die Duldung des Königtums und gutes Einvernehmen mit der Kirche (Konkordat) sichern ihm den Schein der Legitimität, eine anfangs zurückhaltende Außenpolitik die Anerkennung der Großmächte.

9 Frankreich ist der eigentliche Sieger (Vormacht Europas). Innere Spannungen hindern aber die ruhige Entwicklung: Nationaler Block gegen Linkskartell; Politik der Vertragserfüllung („Sicherheit") gegen Politik der Verständigung mit Deutschland; schleichende Inflation; Autonomiestreben Elsaß-Lothringens; Anwachsen des Kommunismus; Unruhen in Syrien und Marokko.

Die russischen Revolutionen von 1917 beseitigen die Zarenherrschaft. In der Oktoberrevolution erhebt sich die radikale Minderheit der Bolschewisten. Lenin und Trotzki errichten in dem vorwiegend agrarischen Lande die „Diktatur des Proletariats". Stalin baut das System des Bolschewismus zum totalitären Staat aus, kollektiviert die Landwirtschaft, industrialisiert unter Nutzung der Bodenschätze und rücksichtsloser Anspannung aller Arbeitskräfte Rußland. Er führt Rußland aus der außenpolitischen Isolierung und macht es zur Weltmacht.

1917	Revolutionen Februar und Oktober — Ende des Zarismus
1922	Ende des Bürgerkrieges
1924	Tod Lenins — Stalin
1929	1. Fünfjahresplan
1936	Verfassung der „Union der Sowjetrepubliken"
1939	Deutsch-russischer Vertrag — 4. Teilung Polens

1 *Welche Grundzüge zeigt die innere Entwicklung Rußlands bis 1914?*
2 *Wie kommt es zur Revolution und zum Sieg der Bolschewisten?*
3 *Gegen welche Schwierigkeiten hat Lenin bis 1922 zu kämpfen?* **4** *In welchen Phasen entwickelt sich Rußland bis 1939?* **5** *Welche Grundzüge kennzeichnen den Gegensatz von Schein und Wirklichkeit der Verfassung?*
6 *Was bedeuten für Stalin Nationalbewußtsein, Internationale und Nationalitäten?* **7** *Was enthält der deutsch-russische Vertrag von 1939?*

1 In Rußland entfaltet der Liberalismus sich nicht, weil das Bürgertum gegenüber Aristokratie und breiter Masse der Bauern zu schwach ist. Die Reformen Alexanders II. heben zwar die Leibeigenschaft auf (1861), jedoch wird der Gemeindebesitz der Dörfer nur teilweise in bäuerlichen Eigenbesitz übergeführt. Auch die angeordnete Selbstverwaltung wird praktisch nicht verwirklicht. Die Opposition gegen die Autokratie der Kirche und des Zaren fordert soziale Reformen. Nach der Niederlage durch Japan (1905) kommt es zu einer Revolution, jedoch entsteht nur ein Scheinkonstitutionalismus. Die Revolutionäre werden verbannt.

2 Die militärische Niederlage gibt der wachsenden Opposition die Kraft zum Aufstand (Febr. 1917). Die Zarenfamilie wird gefangengenommen, die Republik ausgerufen. Da diese den Krieg weiterführt, erlaubt die deutsche Regierung die Rückkehr des in der Schweiz lebenden Lenin nach Rußland. Lenin setzt in der Oktoberrevolution sein radikales Programm gegen die gemäßigte, aber in sich uneinige Mehrheit gewaltsam durch.

3 Die Gegenrevolutionäre („die Weißen") erheben sich gegen den Bolschewismus („die Roten"). Sie finden Hilfe bei den Ententemächten, die ein Übergreifen der Revolution auf den Westen fürchten, und nach 1918 bei deutschen Freikorps. Diese Hilfe ist zu schwach. Die „Rote Armee" Trotzkis gewinnt zaristische Offiziere und wirft die in sich uneinigen „Weißen" nieder.

4 a) Kriegskommunismus (bis 1922) — b) Neue ökonomische Politik (NEP) bis 1928 — c) Aufstieg Stalins (1924—1928) — d) Politik der Fünfjahrespläne unter Stalins Diktatur.

Zu a) Aller Besitz gehört dem Staat — Aufsicht der Arbeiter- und Soldatenräte — Ausrottung der Oberschicht — Terror der Geheimpolizei. Folgen: Absinken der Produktion auf 10—15% der Vorkriegszeit — Inflation — Hungersnot — 12 Millionen Tote durch Terror und Hunger — Aufstand der Kronstädter Matrosen, der Revolutionäre von 1917.

Zu b) Kleinhandel zugelassen — Verfügungsrecht der Bauern über einen Teil ihrer Erträge — statt der Lohngleichheit Akkord- und Spezialistenlöhne. Folgen: Krise überstanden — beginnende Gesundung.

Zu c) Gegen Trotzkis „permanente Weltrevolution" Stalins „Sozialismus in einem Lande" proklamiert — Ziel: Konsolidierung und Industrialisierung — zweite Terrorwelle gegen Opponierende, vor allem alte Mitkämpfer und hohes Militär (Trotzki verbannt, 1940 ermordet) — Stalin als Generalsekretär der KPdSU und Ministerpräsident Diktator Rußlands.

Zu d) Industrialisierung soll Rußland wirtschaftlich autark machen, Kollektivierung der Landwirtschaft die Ernährung sichern: rücksichtslose Errichtung von Sowchosen (Staatsgüter) und Kolchosen; Mechanisierung, Kraftwerke, Traktoren- und Autobau — Schwerindustrie im Ural und Sibirien — Ergebnisse: Stärkung der Macht der Partei — Rußland militärisch hochgerüstet, der Lebensstandard ist niedrig.

5 Die UdSSR ist ihrer Verfassung von 1936 nach ein Bundesstaat aus 16 gleichberechtigten Sozialistischen Sowjetrepubliken. Der „Oberste Sowjet" wird in allgemeiner, geheimer, gleicher und direkter Wahl gewählt; er besteht aus 2 Kammern, dem Unions- und dem Nationalitätensowjet. Diese wählen Präsidium (Vorsitzender ist Staatsoberhaupt) und Ministerrat. Die Grundrechte sind in 17 Artikeln festgelegt. Diese Verfassung soll die UdSSR als bündnisfähige Demokratie erscheinen lassen und als „Rechtsstaat" ausweisen.

6 a) Stalin nützt das überlieferte Nationalgefühl für seine Zwecke; — b) die Komintern pflegt die Verbindung zu den kommunistischen Parteien des Auslands; — c) die Nationalitäten der UdSSR werden erhalten.

7 a) Nichtangriffspakt auf 25 Jahre; — b) Handels- und Wirtschaftsvertrag; — c) geheimes Zusatzprotokoll über eine Abgrenzung der Interessensphären im 1919 geschaffenen „Zwischeneuropa". Die Randstaaten bleiben Rußland, eine 4. Teilung Polens wird vorbereitet.

Die Republik muß sich gegen die Radikalen von rechts und links behaupten, durch Erfüllung des Vertrages von Versailles gute Beziehungen zu den Westmächten anstreben und wirtschaftlich gesunden. Sie übersteht alle Krisen, auch die Inflation, festigt die innere Ordnung und erreicht durch Stresemanns Verständigungspolitik die Aufnahme in den Völkerbund. Trotz einer Zunahme der Rechtsparteien kann Stresemann sein Werk, gestützt auf die Neuregelung der Reparationsfrage durch den Dawesplan, fortsetzen.

1922	Rapallovertrag zwischen Deutschland und der UdSSR
1923	Ruhrkampf — Stresemann — Hitlerputsch — Rentenmark
1925	Locarno — Briand/Stresemann — Wahl Hindenburgs

1 *Welches sind die Grundzüge, welches die Mängel der Weimarer Verfassung?* 2 *Mit welchen innerpolitischen Schwierigkeiten kämpft die Republik?* 3 *Welches sind die wichtigsten Vorgänge der Jahre 1921 und 1922?* 4 *Warum besetzt Frankreich das Ruhrgebiet?* 5 *Welches sind die Hauptereignisse des Ruhrkampfes?* 6 *Inwiefern droht 1923 der Zerfall des Reiches?* 7 *Was heißt „Rentenmark"? Welche Vor- und Nachteile bringt ihre Einführung?* 8 *Wie kommt es zum Dawesplan, was fordert er vom Reich und welche Folgen hat er?* 9 *Welche Bestimmungen enthält der Vertrag von Locarno?* 10 *Welche Erwartungen knüpft Stresemann an Locarno?* 11 *Welche Folgen hat das Erstarken der Rechtsparteien nach 1924?*

1 Der Reichstag beschließt Gesetze; Kanzler und Minister bedürfen seines Vertrauens (absolutes Mißtrauensvotum). Der unmittelbar vom Volk gewählte Reichspräsident hat das Recht, Notverordnungen zu erlassen, muß sie aber auf Verlangen des Reichstags wieder aufheben. Die Reichswehr steht unter seinem Oberbefehl. Volksbegehren und Volksentscheid verstärken den Einfluß des Volkes. Nachteile der Verfassung: infolge des Verhältniswahlrechts eine Vielzahl von Parteien und verhängnisvoll geringe Stabilität der Regierungen.

2 Die vom Linksradikalismus bedrohte Regierung bedient sich der Hilfe der vorwiegend monarchistisch-nationalistischen Reste des alten Heeres. Diese machen die Republik für den Zusammenbruch und den Vertrag von Versailles verantwortlich (Dolchstoßlegende). Ein Putsch von rechts (Kapp) und kommunistische Umsturzversuche scheitern.

3 1921 muß das Reich, um nicht ganz Oberschlesien einzubüßen, in eine Zahlung von 132 Milliarden Goldmark einwilligen. Die Jahresraten von 2 Milliarden beschleunigen den Markverfall. Im Rapallo-Vertrag erkennt das Reich die UdSSR an und vereinbart wirtschaftlichen Austausch. Die

Westmächte sind verstimmt, die Rechtsopposition wird radikaler, was besonders durch politische Morde gekennzeichnet wird (Rathenau 1922).

4 Die französische Rechtsregierung Poincaré fordert in der Reparationskommission „produktive Pfänder". England wird überstimmt. Frankreich und Belgien besetzen das Ruhrgebiet (Januar 1923).

5 Erklärung des passiven Widerstandes — Aktionen Rechtsradikaler — blutige Zusammenstöße, Prozesse gegen Deutsche, Verurteilungen — weiterer Währungsverfall. Aufgabe des Widerstands (26. September 1923).

6 Separatismus links des Rheins (Rheinische, Pfälzische Republik) — Loslösungsversuche Bayerns vom Reich — Hitlerputsch in München.

7 Die Rentenmark ist durch eine Belastung von Grundbesitz und Wirtschaft gesichert. Positive Folgen: Die feste Währung schafft Vertrauen und ermöglicht wirtschaftlichen Aufstieg. — Negative Folgen: Soziale Umschichtung, denn die von Ersparnissen Lebenden werden durch die Inflation mittellos. Der Mittelstand schrumpft.

8 Die Ruhrpolitik ist gescheitert, Frankreich läßt eine Überprüfung der deutschen Zahlungsfähigkeit zu. Der Plan des Amerikaners Dawes wird genehmigt. Deutschland soll Jahresraten von 1 bis 2,5 Milliarden zahlen, bekommt aber 800 Millionen Darlehen. Sicherheit: Verkehrssteuer, Schuldverschreibung auf Industrie und Reichsbahn. Das Reich zahlt bis 1930 7,170 Milliarden. Eine wirtschaftliche Gesundung beginnt.

9 Stresemann will Verständigung mit Frankreich. England ist bereit, die deutsch-französische Grenze zu garantieren, um den wirtschaftlichen Aufstieg zu sichern. Briand sieht darin einen Vorteil für Frankreich. In Locarno erkennt das Reich unter Verzicht auf eine gewaltsame Veränderung seiner Ostgrenze die Westgrenze von 1919 an.

10 Stresemann erhofft von Locarno Aufnahme in den Völkerbund, Räumung der besetzten Gebiete, Lösung der Saarfrage und wirtschaftliche Zusammenarbeit mit Frankreich. Infolge der Widerstände in Frankreich wird nur die Kölner Zone geräumt (Ruhrgebiet 1925 geräumt). Erst 1930 wird die letzte Rheinlandzone freigegeben. Die Aufnahme in den Völkerbund erfolgt aus organisatorischen Gründen erst 1926. Höhepunkt dieser Zeit der Verständigung ist die Kriegsächtung im Briand-Kellogg-Pakt (1928).

11 Die Rechtsparteien erreichen die Wahl Hindenburgs als Nachfolger Eberts. Die Locarnopolitik Stresemanns lehnen sie ab. — Die Reichswehr unter Seeckt steht der Republik kühl gegenüber. Er will die Reichswehr kriegsgeeignet machen („Schwarze Reichswehr" — Schießplätze in Rußland). Gründung halbmilitärischer Organisationen: „Stahlhelm" (DNVP) — „Reichsbanner" (republikanisch) — später SA und SS (NSDAP) — „Roter Frontkämpferbund" (KPD). — Flaggenstreit.

71 Krise und Niedergang der Weimarer Republik

Mit dem Tod Stresemanns und dem Bankenkrach in New York beginnt eine neue Phase der Entwicklung (Oktober 1929). Der Dawesplan hat die Hoffnungen nicht erfüllt. Das Reich erstrebt eine Neuregelung der Reparationsfrage. Der Youngplan wird wegen der Weltwirtschaftskrise nicht durchgeführt, löst aber schwere innerdeutsche Auseinandersetzungen aus. Die Radikalen von links und rechts werden gestärkt. Der Reichstag vermag keine arbeitsfähige Regierung mehr zu bilden und schaltet sich dadurch selbst aus. Die Regierungen können sich nur durch Notverordnungen des Reichspräsidenten und Tolerierung seitens der Parteien halten.

1929	Stresemanns Tod — Bankenkrach in den USA — Youngplan
1930—1932	Brüning Reichskanzler — Notverordnungen
1932	Wiederwahl Hindenburgs — Regierungen Papen u. Schleicher

1 Was enthält der Youngplan? Warum betreiben die Rechtsparteien ein Volksbegehren gegen ihn? 2 Wie wirkt sich die Weltwirtschaftskrise in Deutschland aus? 3 Woran scheitert die Regierung Müller, und warum schaltet sich der Reichstag damit selbst aus? 4 Was enthält der Artikel 48, 2 der Verfassung, wie wird er benutzt? 5 Welche entscheidenden Maßnahmen trifft Brüning? 6 Was ist die „Harzburger Front", und was bedeutet ihre Gründung? 7 Warum entläßt Hindenburg Brüning? 8 Wie entwickeln sich die Verhältnisse unter Brünings Nachfolgern? 9 Welche außenpolitischen Erfolge erlangt die Republik zwischen 1930 und 1932?

1 Auf Vorschlag des Amerikaners Owen D. Young soll das Reich 59 Jahresraten von ca. 2 Milliarden Goldmark zahlen. Der Transferschutz (Umwandlung der Reichsmark in Devisen) ist für das Reich ungünstig. Die Verpfändung der Reichsbahn wird aufgehoben. Die seit 1925 erstarkte Rechtsopposition agitiert gegen die „Verschuldung von zwei Generationen". Ihrem Volksbegehren stimmen nur 13,8% der Wahlberechtigten zu.

2 Die Weltwirtschaftskrise zwingt die Staaten zu Schutzzöllen und zum Abruf ihrer Kredite an das Reich. — Die Schutzzölle mindern den deutschen Export, der Kreditabruf führt zu Bankrotten. Die Arbeitslosigkeit steigt 1930 auf 3 Millionen.

3 Am 11. März 1930 nimmt der Reichstag den Youngplan an. Am 27. März stürzt die Regierung Müller wegen der Frage der Arbeitslosenhilfe. Die Gewerkschaften fordern: Erhaltung der Leistungen, Erhöhung der Beiträge von Arbeitnehmern und Arbeitgebern, Reichszuschüsse. Die Arbeitgeber lehnen ab und befürworten eine Leistungssenkung. Die „Große Koalition" bricht auseinander, weil ihre Flügelparteien (DVP und SPD) sich den Forderungen ihrer Interessengruppen beugen. — Bei der Zusammensetzung des Reichstags ist eine andere Mehrheit nicht möglich, auch von Neuwahlen ist sie nicht zu erhoffen.

4 Bei der „Gefährdung der öffentlichen Sicherheit und Ordnung" darf der Reichspräsident die zu ihrer Wiederherstellung notwendigen Maßnahmen treffen, sogar unter Einsatz der Reichswehr. Brüning gründet darauf ein Notverordnungsrecht des Reichspräsidenten.

5 a) Die Weltwirtschaftskrise bewirkt ca. 6 Millionen Arbeitslose und führt zum Zusammenbruch deutscher Banken (1931). Brüning verordnet: Steuererhöhungen, Kürzung von Löhnen, Gehältern und Arbeitslosenunterstützung, Sparmaßnahmen in Reich und Ländern.
b) Hindenburgs Präsidentschaft ist abgelaufen. Brüning erreicht die Wiederwahl des 84jährigen (10. 4. 1932) als Kandidaten der republikanischen Parteien (Gegenkandidaten sind Hitler und Thälmann).

6 1931 (Oktober) bringt der Großindustrielle Hugenberg, Vorsitzender der DNVP, seine Partei und den „Stahlhelm" zum Zusammengehen mit der NSDAP (Treffen in Harzburg). Gemeinsam ist ihnen die nationalistische und antiparlamentarische Tendenz. Damit macht Hugenberg Hitler bei den Konservativen, bei Hochfinanz und Schwerindustrie „salonfähig".

7 Am 30. Mai 1932 entläßt Hindenburg Brüning. Brüning hat die Reichshilfe für den verschuldeten ostdeutschen Großgrundbesitz verweigern müssen. Hindenburg, bis dahin verfassungstreu, ist von seinen konservativ-deutschnationalen Freunden gegen Brüning beeinflußt worden.

8 Papen gehört dem rechten Zentrumsflügel an. Er hofft, die NSDAP zu gewinnen, erlangt aber nicht einmal die Tolerierung seines „Kabinetts der Barone". Bei der Juliwahl 1932 steigen die Mandate der NSDAP von 107 auf 230, die der KPD von 77 auf 89. Er setzt die sozialdemokratische preußische Regierung durch Notverordnung ab. Daraufhin erklärt sich auch Bayern gegen ihn. Schleicher wird sein Nachfolger. Er will mit den Gewerkschaften regieren und hofft dabei, den linken Flügel (G. Strasser) der NSDAP zu gewinnen. Die NSDAP läßt sich jedoch nicht spalten. Auch ihr Rückgang um 34 Mandate im November rettet Schleichers Kabinett nicht. Papen gewinnt rheinische Großindustrielle für Hitler und bewegt Hindenburg, Hitler zum Reichskanzler zu ernennen (30. 1. 33).

9 Im Juni 1930 wird die 3. Besatzungszone am Rhein 5 Jahre vor Ablauf der Frist geräumt. Die Konferenz von Lausanne (Juni 1932) stellt die Reparationen ein, die Genfer Abrüstungskonferenz (Dez. 1932) erkennt den Anspruch des Reiches auf Gleichberechtigung in der Rüstung an. — Die Rheinlandräumung ist eine späte Folge der Politik Stresemanns, die Erfolge von 1932 sind der Vorarbeit Stresemanns und dem Vertrauen zuzuschreiben, das Brüning der Republik erworben hat.

Ziel Hitlers ist von Anbeginn die Diktatur und die Vorherrschaft auf dem Kontinent. Das Abflauen der Weltwirtschaftskrise, das Ende der Reparationen und die Anerkennung der deutschen Rüstungsgleichberechtigung (1932) erleichtern Hitler, das Kernproblem der deutschen Notlage, die Arbeitslosigkeit, zu überwinden. Er zerschlägt die demokratischen Parteien und hat außenpolitische Anfangserfolge. Mittels meisterlicher Massenbeeinflussung gewinnt er eine große Anhängerschaft. Die Politik der „Gleichschaltung", steigender Terror sowie der stetige Ausbau von Polizeiapparat und Parteiorganisationen machen Hitlers Herrschaft totalitär.

28. 2. 1933 Notverordnung   23. 3. 1933 Ermächtigungsgesetz

1 *Welche Begriffe kennzeichnen die Grundlagen der Ideologie Hitlers?*
2 *An welches Versprechen Hitlers ist seine Ernennung zum Kanzler gebunden, und wie ist sein Kabinett zusammengesetzt?*   **3** *Was enthalten die Notverordnungen vom 28. Februar 1933 und das Ermächtigungsgesetz?*   **4** *Wie bekommt Hitler die für das Ermächtigungsgesetz notwendige Mehrheit?*
5 *Welche Maßnahmen befestigen die Diktatur Hitlers und der NSDAP?*
6 *Wie ist die NSDAP organisiert?*   **7** *Welches sind die Grundzüge der NS-Wirtschaftspolitik, welches ihre Folgen?*   **8** *Wie entwickelt sich Hitlers Verhältnis zu den Kirchen? Warum stellt er sich schließlich gegen sie?*
9 *Wie bedient sich Hitler der „Volksabstimmungen" als Legalitätsnachweis?*

1 Rassenlehre — Nationalismus — Anspruch auf „Lebensraum" — Antisemitismus — Antiparlamentarismus — Antimarxismus — Antibolschewismus — nationaler Sozialismus — Sozialdarwinismus — Führerprinzip.

2 Hitler verspricht Hindenburg, sein Kabinett nicht umzubilden. Es ist ein Koalitionskabinett mit Papen als Vizekanzler und nur zwei Nationalsozialisten außer Hitler. Aber bereits am 13. 3. 33 wird Goebbels Minister!

3 Die Notverordnung vom 28. Februar hebt wesentliche Grundrechte auf. Das Ermächtigungsgesetz vom 23. März gibt der Reichsregierung auf 4 Jahre das Recht, auch ohne Reichstag Gesetze zu erlassen. Es setzt die Verfassung außer Kraft. Der Reichsrat wird nicht befragt. — Vorwand für die Verordnung vom 28. Februar ist der Reichstagsbrand. Hitler beseitigt mit ihr die rechtsstaatliche Ordnung. Er kann so andere Parteien beim Wahlkampf behindern und Oppositionsführer verhaften lassen.

4 Die KPD-Mandate werden für ungültig erklärt, das Zentrum gewinnt Hitler durch Versprechungen. Eine Änderung der Geschäftsordnung des Reichstages legt fest, daß „unentschuldigt Fehlende" als anwesend zu zählen sind. Wer „unentschuldigt" fehlt, entscheidet Reichstagspräsident Göring. Das Gesetz wird gegen die SPD angenommen. So legalisiert der Reichstag seine Selbstausschaltung als gesetzgebendes Organ.

5 Errichtung der Gestapo — Gleichschaltung der Länderparlamente — Reichsstatthalter in den Ländern, Zerschlagung der Gewerkschaften — Auflösung der Parteien — Gesetz gegen Neubildung von Parteien: NSDAP einzige Partei — Reichstagswahlen (nur Kandidaten der NSDAP) — Aufhebung der Länderparlamente und des Reichsrates — Hitler verhängt beim „Röhm-Putsch" als „Oberster Gerichtsherr" Todesurteile ohne Gerichtsverhandlung. — Hitler nach Hindenburgs Tod Reichspräsident („Führer und Reichskanzler") — Vereidigung der Reichswehr auf Hitler („unbedingter Gehorsam") noch vor der „Wahl".

6 Die NSDAP ist in Gaue, Kreise, Ortsgruppen und Zellen eingeteilt. Deren „Führer" haben zumeist auch staatliche Funktionen (Kreisleiter sind zugleich Landräte). Die Partei wird zur Massenpartei (am Schluß ca. 7 Millionen), die „Gliederungen" und die „angeschlossenen Verbände" erfassen in irgendeiner Form jeden einzelnen und machen die Partei zu einem allgegenwärtigen Aufsichtsorgan. Wichtigste der „Gliederungen" ist die SS unter Himmler, nachdem die einst mächtige SA durch die Ermordung Röhms (30. 6. 34) bedeutungslos geworden ist. Die Hitler-Jugend wird Zwangsorganisation aller Jugendlichen unter 18 Jahren, die Deutsche Arbeitsfront Zwangsorganisation aller Werktätigen. Das Streikrecht ist damit aufgehoben.

7 Der Außenhandel wird durch zweiseitige Verträge belebt; öffentliche Aufträge (Reichsautobahn, Kasernenbau, Aufrüstung) beseitigen die Arbeitslosigkeit. Die Landwirtschaft erholt sich. Trotzdem ist die Blüte nur Schein. Bereits 1937 herrscht Devisenmangel. Die Mehrzahl der öffentlichen Aufträge (Reichsparteitaggelände in Nürnberg) ist unproduktiv.

8 Scheinbar sucht Hitler ein gutes Einvernehmen mit den Kirchen (Konkordat, Massentrauungen). In Wahrheit aber will er die Kirchen vernichten. Der Katholizismus wird verleumdet, der Protestantismus soll durch die „Deutschen Christen" nationalsozialistische Staatskirche werden. Unter dem Druck wächst der Widerstand in beiden Kirchen. Für Hitler ist das Christentum „jüdisch". Der totalitäre Anspruch der NS-Weltanschauung schließt grundsätzlich Religionen aus.

9 Hitler verbindet die Wahlen zum Reichstag mit Plebisziten für seine Person und seine Politik: im November 1933 mit einer Volksbefragung über den Völkerbundsaustritt, im April 1938 mit einer Volksabstimmung über die „Wiedervereinigung Österreichs mit dem Deutschen Reich". Immer sind die Fragen so gestellt, daß nur ein grundsätzlicher Gegner des Systems mit Nein antworten kann (Wahlbeteiligung nahezu 100%: Nicht-Wählen macht bereits verdächtig). Der Reichstag hat lediglich Regierungserklärungen entgegenzunehmen und Hitlers Gesetzesvorschlägen zuzustimmen.

73 Hitlers Herrschaft — II. Der Weg in den Weltkrieg

Hitlers Politik ist auf die „Zerreißung der Verträge" von Versailles und Locarno gerichtet und appelliert an die nationalistischen Regungen in Deutschland. Zunächst beteuert er seinen Friedenswillen und täuscht Deutschland und die Welt über seine Absichten. So gewinnt er Zeit für die Aufrüstung. Dabei hilft ihm die Weltlage. Die Westmächte selbst stehen Versailles kritisch gegenüber. Sie haben 1932 auf die Reparationen verzichtet und den Anspruch auf Rüstungsgleichheit anerkannt, Hitlers Forderung nach Selbstbestimmung für die Deutschen Österreichs und des Sudetenlandes erscheinen ihnen berechtigt. Auch seine zunächst antibolschewistische Politik gewinnt ihm Sympathien. Den Terrorcharakter seiner Herrschaft weiß er geschickt zu verbergen.

1935	Saarabstimmung — Allgemeine Wehrpflicht
1937	Kriegsausbruch im Fernen Osten
1938	Einverleibung Österreichs und des Sudetenlandes
1939	Protektorat Böhmen und Mähren — Pakt mit Rußland — Überfall auf Polen

1 *Wie kommt es zum Kriegsausbruch im Fernen Osten?* **2** *Wie kommt es zur Expansionspolitik Mussolinis und zu seiner Zusammenarbeit mit Hitler?* **3** *Wie kommt es zum Bürgerkrieg in Spanien?* **4** *Was bedeuten die Konflikte im Fernen Osten, Abessinien und Spanien für die Demokratien?* **5** *Wodurch löst sich Hitler von den Verträgen von Versailles?* **6** *Welche außenpolitischen Ziele Hitlers überliefert die „Hoßbach-Niederschrift"?* **7** *Wie entwickelt sich die Politik Hitlers von 1938 bis 1939?* **8** *Welche Bedeutung hat die Errichtung des „Protektorats"?* **9** *Mit welchen Maßnahmen bereitet Hitler den Überfall auf Polen vor, mit welchen Maßnahmen versuchen ihn die Westmächte zu hindern?*

1 1932 Überfall Japans auf die Mandschurei. Vom neuen Staat „Mandschukuo" aus ständige Grenzverletzungen gegenüber China. Protest des Völkerbundes. Japan tritt aus (1933). Ausbruch des Krieges zwischen China und Japan 1937. England, Frankreich und Rußland unterstützen China (Tschiang Kai-schek).

2 Mussolinis Außenpolitik ist anfangs zurückhaltend. Ziele: Imperium Romanum, Adria „Mare Nostro" — zum Griff nach Abessinien (1935) durch den Gegensatz Hitlers zu den Westmächten ermutigt — Völkerbundssanktionen erfolglos — Hitler liefert Material — Annäherung zwischen Hitler und Mussolini — 1936 Abessinien erobert.

3 1931 Sturz der spanischen Monarchie — Herrschaft einer „Volksfront", Radikale beabsichtigen eine Diktatur des Proletariats — Aufstand des Generals Franco von Marokko aus — Bürgerkrieg — UdSSR, Italien und Deutschland senden Waffen und Freiwillige — Franco siegt (1939).

4 Gegen Japan, in der abessinischen sowie der spanischen Frage hat die Politik der Demokratien versagt, der Völkerbund hat sich als machtlos erwiesen. Die Diktaturen, mit dem unbedingten Willen, sich durchzusetzen, haben gesiegt und damit ihr Ansehen erhöht.

5 Verstärkung der Reichswehr und Aufbau einer Luftwaffe — Austritt aus dem Völkerbund (1933) — Freundschaftsvertrag mit Polen auf 10 Jahre (1934) — Allgemeine Wehrpflicht (1935) — Flottenabkommen mit England 1935 (Stärkeverhältnis 3 : 1) — Besetzung der entmilitarisierten Zone und Kündigung des Locarnovertrages (1936).

6 Nachdem Hitler bereits 1933 „Ausbau der politischen Macht und Eroberung von Lebensraum" als Ziele bezeichnet hat, präzisiert er 1937: Lebensraum für 85 Millionen — Krieg gegen die „Haßgegner" England und Frankreich 1943 oder 1945 — Einverleibung Österreichs und der Tschechoslowakei als „Flankensicherung".

7 März 1938: innere Spannungen Österreichs von Hitler gefördert — Regierung nationalsozialistisch unterwandert — Hilfsgesuch eines NS-Ministers an Hitler — Einmarsch — „Großdeutsches Reich" verkündet. Sommer 1938: Hitler gewinnt die starke sudetendeutsche Minderheit, beruft sich auf das Selbstbestimmungsrecht der Völker, beansprucht die von dieser Minderheit besiedelten Gebiete der Tschechoslowakei als „letzte territoriale Forderung". September 1938: Kriegsgefahr — Münchner Abkommen: die deutschbesiedelten Teile der Tschechoslowakei kommen zum Reich — März 1939: Erklärung der Unabhängigkeit der Slowakei — Staatspräsident Hacha zur Unterwerfung gezwungen — Gründung des „Protektorats Böhmen und Mähren".

8 a) Hitler greift über die Grenzen des deutschen Volkstums hinaus und beginnt imperialistische Politik. — b) Der offensive Charakter seiner Politik ist enthüllt. Die Westmächte, gestützt von den USA („Quarantänerede" Roosevelts 1937), beginnen zu rüsten.

9 Hitler ist entschlossen, den deutschen Lebensraum zu erweitern, und macht die Frage des Korridors zum Anlaß des Überfalls auf Polen. Am 22. März wird Litauen ultimativ zur Rückgabe des Memelgebietes genötigt, am 28. April kündigt Hitler das Flottenabkommen mit England und den Freundschaftspakt mit Polen; er läßt den Bau des Westwalls beschleunigen. Der „Stahlpakt" mit Italien (22. Mai) soll das Reich im Süden schützen, der Nichtangriffspakt (23. August 1939) mit der UdSSR vor einem Zweifrontenkrieg sichern. Obwohl England und Frankreich den Bestand Polens garantieren, und obwohl beide Griechenland, Rumänien und der Türkei die gleichen Garantien geben, glaubt Hitler nicht, daß sie für Polen kämpfen werden. So treibt er zum Krieg und greift am 1. September Polen ohne Kriegserklärung an.

Die NSDAP hat bis zur Märzwahl 1933 keine Mehrheit erlangt. Sie ist als Minderheit zur Herrschaft gelangt. Niederschlagung jeder gegnerischen Regung ist Existenzfrage für derartige Systeme. Dabei helfen Lüge, Propaganda und ein dichtgespanntes Überwachungsnetz. Hitler vermag das Ausland lange über seine Absichten zu täuschen. Viele Deutsche erkennen nicht, daß ihre Opferbereitschaft mißbraucht wird. Andere gehen in die „innere Emigration" oder in den Widerstand. Unabhängig davon sind die Widerstandsbewegungen der besetzten Gebiete.

1 *Welcher Mittel bedient sich die Goebbels-Propaganda?* 2 *Was ist „äußere" und was „innere" Emigration?* 3 *Welche Maßnahmen trifft Hitlers „Kulturpolitik" gegen die Kunst?* 4 *Wozu benutzt Hitler die Konzentrationslager?* 5 *Wie wird das Programm der Judenvernichtung verwirklicht?* 6 *Was bedeutet Hitlers Euthanasieprogramm? Wer protestiert?* 7 *Welches sind die vier bekanntesten deutschen Widerstandskreise, und welches sind ihre Ziele?* 8 *Welches sind die wichtigsten Aktionen der Goerdeler-Gruppe und ihr Ausgang?* 9 *Worin besteht die Bedeutung des deutschen Widerstandes?* 10 *Wie arbeiten die Widerstandsgruppen in den besetzten Ländern, und mit welchen Maßnahmen bekämpft Hitler sie?* 11 *Warum ist die Lage der deutschen Widerstandsgruppen schwieriger als die der Widerstandsgruppen in den besetzten Ländern?*

1 Josef Goebbels, Hitlers „Minister für Volksaufklärung und Propaganda", zwingt Presse, Film, Funk, Theater sowie Verlage in den Dienst der Partei: nur ihr genehmes „Schrifttum" wird gefördert. Das Volk wird einseitig informiert und belogen, die Parole „Der Führer hat immer recht" Dogma. Meisterliche Massenpsychologie hat erschreckende Erfolge.

2 Schon 1933 verlassen Politiker und andere Gegner der NSDAP das Reich (Th. Mann, Zuckmayer). Die SPD verfügt die Emigration von Funktionären. Viele gehen in die innere Emigration, d. h. leisten passiven Widerstand, suchen Unrecht zu verhindern oder üben versteckte Kritik.

3 Am 10. Mai 1933 werden in deutschen Städten Werke jüdischer Autoren und solche „undeutschen Geistes" als „Schmutz und Schund" verbrannt. Werke der modernen bildenden Kunst (z. B. Barlach, Nolde, Beckmann, Klee) gelten als „entartet".

4 In den KZ werden unter Aufsicht der SS politische Gegner aller Richtungen, Juden, Zigeuner mit Kriminellen ohne Gerichtsurteil festgehalten (1933: 20000, 1944: 524277). Die KZ, vorgeblich „Stätten der Erziehung zu Ordnung und Volksgemeinschaft", werden Instrument des Terrors und Mordes. Die Insassen müssen hungern und werden unmenschlich mißhandelt. Viele werden ermordet, viele zu „medizinischen Versuchen" mißbraucht.

5 Beginn der Verfolgung April 1933: Boykott gegen jüdische Laden-
besitzer — Juden dürfen nicht Beamte oder Schriftsteller sein — 1935
„Nürnberger Gesetze": Juden unter Sonderrecht, „Mischehen" verboten — 9. November 1938 („Reichskristallnacht") Synagogen verbrannt, Juden aus der Wirtschaft ausgeschlossen, ihre Vermögen be-
schlagnahmt. Seit 1933 Verschleppung in die KZ — 1942: Ausrottung
(„Endlösung") beschlossen. Etwa 6 Millionen Juden ermordet.

6 Durch „Euthanasie" („Gnadentod") soll alles „lebensunwerte Leben" (Gei-
steskranke, Epileptiker usw.) vernichtet werden. Die Aktion erfolgt in
größter Heimlichkeit. Anstalten, die sich den „Auslesekommissionen"
widersetzen (z. B. Bethel), werden verschont. Proteste des evangelischen
Bischofs Wurm und anderer sowie öffentliche Anzeige wegen Mordes
durch den Bischof von Münster, Grafen Galen (1941).

7 Die Geschwister Scholl in München rufen die Studenten zum Widerstand
auf. — Der Kreisauer Kreis um den Grafen Moltke erörtert, wie nach dem
Zusammenbruch der Hitler-Despotie Deutschland und Europa gesunden
können. — Der Kreis um den 1938 verabschiedeten Generalstabschef
Generaloberst Beck und den Leipziger Oberbürgermeister a. D. Carl
Goerdeler will Hitler absetzen und rechtsstaatliche Zustände herstellen.
In der „Roten Kapelle" bekämpfen Arbeiter und Offiziere das Regime.

8 Deutsche Diplomaten wollen 1938 Chamberlain am Nachgeben in der
Sudetenkrise hindern. Dieser lehnt aber aus Abneigung gegen die „ci-
vilian disobedience" ab. — Während des Kriegs entschließt sich der Goer-
delerkreis vor allem unter Einfluß des Obersten Graf Stauffenberg zum
Attentat. Mehrere Versuche scheitern. Am 20. Juli 1944 überlebt Hitler
Stauffenbergs Anschlag. — Die meisten Widerstandskämpfer werden verhaftet und grausam umgebracht.

9 Der Widerstand beweist, daß sich in Deutschland eine starke Gruppe
dem Terror nicht beugt; er will den Krieg verhindern (1938); er ist vom
„Politischen und Ethischen her" bestimmt; er geht, zu Beginn vor allem
von der Arbeiterschaft getragen, schließlich durch alle Schichten, Klassen,
Stände, Konfessionen und Berufe. Er ist die sittliche Rechtfertigung für das
Weiterbestehen Deutschlands.

10 In den besetzten Gebieten bilden sich Widerstandsgruppen; „Partisanen"
(Tito), „Résistance". Sie kämpfen geschlossen gegen die Wehrmacht,
im Westen versuchen es kleine Gruppen durch Spionage, Sabotage und
Überfall. Hitler antwortet mit kollektiven Vergeltungsmaßnahmen.

11 Die Widerstandsgruppen der besetzten Gebiete werden von den Alliierten
unterstützt. Sie gelten im eigenen Lande als nationale Freiheitshelden.
Die deutschen Widerstandsgruppen sind ganz auf sich gestellt. Hitler
nennt sie „Verräter an der Nation".

Die Schuld am Zweiten Weltkrieg trägt Hitler. Er überfällt Polen, da er nicht glaubt, daß England und Frankreich diesem ihr Garantieversprechen erfüllen. Dank ihres Rüstungsvorsprunges kann die deutsche Wehrmacht zunächst fast ganz Europa erobern, aber der Angriff auf die UdSSR übersteigt schließlich ihre Kräfte. Zudem muß sie Italien auf dem Balkan und in Nordafrika unterstützen. Die Kriegserklärungen Japans und des Reiches an die USA verbinden den ostasiatischen und den europäischen Krieg zu einem Weltkrieg der „Achsenmächte" gegen fast alle Staaten der Erde. Weder der „totale Krieg" noch Hitlers Durchhalte-Befehle können den Sieg der Alliierten verhindern. Bei der Kapitulation sind das Reich und Japan zerschlagen, die UdSSR steht an der Elbe.

1939	Deutscher Überfall auf Polen, Kriegserklärung der Westmächte
1940	Deutschland besetzt Dänemark und Norwegen, erobert die Niederlande, Belgien und Frankreich. Rückzug der Briten bei Dünkirchen
1941	Deutscher Feldzug gegen Griechenland und Jugoslawien. Angriff auf die UdSSR. Atlantikcharta. Überfall Japans auf Pearl Harbour. Deutsche Kriegserklärung an die USA
1943	Kapitulation deutscher Armeen in Stalingrad und Tunis. Casablanca-Konferenz („bedingungslose Kapitulation"). Goebbels verkündet den „totalen Krieg". Italien kapituliert. Die Sowjetarmee dringt vor
1944	Invasion der Alliierten in Nordfrankreich: zweite Front. Sowjetische Offensiven. Verschärfung des Luftkrieges gegen Deutschland
1945	Selbstmord Hitlers. Kapitulation Deutschlands. Atombomben der USA auf Japan (Hiroshima). Kapitulation Japans

1 *In welche Phasen kann man den Zweiten Weltkrieg gliedern?* **2** *Warum greift Hitler die Sowjetunion an?* **3** *Inwiefern bringt die zweite Phase die Wende des Krieges?* **4** *Wie entwickelt sich der Krieg im Pazifik?* **5** *Welche Politik verfolgen die Nationalsozialisten in den besetzten Gebieten?* **6** *Wie entwickelt sich die Weltpolitik bis 1945?*

1 a) Die Phase der deutschen Angriffe 1939/40; b) die Wende des Krieges in Rußland und der Angriff Japans 1941/42; c) die Niederwerfung der Achsenmächte 1943/45.

2 Da England trotz der Niederlage Frankreichs weiterkämpft, das Reich die „Schlacht um England" gegen die britische Flotte und Luftwaffe 1940 verliert und darum die Invasion nicht wagen kann, greift Hitler vertragswidrig Rußland an. Er glaubt, den Bolschewismus vernichten, mit Hilfe der Rohstoffe Rußlands England schlagen und die Vormacht in Europa gewinnen zu können.

3 Zwar dringen die Deutschen bis Moskau und Leningrad und 1942 bis zum Kaukasus und El Alamein vor, müssen aber schon im Dezember 1941 vor Moskau der Roten Armee weichen. Die UdSSR, mit Japan nicht im Kriege, kann ihre Kräfte voll gegen die Deutschen einsetzen. Das Rüstungspotential der Alliierten wächst, vor allem nach dem Kriegseintritt der USA. Deren Radar- und Geleitzugsystem macht die deutschen U-Boote fast wirkungslos. In Stalingrad und Tunis müssen sich die Armeen der Achsenmächte ergeben. Die Alliierten landen in Italien, zwingen es zur Kapitulation und bombardieren Städte und Rüstungsanlagen der „Festung Europa".

4 Japan kündigt 1938 eine „neue Ordnung" in Ostasien an. Sein Krieg in China beeinträchtigt die Interessen der USA. Mit dem Überfall auf Pearl Harbour eröffnet es den Krieg, erobert 1942 Südostasien und bedroht Australien. Ab Juni 1943 dringen die USA vor; 1945 bombardieren sie von Okinawa aus Japan; Atombomben (6. und 9. 8.) auf Hiroshima und Nagasaki beenden den Krieg.

5 Eine harte Besatzungspolitik durch NS-Funktionäre und hitlerhörige Einheimische (Norwegen, Belgien, Niederlande) zwingt die eroberten Gebiete in den Dienst der deutschen Kriegswirtschaft. Völkerrechtswidrige Ausbeutung der Kriegsgefangenen, das System der „Fremdarbeiter" (ca. 7,5 Millionen), die Vernichtung der Juden sowie die brutale „Volkstumspolitik" der SS im Osten einigen die Unterdrückten gegen die Deutschen. In Frankreich bildet sich die „Résistance", in Rußland und auf dem Balkan entstehen riesige Armeen von „Partisanen".

6 Stalin gibt Hitler mit dem Nichtangriffspakt freie Hand gegen Polen und Westeuropa und bekommt dafür osteuropäische Gebiete („Vierte Teilung Polens", baltische Staaten). Roosevelt, seit 1937 Gegner Hitlers, liefert durch das Pacht- und Leihgesetz (1941) gegen den Willen des Kongresses Kriegsmaterial an Großbritannien. In der Atlantikcharta 1941 formulieren Roosevelt und Churchill die Kriegsziele der Alliierten und fordern auf der Konferenz von Casablanca 1943 die bedingungslose Kapitulation der Achsenmächte. Auf der Konferenz von Teheran 1943 treten die Gegensätze zwischen den Alliierten zutage. Churchill will, um der UdSSR den Weg nach Westen zu verlegen, die „Zweite Front" auf dem Balkan errichten, Stalin gewinnt Roosevelt für eine Invasion in Frankreich. So kann die UdSSR den Einfluß auf Osteuropa zurückgewinnen, den Hitler ihr 1939 zugestanden hat. Die Konferenz von Jalta im Februar 1945 beschließt die Verschiebung Polens nach Westen und die Aufteilung Deutschlands in Besatzungszonen. So erweitert die Sowjetunion ihren Einflußbereich bis zur Elbe.

Die Gründung der Vereinten Nationen (UN) bekundet den Willen der Siegermächte, den Frieden in der Welt besser zu sichern. Aber die USA und die UdSSR, die nach dem Kriege die Geschicke der Welt bestimmen, treffen wegen politischer und ideologischer Gegensätze aufeinander. Daraus entsteht der „Kalte Krieg"; ein „Gleichgewicht des Schreckens" der beiderseitigen nuklearen Rüstungen scheint allein den Frieden garantieren zu können. Nach Stalins Tod gibt es nur vorübergehend eine Entspannung („Tauwetter").

1945	Gründung der UN; 17. 7.—2. 8. Potsdamer Konferenz
1947	Friedensverträge mit den Verbündeten Deutschlands; Außenministerkonferenz in Moskau; Truman-Doktrin, Verkündung des Marshall-Plans
1948	Freundschaftspakte der UdSSR mit Rumänien, Ungarn, Bulgarien, Finnland
	24. 6. 1948—12. 5. 1949 Berlin-Blockade
1949	UdSSR gründet den Rat für gegenseitige Wirtschaftshilfe (Comecon), USA die NATO
1950	Beginn des Korea-Krieges
1953	Stalins Tod
1955	Warschauer Pakt, Genfer Gipfelkonferenz; Bandung-Konferenz
1956	Parteitag der KP/UdSSR verurteilt den Stalinismus, Suez-Krise
1957	Chruschtschow führt die UdSSR
1962	Kuba-Krise

1 *Welche Ziele, Organe und praktische Möglichkeiten haben die UN?*
2 *Welches sind die wichtigsten Krisen, in denen die UN tätig werden, in welchen durch ihre Friedenstruppe?* 3 *Warum entzweien sich USA und UdSSR? Welches sind ihre wichtigsten Maßnahmen?* 4 *Wie kommt es zu den Krisen um Korea, Suez und Kuba?* 5 *Wie entwickelt sich die sowjetische Politik nach Stalin?* 6 *Welche Wandlungen innerhalb der Blöcke sind wichtig?*

1 Die Ziele der UN sind Sicherung der Menschenrechte, von Völkerrecht und Weltfrieden, Gleichberechtigung der Völker und Besserung ihrer Lebensumstände. Sitz: New York. Organe: Generalsekretär, Vollversammlung (jedes Mitglied hat eine Stimme 1945: 50, 1975: 141, 1977: 149), Sicherheitsrat. Dessen Recht zu verbindlichen Beschlüssen kann das Veto eines der 5 ständigen Mitglieder (China, England, Frankreich, UdSSR, USA) behindern. Die UN können sich, anders als der Völkerbund, in der Friedenstruppe („Blauhelme") eine Exekutive schaffen.

2 Palästina 1945, Niederländisch-Indien 1947, Indien-Pakistan sowie Rhodesien 1965. „Blauhelme" tätig in Korea 1950, Suez 1956, Nahost-Krise 1967 nur vorübergehend, 1973—1975, Zypern 1964.

3 Die UdSSR sowjetisiert die Staaten Osteuropas (s. 77,4) und schließt mit ihnen Beistandspakte, während die USA gemäß der UN-Satzung das liberal-demokratische Prinzip durchsetzen wollen. Zur „Eindämmung" des Kommunismus dient wirtschaftspolitisch der Marshall-Plan, militärisch

ein Ring von Bündnissen um UdSSR und China — vor allem NATO und SEATO. Die UdSSR gründet den „Rat für gegenseitige Wirtschaftshilfe" (RGW), verbündet sich mit der VR China und festigt ihr System durch den Warschauer Pakt. Deutschlandfrage, Abrüstung, Kernwaffenversuche und Einfluß auf die „Dritte Welt" werden Konfliktstoffe und verursachen friedensbedrohende Krisen.

4 a) Korea, bis 1945 japanisch, wird in zwei Zonen geteilt. Die nördliche Zone wird sowjetisiert, ihre Truppen brechen 1950 (25. 6.) in Südkorea ein. Der Weltsicherheitsrat erklärt in Abwesenheit der UdSSR Nordkorea zum Angreifer, die USA helfen Südkorea. Der „Lokale Krieg" endet erst 1957 mit der Teilung. b) Ägyptens Staatschef Nasser verstaatlicht die Suez-Kanal-Gesellschaft. England und Frankreich sind geschädigt. Verhandlungen scheitern, der 2. israelisch-ägyptische Krieg bricht aus, englische und französische Truppen landen. Auf Forderung der UN-Vollversammlung Waffenstillstand, Rückzug Englands und Frankreichs, UN-Truppen eingesetzt. Folgen: Antiwestliche Politik Nassers, sowjetischer Einfluß in Nahost. c) Castro stürzt 1959 den Diktator Batista und errichtet eine Volksdemokratie. Infolge amerikanischer Gegenmaßnahmen sucht Castro bei der UdSSR Hilfe. Diese errichtet Raketenbasen auf Kuba, USA verhängen Blockade gegen Kuba, angesichts der Gefahr eines 3. Weltkrieges Abbau der Raketenbasen und Aufhebung der Blockade. Die Kuba-Krise ist ein Wendepunkt im „Kalten Krieg".

5 Nach Stalins Tod beginnt die UdSSR eine friedlichere Politik („Tauwetter"): Waffenstillstand in Indochina und Korea, Neutralität für Österreich, Botschafteraustausch mit Bonn, Auflösung der Kominform, Chruschtschow proklamiert 1956 die Entstalinisierung: 1. kollektive Führung statt Alleinherrschaft; 2. Abbau des Terrors, mehr Freiheit für Kunst und Wissenschaft; 3. mehr Verbrauchsgüter; 4. Verurteilung Stalins. Politisch, wirtschaftlich und militärisch will er den Westen überflügeln und den Druck verstärken.

6 a) Aus dem sowjetischen Machtbereich lösen sich Jugoslawien (1948), Albanien (1961) und China (s. S. 82). Jugoslawien gewinnt zwar früh Hilfe aus dem Westen, nähert sich aber nach Stalins Tod wieder der UdSSR gegen die Zusicherung des „Rechts auf einen eigenen Weg zum Sozialismus". Ungarn will 1956 das gleiche durch eine Revolution erreichen. In Polen und in der DDR richten sich die Aufstände gegen zu hohe Arbeitsnormen und die kommunistischen Regierungen (1953). Sie werden wie die Liberalisierungsversuche in der ČSSR („Prager Frühling") militärisch niedergeworfen. In der Folge erlangen nur Polen und Rumänien selbständige Westkontakte. b) Die „Eindämmung" wird unterhöhlt durch Maos Sieg in China, die Lockerung von NATO und SEATO, den Vietnam-Krieg sowie inneramerikanische Nöte.

77 Europa zwischen den Machtblöcken

Europa ist durch den Krieg weithin zerstört. Seine schon im I. Weltkrieg angeschlagene Vormachtstellung hat es an die beiden Weltmächte verloren und wird zu deren militärischem Vorfeld und politischer Einflußsphäre. Demgemäß werden die Staaten Ost- und Ostmitteleuropas sowjetisiert. RGW verbindet sie wirtschaftlich mit der UdSSR, sie erholen sich aber nur langsam. Die Staaten Westeuropas kehren zum parlamentarischen System zurück, Ausnahmen bilden Portugal bis 1974 und Spanien bis 1975. Griechenland wird von 1967—1974 diktatorisch regiert. Wirtschaftlich gesundet Westeuropa infolge des Marshall-Plans und supranationaler Organisationen.

1946/49	Labourregierung Attlee, Sozialisierungsgesetze
1951	Montanunion der Sechs
1957	EWG — Römische Verträge
1958	de Gaulle Präsident der 5. Republik. Algerienkrise beendet
1969	de Gaulles Rücktritt
1973	Eintritt Großbritanniens, Irlands und Dänemarks in die EG
1974	19. 5. Giscard d'Estaing Staatspräsident

1 *Warum wird de Gaulle Frankreichs Staatspräsident? Wie entwickelt sich die 5. Republik?* **2** *Welche Probleme beherrschen die Politik Englands nach 1945?* **3** *Warum und wie kommt es zur Einigung Westeuropas?* **4** *In welchen beiden Phasen entwickelt sich im allgemeinen das Herrschaftssystem der Ostblockstaaten? Wodurch wird es befestigt?*

1 Frankreich wird wegen seiner Résistance und der Exilregierung de Gaulles im II. Weltkrieg als Siegermacht anerkannt. Die Verfassung der „4. Republik" führt infolge Vielparteiensystem, Verhältniswahlrecht und absolutem Mißtrauensvotum zu schnell wechselnden Regierungskoalitionen. Außerdem belasten die Unabhängigkeitskämpfe der Kolonien seine Entwicklung. 1954 verliert Frankreich Indochina. Der Aufstand Algeriens löst eine Staatskrise aus; da es als Teil des Mutterlandes galt, wollen weite Teile der Bevölkerung seine Unabhängigkeit nicht hinnehmen. Dennoch gelingt de Gaulle ein Verständigungsfrieden. Er gibt Frankreich eine neue Verfassung mit starker Spitze und wird selbst Staatspräsident. Eine Währungsreform und wachsende wirtschaftliche Erfolge nützt er zu aktiver Außenpolitik. Er setzt sein „Europa der Vaterländer" gegen die „europäische Integration", löst seine Armee aus der NATO, entwickelt eine eigene Strategie (force de frappe) und verhindert die Aufnahme Englands in die EWG. Er nimmt Kontakte mit dem Ostblock, vor allem mit der UdSSR und der VR China auf und kehrt gegen den Willen der USA zum Goldstandard zurück. Nach schweren inneren Unruhen im Mai 1968 scheitert ein Plebiszit über Verfassungsfragen. de Gaulle tritt zurück. Unter seinem Nachfolger Pompidou verlieren die gaullistischen Parteien ihre

Mehrheit. Giscard d'Estaing siegt in der Stichwahl über Mitterands Volks-front, hat aber um so mehr gegen deren Stimmenzuwachs zu kämpfen, als die Inflation ansteigt. Innere Reformen werden nötig. In Währungsfragen sucht Frankreich Zusammenarbeit mit der Bundesrepublik.

2 Die Labourregierung Attlee verstaatlicht die Bank von England, die Schwerindustrie und das Versicherungswesen, führt Unfall- und Alters-renten ein sowie den National Health Service, eine für alle kostenlose Gesundheitsfürsorge. Die Kosten dieser Sozialpolitik, Kriegsfolgen, die Los-. lösung der Kolonien und Rüstungslasten erschweren die wirtschaftliche Lage. Außenpolitische Mißerfolge (Suez-Krise, Scheitern der Aufnahme in die EG) vermindern das politische Gewicht Englands. Pfundabwertun-gen und Streiks, schwache Mehrheiten, häufige Neuwahlen, zunehmende Konfrontation der beiden großen Parteien und die Krise um Nordirland schädigen Regierungsautorität und Staatsansehen. Wegen des Streits um den EG-Eintritt führt die Labourregierung Wilson das Plebiszit ein. Auch unter Callaghan ist die Labourregierung mehrfach auf die Liberalen an-gewiesen. Sparprogramme, Inflationsanstieg und Stimmengewinne der Konservativen bedrohen die Regierung. Umfangreiche Ölfunde in der Nordsee verheißen Wirtschaftsaufschwung.

3 Der II. Weltkrieg hat Nationalismus und Nationalstaat fragwürdig ge-macht. Der Zusammenschluß der westeuropäischen Staaten macht Kriege zwischen ihnen unmöglich und gibt Europa wieder weltpolitisches Ge-wicht. Der 1948 gegründete Europarat hat durch Ministerrat und Parla-ment in wirtschaftlichen und sozialen Fragen beratende Funktion. Die Montanunion von Frankreich, Bundesrepublik, Italien und Benelux schafft 1951 ein einheitliches Wirtschaftsgebiet für Kohle und Stahl. Ihr Wei-sungsrecht und Gerichtshof beschränkt die Souveränität der Mitglieder (Investitionslenkung, Erzeugungsprogramme). Der Gemeinsame Markt der Sechs schafft in Ministerrat und Kommission weisungsbefugte Instan-zen (Preise, Währung). Den Ausbau zum Bundesstaat, für das Militär-wesen begonnen 1949 mit dem Brüsseler Pakt, sollen allgemeine Wahlen zu einem gemeinsamen Parlament 1979 (jetzt 9 Mitglieder) fördern.

4 a) „Antifaschistische" Koalitionsregierungen (Volksfront) von der KP ge-leitet. Verstaatlichung der Großbetriebe, Aufteilung des agrarischen Groß-besitzes auf Kleinbetriebe. b) Die Nichtkommunisten werden aus der Re-gierung verdrängt, die KP-Hierarchie setzt sich durch. Privatwirtschaft-liche Reste, auch die neugeschaffenen Kleinbauernhöfe, werden „Gemein-eigentum". RGW und Warschauer Pakt verbinden die Ostblockstaaten wirtschaftlich und militärisch. Breschnews Doktrin von der „begrenzten Souveränität der Paktstaaten" befestigt die Macht der UdSSR weiter.

Die bedingungslose Kapitulation vom 8. Mai 1945 stellt das deutsche Volk vor einen völligen Neubeginn. Es hat nur die Hoffnung auf das Wort der Sieger, nach dem ihm unter gewissen Voraussetzungen das Recht auf Gestaltung seiner politischen und sozialen Ordnung in Freiheit zuteil werden soll. Wie 1918 muß eine deutsche Demokratie aus einer Niederlage heraus entwickelt werden, aber unter noch schwierigeren Bedingungen. Ganz Deutschland ist besetzt, das Reich zerschlagen, die politische Führung abgesetzt. Millionen von Flüchtlingen und aus den Ostgebieten Vertriebener, durch den Bombenkrieg Obdachlose, zerstörte Städte, demontierte Industrieanlagen sowie ein jäher Währungsverfall machen die wirtschaftliche Gesundung zur Hauptaufgabe. Voraussetzung dafür ist eine Währungsreform. Schon dabei zeigt sich der Gegensatz zwischen den Siegermächten. Infolgedessen entstehen zwei Wirtschaftsgebiete mit verschiedenen Währungen — Ansätze zu zwei Staatsbildungen, die sich als stärker erweisen als der Wille zur Wiedervereinigung.

1945	Potsdamer Konferenz
1945/46	In den vier Besatzungszonen politische Parteien lizensiert
1946	In der SBZ Zusammenschluß von KPD und SPD zur SED
1946/47	Kommunalwahlen, Landtagswahlen, Länderverfassungen
1947	Vereinigung der britischen mit der US-Zone
	Deutscher Volkskongreß in der SBZ
1948	Bank Deutscher Länder, Parlamentarischer Rat in Bonn, Marshall-Hilfe für die Westzonen, Ausscheiden der UdSSR aus dem alliierten Kontrollrat, Währungsreform, Blockade der Westsektoren Berlins

1 *Was wird 1945 aus dem Reichsgebiet?* **2** *Was verfügt die Potsdamer Konferenz?* **3** *Wie entwickeln sich die politischen Parteien?* **4** *Wie konsolidiert sich die politische Ordnung a) in den Westzonen, b) in der Ostzone?* **5** *In welchem Zusammenhang stehen Währungsreform und erste Berlin-Krise?* **6** *Wie stehen die Siegermächte zur Wiedervereinigung?*

1 In den auf der Konferenz von Jalta vereinbarten Besatzungszonen übernehmen die Siegermächte die Regierung. Der Raum ostwärts von Görlitzer Neiße und Oder wird polnischer Verwaltung unterstellt, der Nordteil Ostpreußens der UdSSR übergeben, Preußen aufgelöst. Österreich und ČSR werden in den Grenzen von 1937 wiederhergestellt, Elsaß-Lothringen und die Verwaltung des Saargebietes kommen an Frankreich.

2 Die Aufteilung in die vier Besatzungszonen wird bestätigt, der Alliierte Kontrollrat errichtet. Aus Polen, der ČSR und Ungarn soll eine „geregelte und menschliche Ausweisung der Deutschen" erfolgen. Ein Wiederaufleben des Militarismus sollen Reparationen aus Sachwerten, Demontagen und eine Entnazifizierung (Aufhebung von NS-Gesetzen, Kriegsverbrecherprozesse, Überprüfung ehemaliger NSDAP-Mitglieder) verhindern. Den Verlauf der Ostgrenze soll ein Friedensvertrag festlegen.

3 Die SPD, im Untergrund weitergeführt, vollzieht ihre Neugründung im

Oktober 1945. Mit regionalen Gruppen beginnen CDU (Mai 45), CSU (Okt. 45) und FDP (Dez. 45). Im Mai 1945 gründen in der SBZ Ulbricht und Ackermann, aus der Moskauer Emigration gekommen, die KPD. Deren Verschmelzung mit der SPD zur SED wird von der West-SPD entschlossen abgelehnt. CDU und FDP (LDP) werden als „antifaschistisch" in der SBZ zugelassen.

4 a) Die Westmächte wollen für ihre Zonen einen liberal-demokratischen Föderalismus. Sie schaffen 11 Länder, deren Selbstverwaltung wird von den Kommunen aus aufgebaut. Auf Gemeinde- und Kreiswahlen folgen die zu den Landtagen. Diese bestellen sich als Exekutive 1947 die Länderregierungen zu Nachfolgern der von den Alliierten eingesetzten Behörden. 1948 werden britische und US-Zone vereint, die französische darf sich 1949 anschließen. Die Errichtung der Bank Deutscher Länder und der als verfassunggebende Versammlung einberufene Parlamentarische Rat bereiten die Gründung eines westdeutschen Staates vor. b) Die UdSSR will eine Organisation ihrer Zone zu einer zentralistisch regierten Volksdemokratie als Vorbereitung auf das sowjetische System. Die „Prinzipien des Arbeiter- und Bauernstaates" fordern eine neue Ordnung von Wirtschaft und Gesellschaft. Eine Bodenreform enteignet Grundbesitz über 100 ha zugunsten von Kleinbetrieben, Industriebetriebe von mehr als 50 Mitarbeitern werden „volkseigen". Die anderen bleiben zunächst in Privatbesitz. Die gemäß Potsdamer Konferenz geschaffenen 5 Länder werden schon 1947 in 11 Verwaltungsbereiche umgegliedert (Fachministerien). Da im selben Jahr der Deutsche Volkskongreß gewählt wird, ist auch in der SBZ die Gründung eines Staates vorbereitet.

5 Ein wirtschaftlicher Zusammenschluß der vier Zonen soll Deutschland lebensfähig und zum Handelspartner machen. Die UdSSR bindet aber ihre Zustimmung an eine Vier-Mächte-Kontrolle über das Ruhrgebiet. Die Westmächte lehnen ab und beschließen für ihre drei Zonen Marshall-Hilfe. Den über eine Währungsreform beratenden Kontrollrat verläßt die UdSSR. Darum verfügen die Westmächte eine solche Reform für ihre drei Zonen (20. 6.). Die UdSSR folgt am 23. 6. mit eigener Währung für die SBZ. Da sie Berlin ihrer Zone einverleiben will, soll die Ost-Währung auch in West-Berlin gelten. Darum verhängt die UdSSR die Blockade über West-Berlin. Sie scheitert an dem Widerstandswillen der Bevölkerung und der Versorgung der Stadt über eine Luftbrücke der Alliierten.

6 Die UdSSR besteht auf einer Anerkennung „zweier deutscher Staaten" und Wiedervereinigung in Form einer Konföderation. Die Westmächte erkennen zu dieser Zeit einen ostdeutschen Staat nicht an und binden die Wiedervereinigung an freie, international überwachte Wahlen. Jede der Mächte fürchtet den Anschluß eines wiedervereinigten Deutschlands an das politische und ideologische System der anderen.

Jeder der beiden auf dem Boden Restdeutschlands entstandenen Staaten begreift sich zunächst als Keimzelle eines gesamtdeutschen Staates. Im gleichen Maße aber, in dem ihr Aus- und Aufbau voranschreitet, wachsen die ideologischen und strukturellen Verschiedenheiten, gefördert durch den Kalten Krieg. An die Stelle des Strebens nach Wiedervereinigung tritt das Mühen um ein friedliches Nebeneinander.

1949	Bundesrepublik Deutschland und Deutsche Demokratische Republik gegründet
17. 6. 1953	Aufstand in der DDR
1954	UdSSR erkennt die DDR als souveränen Staat an
1955	Bundesrepublik Deutschland souverän
1956	Wehrgesetze in beiden deutschen Staaten
1957	Rückgliederung des Saarlandes an die Bundesrepublik
1959	Godesberger Programm der SPD
1960	Zwangskollektivierung, Landwirtschaftliche Produktionsgenossenschaften in der DDR
1961	Errichtung der Mauer in Berlin
1963	Rücktritt Adenauers, Regierung Erhardt
1966	Große Koalition — Regierung Kiesinger—Brandt (CDU/CSU — SPD)
1968	Notstandsgesetze in der Bundesrepublik, neue Verfassung der DDR

1 Welche entscheidenden Merkmale hat die Verfassung der DDR? 2 Welche entscheidenden Merkmale hat das Grundgesetz der Bundesrepublik? 3 Wie gestaltet sich die wirtschaftliche und wie die außenpolitische Entwicklung der DDR? 4 Wie entwickeln sich Außenpolitik und Wirtschaft der Bundesrepublik bis 1966? 5 Welche Rolle spielt die SPD in der Opposition, und wie kommt es zur Großen Koalition und ihrer Politik?

1 Die DDR ist die „politische Organisation der Werktätigen", die „unter Führung der Arbeiterklasse und ihrer marxistisch-leninistischen Partei den Sozialismus verwirklichen". Damit sind Politbüro und Zentralkomitee der SED gemeint, aber nicht genannt. Die zentralistische Verfassung beruht auf Gewaltenvereinigung. Die nach Einheitsliste gewählte Volkskammer übt Legislative wie Exekutive aus und kontrolliert die Richter, doch werden ihre Funktionen zwischen den seltenen Tagungen vom Staatsrat bzw. von dessen Vorsitzenden ausgeübt. Er hat den Oberbefehl im Verteidigungsfall. Bei Dringlichkeit darf er ihn erklären. Die Grundrechte gelten „im Rahmen der sozialistischen Gesetzlichkeit und Rechtssicherheit". Die allgemeine Wehrpflicht anerkennt kein Recht auf Wehrdienstverweigerung. Es gibt weder Streikrecht noch Tarifautonomie, wohl aber die Todesstrafe.

2 Der freiheitlich-rechtsstaatliche Charakter der Bundesrepublik zeigt sich in der Nachprüfbarkeit aller Gesetze, Verordnungen und selbst Prüfungen durch die Gerichte, der föderalistische in der starken Stellung des Bundesrates. Der indirekt gewählte Bundespräsident ist nur Repräsentant. Für den Bundestag gilt ein modifiziertes Verhältniswahlrecht. Der Kanzler hat besondere Autorität durch die Richtlinienkompetenz, das Recht, die Minister zu berufen, sowie das konstruktive Mißtrauensvotum. Zur Stabilität der Regierungen (in 25 Jahren 5 Bundeskanzler) trägt die 5%-Klausel bei. Koalitions-, Streikrecht und Tarifautonomie garantieren freie Gewerkschaften. Das Recht auf Wehrdienstverweigerung aus Gewissensgründen beschränkt die allgemeine Wehrpflicht, die Todesstrafe ist abgeschafft. Die Grundrechte sind als unmittelbar geltendes Recht geschützt, die Parteien als Instrumente der politischen Willensbildung anerkannt.

3 Die DDR setzt die von der UdSSR begonnene Umformung der Gesellschaft fort. Planwirtschaftliche Produktionsgesellschaften nach sowjetischem Muster verdrängen die Privatwirtschaft. Die DDR gehört der RGW an, empfängt aber kaum wirtschaftliche Hilfe von außen. Ihr Aufstieg zum wichtigsten Handelspartner der UdSSR ist nur möglich durch hohe Plansollforderungen an den Bürger. Darum erheben sich am 17. 6. 1953 die Arbeiter Berlins, der Aufstand breitet sich aus und wird mit sowjetischen Truppen niedergeworfen. Die Massenflucht findet durch den Bau der Mauer ein Ende. Außenpolitisch ist die DDR eng an den Ostblock gebunden. Sie erkennt 1950 die Oder-Neiße-Linie als Grenze an, schließt Freundschaftspakte mit ČSSR, Bulgarien, Ungarn und Rumänien und tritt 1955 dem Warschauer Pakt bei. Ihre Volksarmee nimmt 1968 am Einmarsch in die ČSSR teil. Bedeutendster Politiker ist Ulbricht (gest. 1973). Er verhindert eine Entstalinisierung der DDR.

4 Bis 1966 bildet die Union, die 1957 die absolute Mehrheit erringt, Koalitionsregierungen mit kleineren Parteien. So kann Adenauer mit sicheren Mehrheiten die Bundesrepublik an die Westmächte binden. Er erlangt 1955 die durch alliierte Vorbehaltsrechte zum Schutz ihrer Truppen eingeschränkte Souveränität um den Preis der Wiederbewaffnung, 1957 Rückgliederung des Saargebiets. Erhardts soziale Marktwirtschaft, Marshall-Hilfe und der Aufbauwille aller befähigen die Wirtschaft, die schweren Kriegsfolgelasten zu tragen, am Welthandel fördernd teilzunehmen und in Montanunion, EWG und Euratom gleichberechtigt mitzuwirken.

5 Die SPD, deren Wählerzahl zunimmt, lehnt die Bindung an die Westmächte als Hindernis für die Wiedervereinigung ab, ebenso die Wiederbewaffnung. Ihr Godesberger Programm rückt vom Marxismus ab und macht sie zur Volkspartei. So kann die SPD 1961 die absolute Mehrheit der CDU brechen. Wegen einer Wirtschaftskrise und Erhardt verläßt die FDP die Regierung. Eine Koalition der Union mit der SPD (Regierung Kiesinger—Brandt) überwindet die Rezession und schafft mit ihrer Mehrheit die Notstandsgesetze, um alliierte Vorbehaltsrechte abzulösen. Wie die USA hat schon Erhardt den Ausgleich mit dem Osten angestrebt, die Große Koalition setzt dies energisch fort („Wandel durch Annäherung"), um die Entspannung zu fördern.

Die 1. sozial-liberale Regierung Brandt—Scheel setzt die von Brandt als Außenminister der Großen Koalition gemäß dem gewandelten Willen der Westmächte begonnene Ostpolitik fort. So bleibt die Deutschlandpolitik zunächst gemeinsame Basis aller Bundestagsfraktionen. Diese wird während der Ostverhandlungen verlassen. Das Verhältnis zwischen Koalition und Opposition wandelt sich auch wegen der Inflation zu einer Gegnerschaft wie in der Zeit der Westorientierung der Politik Adenauers.

1969	Bundestagswahl, 1. sozial-liberale Koalition Brandt—Scheel
1970	Vertrag von Moskau zwischen UdSSR und Bundesrepublik
1971	Viermächteabkommen über Berlin
1972	Mißtrauensantrag der Union gegen Brandt, Bundestagswahl, Ostverträge, 2. sozial-liberale Koalition
1973	Grundvertrag mit der DDR in Kraft, Urteil des Bundesverfassungsgerichtes über den Grundvertrag, beide deutsche Staaten in den UN
1973/74	Energiekrise
1974	Spionagefall Guillaume, Rücktritt Brandts, Scheel Bundespräsident, Regierung Schmidt—Genscher
1976	Bundesratsmehrheit der Union (Regierungswechsel in Niedersachsen), Mitbestimmungsgesetz, Bundestagswahl, Bundesrepublik im Weltsicherheitsrat, 2. Regierung Schmidt-Genscher
1977	Morde an Buback, Ponto und Schleyer. Mogadischu

1 Warum wird der Bundestag 1972 vorzeitig aufgelöst? 2 Was enthält der Vertrag zwischen Bundesrepublik und UdSSR? 3 Welchen Inhalt hat das Vier-Mächte-Abkommen? 4 Welchen Inhalt hat der deutsch-polnische Vertrag vom 4.11.71? 5 Was enthält der Grundvertrag zwischen Bundesrepublik und DDR? 6 Warum kommt es zu einem Urteil des Bundesverfassungsgerichtes über den Grundvertrag? Was enthält es? 7 Wie beurteilt die Opposition die Verträge, wie die Koalition? 8 Welche Hauptprobleme beschäftigen die deutsche Innenpolitik der Zeit der sozialliberalen Koalition?

1 Die SPD/FDP-Koalition verliert ihre knappe Mehrheit, da einige ihrer Abgeordneten zur Opposition übertreten. Ein Mißtrauensantrag gegen Brandt scheitert. Die Stimmengleichheit von Koalition und Opposition nötigt den Kanzler, die Bundestagsauflösung auf dem Umweg über die Vertrauensfrage zu ermöglichen. Neuwahlen bringen der Koalition eine große Mehrheit. Die SPD ist erstmals stärkste Bundestagsfraktion. Im Bundesrat hat die Union eine knappe Mehrheit. Dies und innere Spannungen in der SPD belasten die Regierung. Ölkrise und Inflation komplizieren die Wirtschaftslage. Infolge des Spionagefalls Guillaume tritt Brandt zurück. Helmut Schmidt bildet die neue Regierung mit Genscher.

2 Gewaltverzicht um des Friedens und der Entspannung willen, Achtung der uneingeschränkten Integrität aller Staaten Europas in ihren jetzigen, unverletzlichen Grenzen einschließlich der Oder-Neiße-Linie und der Grenze zwischen den beiden deutschen Staaten. Ein Zusatzbrief Brandts erklärt, der Vertrag widerspreche nicht dem Ziel der Bundesrepublik, „auf einen Zustand hinzuwirken, in dem das deutsche Volk in freier Selbstbestimmung seine Einheit wiedererlangt".

3 Die Vier Mächte behalten sich im Falle einer UN-Mitgliedschaft der Bundesrepublik und der DDR alle ihre Rechte und Verbindlichkeiten vor. Die UdSSR wird den zivilen Transitverkehr zwischen Westberlin und der Bundesrepublik erleichtern. Die Bindungen zwischen ihnen sollen „aufrechterhalten und entwickelt" werden. Westberlin ist kein konstitutiver Teil der Bundesrepublik und wird nicht von ihr regiert, aber seine Interessen werden im Ausland von der Bundesrepublik wahrgenommen.

4 Die Bundesrepublik und Polen werden gegeneinander keine Gebietsansprüche erheben. Die Oder-Neiße-Linie ist die West-Grenze Polens. Die bestehenden Grenzen sollen unverletzlich bleiben.

5 1. Grundlegende Regelung des Verhältnisses zwischen beiden Staaten; 2. „Gutnachbarliche Beziehungen" zwischen Gleichberechtigten; 3. Unverletzlichkeit der gemeinsamen Grenze; 4. Keiner von beiden kann den anderen vertreten oder „in seinem Namen handeln"; 5. Förderung friedlicher Beziehungen zwischen den Staaten Europas, Rüstungsminderung ohne „Nachteile für die Beteiligten"; 6. Normalisierung durch Regelung humanitärer und praktischer Fragen; 7. Austausch ständiger Vertretungen. Zusatzprotokolle, Erklärungen und Briefwechsel werden beigefügt.

6 Bayern beantragt ein Normenkontrollverfahren gegen den Vertrag. Urteil: Der Vertrag sei mit dem Grundgesetz vereinbar, zwar löse er die deutsche Frage nicht endgültig, biete aber eine Möglichkeit zur Wiederherstellung Deutschlands in freier Selbstbestimmung, auch sei die DDR für die Bundesrepublik kein Ausland. Wohl sei er ein völkerrechtlicher Vertrag, enthalte aber interne deutsche Fragen.

7 Opposition: Der Vertrag verstoße gegen das Grundgesetz (Alleinvertretung, Wiedervereinigung), erkenne die DDR und die Oder-Neiße-Linie an, nehme den Friedensvertrag vorweg. Ihm fehle eine klare Stellungnahme gegen die sowjetische Drei-Staaten-Theorie, er sichere Westberlin nicht ausreichend. Koalition: Die Opposition habe ihre Thesen seit 20 Jahren fruchtlos postuliert, jetzt aber werde der Friede sicherer, ebenso Westberlin und die Zufahrtswege. Menschliche Erleichterungen seien erreicht (Besucherregelung, grenznaher Verkehr, Tourismus in die DDR).

8 Reform des § 218 (Schwangerschaftsunterbrechung), Herabsetzung des Wahlalters sowie der Wehrdienstzeit, Mitbestimmung, Terrorismus (Ermordung von Drenckmann, Buback, Schleyer; Geiselnahmen). Als Folge von Ölkrise und Inflation Arbeitslosigkeit und Renten- sowie Steuerreform. Zunahme der Wehrdienstverweigerung, Rechts- und Linksradikale im öffentlichen Dienst.

81 USA, UdSSR — Annäherung und Entspannung

Die Kubakrise birgt die Gefahr eines dritten Weltkrieges. Nachdem die Supermächte eine friedliche Lösung gefunden haben, suchen sie nach weiterer Entspannung. Die Eindämmung der Aktivitäten des Ostblocks durch die USA hat an Kraft verloren; die UdSSR hat zwar ihre Stellung militärisch und politisch ausgebaut, ringt aber mit der VR China um die Führung des Weltkommunismus. So kommt die Abrüstungskonferenz in Genf wieder in Gang, weitere Konferenzen zur Friedenssicherung folgen.

1963	Atomteststopabkommen in Moskau unterzeichnet
1968	Atomsperrvertrag unterzeichnet (1. 7.)
1969	Beginn von SALT in Helsinki
1972	Nixon in Moskau; SALT I unterzeichnet
1973	17. 6. Breschnew in Washington
1973	3. 7. 73—2. 8. 75 KSZE-Konferenz in Helsinki u. Genf
1974	23./24. 11. Breschnew und Ford in Wladiwostok
1976	Vertrag zwischen SU und USA über beschränktes Verbot unterirdischer Kernwaffenversuche
1977	4. 10.—9. 3. 78 KSZE-Folgetreffen in Belgrad

1 *Was enthalten das Teststopabkommen und der Atomsperrvertrag?*
2 *Was heißt SALT? Worum geht es bei SALT I und dem geplanten SALT II?* 3 *Was enthält die Schlußerklärung Breschnews und Nixons in Moskau?* 4 *Inwiefern setzt Breschnews Besuch in den USA die Entspannungspolitik fort?* 5 *Wie kommt es zur KSZE, welche Empfehlungen enthält die Schlußakte, welche Folgen haben sie?*

1 Das Atomteststop-Abkommen ist erstes Ergebnis der 1945 wieder eröffneten Abrüstungskonferenz in Genf. Wieder erklären USA, England und SU eine vollständige, kontrollierte Abrüstung als ihr Ziel. Zunächst erfolgt nur ein Verbot von oberirdischen Kernwaffenversuchen, den USA-Vorschlag, auch unterirdische zu verbieten, lehnt die SU ab. Den Vertrag nehmen 1963 104 Staaten an, Frankreich und VR China nicht. — Der Vertrag erlaubt nur Atommächten Kernwaffenbesitz. Bedenken der anderen Mächte werden z. T. durch Garantieerklärungen ausgeräumt. 1976 wird ein Verbot unterirdischer Kernkraftversuche nur auf militärische mit einer Sprengkraft über 150 kt TNT begrenzt, da UdSSR und USA sich nicht über ein internationales Kontrollverfahren einigen können.

2 SALT (Strategic Arms Initation Talk = Gespräche über Begrenzung strategischer Waffensysteme). 1969 zwischen USA und UdSSR begonnen; sie finden abwechselnd in Helsinki und Wien statt. Ergebnisse: Abkommen 1. über die Verminderung der Gefahr eines unbeabsichtigten Atomkrieges; 2. Ersatz des „Heißen Drahtes" durch Verbindung über Satelliten; 3. die UdSSR erhält Kredite und Meistbegünstigungen gegen das Versprechen, bis 2001 zwei Drittel der Kriegsschulden zu zahlen. SALT II, in Wladiwostok zwischen Ford und Breschnew vereinbart, soll das 1977 ab-

gelaufene SALT I verlängern und ausbauen. Kernfrage ist Reichweite, Zahl und Verwendbarkeit der US-cruise missiles (Lenkflugkörper) und SU-Backfire (Fernbomber) sowie die Kontrollierbarkeit durch Weltraumsatelliten. Gleichzeitig verhandeln NATO und Warschauer Pakt über Truppenabbau, wobei es um prozentuale (NATO) oder lineare Verminderung der Truppen (Warschauer Pakt) geht. SALT ist keine echte Abrüstung, da beide Mächte erst in Jahren über die hier „begrenzte" Zahl der Waffen verfügen werden.

3 Die Schlußerklärung betrifft das Verhältnis zwischen den Supermächten: 1. Friedliche Koexistenz (enge politische und wirtschaftliche) Zusammenarbeit als Konsequenz des Nuklearzeitalters; 2. Militärische Konfrontation und Nuklearkrieg verhindern; 3. Beziehungen auf der Grundlage der Gleichberechtigung und Gewaltverzicht; 4. Gedankenaustausch und Kontakte der gesetzgebenden Körperschaften; 5. Die Rüstungen begrenzen, allgemeine Abrüstung anstreben, Handels- sowie Wirtschaftsbeziehungen und Verkehrsverbindungen ausbauen; 6. Beide Staaten erkennen die Souveränität und Gleichberechtigung aller Staaten an.

4 In Washington erklären Nixon und Breschnew, durch „Freundschaft und Zusammenarbeit" die internationalen Spannungen vermindern zu wollen. Ein Abkommen über die Verhinderung von Atomkriegen soll unbegrenzt gelten, aber Verpflichtungen beider Staaten gegenüber anderen Mächten nicht beeinträchtigen. Ferner Abkommen über Verhandlungen zur Rüstungsbegrenzung, friedliche Nutzung der Kernenergie, Verkehr, Kulturaustausch, Steuerfragen, Landwirtschafts- und Meeresforschung.

5 Seit 1954 wird im Ostblock eine Konferenz für Frieden, Sicherheit und Zusammenarbeit in Europa (KSZE) gefordert. 1968 regt der NATO-Rat eine solche über Truppenabbau an. Nach Vorverhandlungen und infolge des Einmarsches der Warschauer-Pakt-Truppen in der CSSR beginnen die Vorbereitungen erst nach der Unterzeichnung der Ostverträge der Bundesrepublik. Über Truppenabbau aber, schon bei SALT einer Sonderkonferenz zugewiesen, wird gegen den Willen der Bündnisfreien nicht verhandelt. Teilnehmer sind alle Staaten Europas, Kanada und USA. Die Schlußakte (1975) enthält Empfehlungen über Gewaltverzicht, Integrität der Grenzen und Staaten, friedliche Regelung von Streitigkeiten, Nichteinmischung in innere Angelegenheiten, Achtung der Menschen- und Grundrechte, Selbstbestimmungsrecht und Gleichberechtigung der Völker. In der Frage der Grundrechte (v. a. Informationsfreiheit) setzten sich die westlichen Staaten schließlich durch. Seitdem berufen sich Systemkritiker des Ostblocks auf die KSZE. Ein Zusatzdokument über vertrauensbildende Maßnahmen fordert u. a. vorherige Ankündigung und Öffentlichkeit von Großmanövern. Das 1. Folgetreffen gilt dem Erfahrungsaustausch, das 2. ist für 1980 in Madrid geplant.

82 China

Die Errichtung der VR China beendet den fast 50jährigen Bürgerkrieg, verstärkt den Ostblock um (damals) 450 Mio. Menschen, schwächt die Stellung der USA in Asien und verändert 20 Jahre später die Weltlage völlig. Wirken und Wirkung Maos machen China zur 3. Weltmacht und zum Nebenbuhler der SU im Weltkommunismus. So kommt es zunächst zum Streit um früher chinesische Gebiete Rußlands. Die Übernahme des ständigen Sitzes im Weltsicherheitsrat durch die VR China und Westkontakte bringen eine Wende in den Beziehungen der Supermächte zueinander. Auch nach Maos Tod setzt die VR China ihre aktive Außenpolitik fort.

1911	Sturz des Kaisertums durch die Kuo Min-Tang
1937	Japan überfällt die Mandschurei, japanisch-chinesischer Krieg
1941	Krieg Japans gegen die USA, USA kämpft in China
1945	Abzug der Japaner, Bürgerkrieg Maos gegen Tschiang Kai Schek
1949	Sieg Maos, VR China, Nationalchina auf Formosa
1965	1. chinesische Atombombe
1966	Maos Große Proletarische Kulturrevolution
1967	1. chinesische H-Bombe
1969	chinesisch-russischer Zusammenstoß am Ussuri
1971	VR China in den UN, ständiger Sitz im Sicherheitsrat
1972	Nixon in Peking
1976	Maos Tod, Nachfolger Hua Kuo Feng
1978	Handelsabkommen mit der EWG, Friedensvertrag mit Japan; erster Besuch eines chines. Staatsoberhaupts in Persien

1 *In welchen drei Phasen vollzieht sich die chinesische Revolution?*
2 *Welches sind Maos innenpolitische Maßnahmen?* **3** *Welche Ziele hat Maos Außenpolitik, und wie gestaltet sich ihr Verhältnis zur UdSSR?*
4 *Wie gestaltet sich das Verhältnis zwischen China und den USA?*
5 *Was versteht Maos Nachfolger unter „der neuen großen Revolution", und woran wird sein Kurs deutlich?*

1 a) 1911—1921: die sozialreformerische Kuomintang (KMT) kann wohl die Dynastie stürzen, aber die Herrschaft des reichen Großbürgertums erst 1921 mit Hilfe der UdSSR und der kleinen KP verdrängen. b) 1921—1937: Die KMT ringt die KP nieder, löst sich vom Einfluß der UdSSR, verschiebt aber die notwendige Agrarreform. c) 1937—1949: Das Vordringen Japans in der Mandschurei und Nordchina eint KP, bisher von Japan gestützt, und KMT in der Verteidigung, obwohl Japan bisher die KP gestützt hatte. Nach Japans Eintritt in den II. Weltkrieg tragen USA in China die Hauptlast des Kampfes, während KP und KMT innenpolitische Positionen ausbauen. Nach dem Waffenstillstand beginnt der Bürgerkrieg. Die Verschleppung der Bodenreform durch die KMT und den Marxismus-Leninismus nutzt Mao, um die Bauern für seinen „großen Sprung" zu gewinnen.

2 Mao macht mit finanzieller und technischer Hilfe der SU das Agrarland in radikaler Revolution zum Industriestaat. Er verstaatlicht die Wirtschaft, kollektiviert die Kleinbauernstellen, schafft 1958 Volkskommunen. Die völlige Beseitigung der Privatwirtschaft gelingt nicht. Um der Rüstung willen nimmt China an der Kernforschung teil. Die „Große Proletarische Kulturrevolution" soll die Dynamik der Revolution erhalten und den starken Traditionalismus (Sitte, Familie, Ahnenkult), 1974 mit der 2. Welle den Konfuzianismus beseitigen. Die Unterbrechung von 1969 fordern Heer und ZK wegen schädlicher außenpolitischer Folgen.

3 Außenpolitisch will Mao Machtausweitung. Sein Anspruch auf China in der Zarenzeit entrissene Gebiete (Mongolei, Ostturkestan, an Amur und Ussuri) gipfeln im militärischen Zusammenstoß mit der SU. Ideologisch erhebt Mao Führungsanspruch. Gegen die Thesen der SU (friedliche Koexistenz mit dem Westen, Ausbreitung des Sowjetismus auf parlamentarischem Wege, Vermeidung von Kriegen), setzt Mao auf permanente Revolution, revolutionäre Bürgerkriege, Befreiungsbewegungen in nichtkommunistischen Ländern („Dogmatismus") nach dem Vorbild der Kulturrevolution.

4 Der Kalte Krieg und die Korea-Frage trennen Mao und USA. Diese verbinden sich mit Tschiang Kai Schek gegen Maos Bündnis mit der SU. 1954 beginnen die USA infolge der russisch-chinesischen Spannungen Botschaftergespräche mit der VR China. 1. Ergebnis ist die Lockerung des US-Handelsverbotes. Diplomatische und sportliche Kontakte und die Aufnahme der VR in die UN folgen. 1972 bekennen sich Nixon und Mao gegen dessen ideologisches Konzept in Peking zu friedlicher Koexistenz, normalisierten Beziehungen, gegen militärische Konflikte und Hegemonie in Asien. Nixon erkennt die Zugehörigkeit Formosas zur VR an. Danach verhärtet sich Mao gegen die SU („faschistische Diktatur", Breschnew „Sozialimperialist", sowjetische Diplomaten als Spione ausgewiesen), lobt die NATO und sucht wirtschaftliche wie politische Kontakte mit der Bundesrepublik.

5 a) Hua will einen „modernen, mächtigen, sozialistischen Staat" China, den die „Beachtung der ökonomischen Gesetze" und nicht mehr die „Launen der oberen Zehntausend" lenken. Bessere Rechtsnormen sollen die demokratischen Rechte der Bevölkerung sichern. b) Politische Massenkundgebungen sind abgeschafft, jedem 3 Tage Jahresurlaub, Recht auf öffentliche Kritik in Wandzeitungen und farbige Kleidung (statt des einförmigen Mao-Blau) sind erlaubt. c) Außenpolitisch baut Hua die antisowjetische Position aus: verstärkte Zusammenarbeit mit dem Westen (u. a. mit der Bundesrepublik), Friedensvertrag mit Japan, Lob für die NATO, da Hua den 3. Weltkrieg für unvermeidlich hält, Zusammenarbeit mit Thailand und Kambodscha.

83 Vietnam

Seit dem 17. Jh. missionieren französische Jesuiten in Indochina. Innere Wirren sowie zeitweise Schwächungen Chinas schaffen ein Machtvakuum. Frankreich, Beschützer der katholischen Dynastie gegen Aufstände, wird zum Kolonialherrn von Vietnam. Dieses befreit sich 1954, gerät in die weltpolitische Spannung zwischen Ost und West, und, 1975 kommunistisch geworden, in die zwischen Moskau und Peking.

1787	Vertrag von Versailles zwischen Frankreich und Indochina
1802—1902	Erweiterung des franz. Einflusses zur Herrschaft
1945	Ho Chi Minh ruft die Republik Vietnam aus
1946	Vietnam und Cochinchina unabhängige Glieder der Franz. Union; Ho Chi Minh ruft zum Kampf gegen Frankreich auf
1954	Indochina-Konferenz in Genf beendet den 1. Indochina-Krieg
1956	Beginn des 2. Indochina-Krieges
1964	Zusammenstoß der Flotten von USA und Nordvietnam im Golf von Tongking
1968	Beginn der Friedensgespräche in Paris
1973	Waffenstillstand — Beginn neuer Kämpfe — Friedensnobelpreis für Kissinger (USA) und Le Duc Tho (Nordvietnam)
1975	Großoffensiven gegen Südvietnam und Kambodscha. Bedingungslose Kapitulation beider Staaten und von Laos.
1976	Vietnam durch Einverleibung des Südteils wiedervereinigt
1978	Freundschafts- und Kooperationsvertrag Vietnams mit der SU

1 Warum entstehen Unruhen gegen Frankreich? 2 Inwiefern fördert der II. Weltkrieg das indochinesische Freiheitsstreben? 3 Wie kommt es zum 1. Indochinakrieg, welche Ergebnisse hat er, was beschließt die Genfer Konferenz? 4 Warum entsteht der 2. Indochinakrieg? 5 Wie vollziehen sich Eskalation und Friedensbemühungen? 6 Was enthält der Waffenstillstandsvertrag? 7 Wie entwickeln sich die Verhältnisse weiter?

1 Die ertragreichen Deltasiedlungen sind privilegierten Vietnamesen und Franzosen, Handel und Gewerbe Chinesen vorbehalten. Die Kleinbauern, zum Mindestkonsum von Alkohol und Opium gezwungen, verelenden. Unterdrückung, Konzentrationslager und Verbannung dezimieren die mit den Idealen von 1789 vertraute Oberschicht. Der Sieg Japans über Rußland (1905) und das Ausbleiben von Reformen ermutigen zum Widerstand. Von Kuomintang und Kommunisten geschulte Emigranten gewinnen mit nationalistischen Thesen auch Gemäßigte.

2 Infolge des Gegeneinanders von Vichy-Regierung und Exil-Regierung de Gaulles kooperieren Kolonialfranzosen und Ho Chi Minhs Befreiungsfront. 1945 überlassen die abziehenden Japaner den Vietminh ihre Waffen. Ho Chi Minh ruft die Republik Vietnam aus.

3 a) Chinesische Truppen sollen das Land von Japanern säubern. Sie gehen gewalttätig vor. Darum erkaufen Ho Chi Minh und französische Truppen ihren Abzug. Vietnam und Cochinchina werden in die Franz. Union aufgenommen. Die Vietminh eröffnen den Partisanenkrieg, erzwingen, im Dschungelkrieg überlegen, die Kapitulation von Diem-Bien-Phu. b) Die vier Siegermächte (VR China, Laos, Kambodscha, Nord- und Südvietnam) beschließen: Waffenstillstand; Laos und Kambodscha unabhängig, sollen die KP ihrer Länder integrieren. Vietnam, am 17. Breitengrad geteilt, soll am 26. 7. über ein gemeinsames Regierungssystem abstimmen.

4 Diem, Staatschef Südvietnams, lehnt die Volksabstimmung ab. Nordvietnam werde die Wahl fälschen, sein Mehr an Volkszahl (1,7 Mio) nützend, eine Gefahr für Vietnam und die Welt werden. Nordvietnam nennt Diem vertragsbrüchig, vom US-Imperialismus versklavt und erneuert den Partisanenkrieg („Vietkong").

5 Seit 1945 unterstützen die USA Frankreich mit Geld und Waffen. 1954 verspricht der US-Präsident Südvietnam gemäß der UN-Charta Beistand gegen Subversion und Aggression. 1964 trifft die Flotte der USA im Golf von Tongking auf die Nordvietnams. Beide berufen sich auf das Völkerrecht. Militärische Zusammenstöße und Luftangriffe auf Nordvietnam und dortige Raketenbasen der UdSSR weiten den Krieg aus. Ziele Nordvietnams 1965: Abzug der US-Truppen, Zukunft Südvietnams gemäß Vietkong-Programm, friedliche Wiedervereinigung ohne fremde Einmischung. Ziele der USA 1966: freie Wahlen in Südvietnam, freie Entscheidung der Vietnamesen für Wiedervereinigung, Gespräche ohne Vorbedingung. Nach ersten Friedensangeboten der USA beginnen im Mai 1968 die Gespräche in Paris. Südvietnam und USA müssen Vietkong-Vertreter zulassen. Nebenher gehen die Kämpfe weiter. Höhepunkte sind im März 1972 Bombenangriffe auf Nordvietnam, im Mai 1972 Verminung des Golfs von Tongking durch die USA und eine Offensive gegen Südvietnam. Gleichzeitig ziehen die USA ihre Bodentruppen ab („Vietnamisierung") und stellen im Dez. 1972 die Luftangriffe ein.

6 Der Vertrag zwischen Nord- und Südvietnam, den USA und der „Provisorischen Revolutionsregierung für Südvietnam" verfügt: 1. Abzug der Truppen der USA und anderer Verbündeter Südvietnams; 2. Truppen Südvietnams und des Vietkong bleiben in ihren Standorten; 3. Südvietnam wird das Recht auf Selbstbestimmung und Entscheidung über seine Zukunft „in wirklich freien und demokratischen allgemeinen Wahlen" zugesichert. 4. Einsetzung einer internationalen Kontrollkommission ist geplant. 5. Die USA verpflichten sich, nicht mehr zu intervenieren.

7 Der Vertrag tritt nicht in Kraft. In neuen schweren Kämpfen und nach Unruhen in Südvietnam erzwingt der Vietkong die Kapitulation Saigons. Laos und Kambodscha folgen. Blutige Unterdrückung, in Kambodscha durch die Roten Khmer, Massenflucht und Umerziehungsaktionen beginnen. Die SU verstärkt ihren Einfluß auf Indochina, aus Südvietnam wandern Vietnamchinesen zunehmend ab. Die VR China muß ihren Einfluß auf Kambodscha beschränken und sucht Kontakte zu Thailand.

Araber wie Israelis leiten ihren Anspruch auf Palästina aus Versprechungen der Sieger des 1. Weltkrieges ab. Im Gegeneinander der Rechte schaffen sich die Israelis durch die überraschende Ausrufung ihres Staates und dessen Anerkennung durch SU und USA einen Vorteil. Die Araber und vor allem die noch immer in Lagern lebenden Flüchtlinge aus Palästina bedrohen seine Existenz. Die Spannung zwischen den Supermächten und deren Interesse am Mittelmeer geben dem arabisch-israelischen Konflikt weltpolitisches Gewicht und erschweren lokale Lösungen.

70 n. Chr.	Zerstörung Jerusalems, Zerstreuung des Judentums
1896	Theodor Herzl „Der Judenstaat"
2.11.1917	Balfour-Erklärung für eine jüdische „Nationalheimat"
7.11.1918	Engl.-französische Garantie für die Unabhängigkeit aller Araber
1945	Gründung der arabischen Liga
1948	Proklamation des Staates Israel
1948/49, 1956	Arabisch-israelische Kriege
1967	3. arabisch-israelischer Krieg („Sechstagekrieg")
2.11.1967	Resolution des Weltsicherheitsrates gegen Israel
1973	4. arabisch-israelischer Krieg („Oktoberkrieg")
22.10.1973	Waffenstillstandsgebot des Weltsicherheitsrates
4.9.1975	Abkommen zwischen Ägypten und Israel
19.11.1977	Friedensangebot Sadats an Israel
1978	Sadat und Begin verhandeln in Camp David bei Carter, Friedensverhandlungen in Washington

1 Wie kommt es zur Gründung des Staates Israel? 2 Wie entwickelt sich die Lage nach der Staatsgründung? 3 Wie kommt es zum 3. arabisch-israelischen Krieg, welche Lage schafft er? 4 Wie entwickeln sich die Verhältnisse nach dem Sechstagekrieg? 5 Wie verläuft der 4. Nahostkrieg (Oktoberkrieg)? Welche Ergebnisse hat er? 6 Was enthält das ägyptisch-israelische Abkommen vom Sept. 1975? 7 Wie kommt es zu den ägypt.-israel. Verhandlungen in Camp David? 8 Was enthält der Friedensvertrag von Washington?

1 Herzl will wie viele Juden seit dem 17. Jh. nicht Assimilation für sein Volk, sondern einen eigenen Staat in Palästina, Zufluchtsort vieler seit den russischen Progromen von 1882. Im 1. Weltkrieg wollen die Alliierten Freunde gewinnen. So verspricht man dem Judentum eine „Nationalheimat" in Palästina und den Völkern der Türkei, also auch den Palästinensern, Unabhängigkeit und Selbstbestimmung. Ständige jüdische Zuwanderung, vor allem in der NS-Zeit, erbittert die Araber. Unruhen veranlassen 1945 England, seit 1922 Völkerbundsmandatar, die UN einzuschalten. Diese, im Mandatsgebiet nur vorschlagsberechtigt, wollen das Land teilen. Die arabische Liga protestiert. Terrorgruppen beider Völker wüten. Kurz vor Ablauf des Mandats rufen die Juden den Staat Israel aus.

2 Wegen jüdischer Zuwanderung und arabischer Massenflucht fordert eine UN-Versöhnungskommission die Internationalisierung Jerusalems und

die Rückführung der arabischen Flüchtlinge. Aber ein Waffenstillstand Israels mit Ägypten, Syrien, Jordanien und dem Libanon teilt die Stadt. Israel geht an den Aufbau des Landes, seine Bevölkerung wächst auch durch Geburtenüberschuß. Die arabische Flüchtlingsbewegung dauert an.

3 1949 und 1956 erzielt Israel Gebietsgewinne, muß aber die von 1956 zurückgeben. 1967 sperrt Ägypten den Golf von Akaba und fordert Abzug der „Blauhelme". Die Offensive Israels stoppt der Weltsicherheitsrat, fordert sichere Existenz der Staaten der Region, freie Schiffahrt, Regelung der Flüchtlingsfrage und Abzug Israels „aus eroberten Gebieten".

4 Wegen blutiger Grenzverletzungen von den Israelis geforderte direkte Verhandlungen lehnen die Araber ab. Die PLO (Palestina Liberation Org.) führt die aus den Flüchtlingslagern rekrutierten Guerillos. Deren Aktionen (Flugzeugentführungen, Geiselnahme und -mord, auch außerhalb des Krisengebietes) folgen israelische Vergeltungsschläge.

5 Ausländische Waffen und Instrukteure ermöglichen Ägypten und Syrien den Angriff und große Anfangserfolge. Den Gegenangriff stoppt der Weltsicherheitsrat vor Kairo und Damaskus. UN-Truppen trennen die Parteien. Blutige Angriffe der PLO und harte Vergeltungen Israels kennzeichnen die Unvereinbarkeit der Standpunkte: die Araber fordern Rückzug der Israelis auf die Grenzen von 1967, Israel besteht auf gesicherten Grenzen. 1974 erlangt die PLO Beobachterstatus bei der UN. Die Genfer Nahostkonferenz ist erfolglos, erst am 4. 9. 75 bringt der US-Außenminister ein Abkommen Israels mit Ägypten zustande.

6 Das Abkommen enthält: einen Gewalt- und Boykottverzicht; Rückgabe eines Siebentels der Sinai-Halbinsel mit Ölfeldern und zwei Pässen; keine Seeblockade in Totem Meer und Suezkanal gegen Israel; Verbreiterung der entmilitarisierten Zone, in ihr Frühwarnsysteme, deren amerikanische und UN-Besatzung Angriffe verhindern soll. Ein Geheimabkommen sichert Israel vielfältige Unterstützung durch die USA zu.

7 Sadat gewinnt Begin zu Friedensgesprächen. Ministerkonferenzen scheitern. Ein von den USA vermitteltes Treffen der Staatschefs in Camp David erzielt den „Rahmen" für einen Friedensvertrag.

8 Aufhebung des Kriegszustandes und Gewaltverzicht. Zusatzprotokolle regeln Kernfragen, auf dem Sinai wird der status quo ante 1967 in drei Jahresabschnitten hergestellt, binnen Monatsfrist Verhandlungen über die Autonomie des Gazastreifens und der Westbank, binnen 9 Monaten diplomatische Beziehungen. Die USA garantieren den Ölbedarf Israels bis 1994 und Schutz im Falle ägyptischer Vertragsverletzungen. Die USA sagen beiden Staaten Wirtschafts- und Militärhilfe in Milliardenhöhe zu. Die Zukunft der Palästinenser und Jerusalems bleibt unerwähnt. Die „arabische Ablehnungsfront" (Algerien, Libyen, Syrien, VR Yemen, PLO) protestiert scharf, Saudi-Arabien und Jordanien zurückhaltender.

85 Das Ende des Kolonialismus

Nach dem II. Weltkrieg setzt sich die Entkolonisierung durch, viele neue Staaten entstehen. Wirtschaftlich, sozial und im Bildungsstand wenig entwickelt, sind sie auf die Hilfe der Industriestaaten angewiesen. Die Existenz dieser Dritten Welt, ihre Möglichkeiten, als Blockfreie seit 1960, durch ihre wachsende Mehrheit in den UN oder auch im Pendeln zwischen den Supermächten politisches Gewicht zu gewinnen, bilden sie einen neuen Faktor der Weltpolitik.

1947	Indien und Pakistan unabhängige Glieder des Commonwealth
1950	Arabischer Sicherheitspakt
1954	Beginn der offenen Kämpfe in Algerien
1955	Bandung-Konferenz
1956	Marokko und Tunesien unabhängig
1957/66	Britische Kolonien in Afrika selbständig
1960	Belgischer Kongo nach Aufstand unabhängig, ebenso die Mehrzahl der afrikanischen Kolonien Frankreichs
1962	Algerien unabhängig
1963/64	Aufstand im Kongo
1963	OAU gegründet (Org. of African Unity)
1967	ASEAN gegründet (Association of South-East Asian Nations)
1971	3. Indisch-pakistanischer Krieg — sowjetisch-indischer Freundschaftsvertrag. Ostpakistan als Bangla-Desh selbständig
1973	1. Konferenz der ölproduzierenden arabischen Staaten (OPEC)
1975	Indira Ghandi schaltet die Opposition aus
1976	5. Gipfelkonferenz der 86 Colombostaaten — 9. Ministerkonferenz von ASEAN
1977	Wahlsieg der Oppositionspartei in Indien

1 *Wodurch wird die Entkolonialisierung beschleunigt, welche ideologische Ursachen wirken mit?* **2** *Unter welchen Umständen vollzieht sich die Lösung der Kolonien von den Kolonialmächten?* **3** *Welches sind die wichtigsten Zusammenschlüsse der Dritten Welt?* **4** *Welche Momente kennzeichnen die Entwicklung Indiens?*

1 Beide Weltkriege fördern die Entkolonisierung, da die kriegführenden Mächte Kolonialtruppen einsetzen und die Kolonien der Gegner gegen ihre Kolonialherren aufwiegeln. Die Kolonialvölker nehmen an der Siegerrolle teil und gewinnen Kontakt mit der Zivilisation und den Gedanken von Gleichheit, Menschenrechten, Selbstbestimmung und Nationalstaat. Sozialer Tiefstand macht die Masse der Kolonialbevölkerung empfänglich für die von Marxisten wie Maoisten auf das Zusammenleben der Völker übertragene Lehre von Klassenkampf und Ausbeutung.

2 England erzieht seine Kolonien seit langem zur Selbstverwaltung und hat darum kaum Freiheitskämpfe. Außer Südafrika, Rhodesien und Pakistan bleiben sie im Commonwealth. Frankreich wie Portugal widerstreben Autonomiebewegungen, schwere Befreiungskämpfe sind die Folge. Der Belgische Kongo befreit sich trotz weitgehender Selbstverwaltung durch Revolution.

3 a) Der mitgliederstärkste Zusammenschluß der 3. Welt ist die 1954 von 28 Staaten gegr. Colombo-Konferenz (jetzt 86 Mitgl.). 1955 verhindert

85

Nehru in Bandung den Zerfall in östliche und westliche Gruppen. Bei der 5. Konferenz 1976 ist die PLO Mitglied, 10 Befreiungsbewegungen entsenden Beobachter, Rumänien und neutrale europäische Staaten sowie die Philippinen sind Gäste. Politisch wenden sich die Blockfreien gegen Rassismus und Kolonialismus, wesentlichstes Interesse ist wirtschaftlich: Zusammenarbeit mit den Industriestaaten und internationale Währungsfonds. Auch hier tritt die Mehrheit nicht für volle Informationsfreiheit ein.

b) Die Arabische Liga von 1945, geeint durch die Gegnerschaft gegen Israel, hat wegen der Nahostkrise und des Ölproblems besondere Bedeutung. Der Ölpreis beeinflußt die Weltwirtschaft, Öl macht den Westen abhängig und bringt den Arabern Reichtum, den sie in westlichen Industriestaaten investieren. Die Verschiedenartigkeit der politischen Systeme läßt die Liga nur schwer zu einheitlicher Aussage kommen.

c) ASEAN (Association of South East Asian Nations), gegr. 1967 von Indonesien, Malaysia, Philippinen, Singapore und Thailand, will wirtschaftliche Zusammenarbeit fördern, gründet ein Rohstoffkartell, erstrebt Freiheit, Sicherheit und Neutralität und wegen der veränderten Machtverhältnisse im Bereich eine Friedenszone und engen Anschluß an Australien und Japan sowie wirtschaftliche Bindungen an die EG.

d) Die OAU (Org. of African Unity) erstrebt die völlige Entkolonisierung Afrikas. Einheitliches Handeln aber ist ihr wegen der Verschiedenheit der Ideologien und Interessen erschwert, vor allem in innerafrikanischen Fragen.

4 Die Bundesrepublik Indien ist mit über 450 Mio das bevölkerungsstärkste Land der Erde nächst China. Seit dem 18. Jh. engl. Kolonie, als Kaisertum 1877 in Personalunion mit der engl. Krone verbunden, 1947 unabhängiges Mitglied des Commonwealth, 1950 Bundesstaat. Nach häufigen Unruhen im 18. und 19. Jh. wird im 20. Ghandi durch seine Politik des gewaltlosen Widerstandes zum Befreier von der Kolonialherrschaft. Indien ist vielfältig rückständig, unterentwickelt und heimgesucht von Hungersnöten. Dennoch hat es wirtschaftlich Fortschritte gemacht und steht in der Produktion von Tee, Tabak und Mangan an 2. Stelle. Von Ghandis Prinzipien (Gewaltlosigkeit, Blockfreiheit, Neutralität) löst es sich unter Nehru und Indira Ghandi um „nationaler Fragen" willen, wird militant gegen die portugiesischen Kolonien in Indien und die selbständigen Restfürstentümer. Im Zusammenhang mit dem Krieg um die Selbständigkeit Bangla-Deschs nimmt es sowjetische Militärhilfe an und wird trotz seines Massenelends 6. Atommacht. 1975 schaltet Indira G., wegen Wahlvergehens verurteilt, durch Ausnahmegesetze, Pressezensur u. a. autoritäre Maßnahmen die Opposition aus. Diese siegt in der nächsten Kongreßwahl, stellt die Verfassung wieder her und erzielt anfangs wirtschaftliche Erfolge. Dennoch scheint I. Ghandi neue Popularität zu gewinnen.

86 Afrikanische Staaten

Die drei Zonen Afrikas entwickeln sich völlig verschieden. Der arabisch-islamische Norden gestaltet die neue Selbständigkeit mit Hilfe der SU und einer bis dahin undenkbaren Verbindung des areligiösen Marxismus mit orthodoxem Islam. Die schwarzafrikanische Mitte verfällt nach dem Abzug der Kolonialmächte in blutige innere Wirren. Im Süden löst die weiße Oberschicht die Kolonialverwaltungen ab, beginnt aber mit der Auseinandersetzung um die Apartheid die 2. Phase der Entkolonialisierung.

1956	Suez-Krise
1958	Militärputsch in Algerien, 1965 Algerien unabhängig
1974	Angola und Mozambique unabhängig von Portugal
1975	Beginn der Verhandlungen zwischen Weißen und Schwarzen über eine Verfassung (Victoriafallbrücke)
1978	„interne Lösung" in Rhodesien (Simbabwe) Wahlen in Namibia
1979	Abstimmung über neue Verfassung in Rhodesien

1 *Wie entwickeln sich die Staaten Nordafrikas?* **2** *Welche Momente hemmen die friedliche Entwicklung Schwarzafrikas, wie sucht man neue Ordnungen zu schaffen?* **3** *Welche gemeinsamen Gegebenheiten haben die Staaten Südafrikas?* **4** *Wie entwickeln sich die Verhältnisse in der SAR?* **5** *Wie kommt es zu „internen Lösungen" in Rhodesien und Namibia?*

1 Ägypten untersteht bis 1914 loser türkischer, ab 1919 britischer Oberherrschaft, wird 1932 Monarchie, 1953 Republik und beseitigt 1956 außenpolitische und militärische Vorrechte Englands. Nasser schafft einen Staatssozialismus mit enger Bindung an die Blockfreien und, vor allem militärisch, an die SU. Mit dieser bricht 1976 Sadat, wendet sich zum Westen, beendet den 30jährigen Krieg mit Israel und lockert das Einparteiensystem auf.

Libyen und Algerien entwickeln einen islamischen „revolutionären" Sozialismus, sehen im Koran ihr Grundgesetz und bekennen sich zur arabischen Nation. Für Gaddafi (Libyen) ist eine „3. internationale Theorie" die „Alternative zum kapitalistischen Materialismus und kommunistischen Atheismus". Außenpolitisch haben beide gute Beziehungen zur SU. Das Königreich Marokko sowie 1956 Tunesien erstreben die politische Einigung des Maghreb, scheitern aber an Gebietsstreitigkeiten und den außen- wie sozialpolitischen Gegensätzen zu den Nachbarn.

2 Die meisten Kolonialgrenzen sind ohne Rücksicht auf Stammesgrenzen „linear" gezogen. Mit der Unabhängigkeit werden alte Stammesemotionen (tribe = Stamm: Tribalismus) sowie verdrängte Seelenkulte (Animismus) lebendig. Uralter Haß führt zu Unterdrückung, Vertreibung, sogar Ausrottung von Minderheiten. Analphabetentum herrscht vor,

86

Klimafolgen, Dürre und Flutkatastrophen schüren Existenzangst und die Bereitschaft zum Zauberglauben. Europäische Wertvorstellungen von Wirtschaftswachstum, Fortschritt, Parlamentarismus, Arbeitsethos, Pluralismus verblassen. Massenabwanderung der Weißen vermehrt die wirtschaftlichen Nöte. Die einheimische Führungsschicht setzt auf der Suche nach Ordnungsprinzipien einheitliche, übergreifende Ziele, zumeist nach Gaddafis Vorbild: Nationalismus, Ideologie, Massenorganisation, Einheitspartei. Kommunistische Gruppen sowie Aktionen aus Kuba und SU (z. B. Mozambique, Angola, Äthiopien) schaffen Volksrepubliken. Auch Zentralafrika wird Faktor in der Ost-West-Spannung.

3 Gemeinsam ist den drei Staaten: a) eine Vorherrschaft weißer Siedler; b) blühende Wirtschaft (Agrarprodukte, Bodenschätze: Gold, Diamanten, Uran); c) die Apartheid (Rassentrennung); d) seit Beginn der Auseinandersetzungen blutige Zusammenstöße mit „Guerilleros".

4 Südafrikanische Republik (SAR). Entwicklung: Holländische Siedler ab 17. Jh., 1899/1902 Burenkrieg, engl. Kolonie, 1910 als SAU Glied des Commonwealth, 1961 wegen der Apartheid aus diesem ausgetreten. Seitdem SAR. Die Apartheid isoliert die SAR (aus den UN, deren Gründungsmitglied sie ist, ausgeschlossen). Ein Waffenembargo wegen seiner Politik in Namibia und Intervention in Angola verhindert das Veto von USA, Frankreich und England im Weltsicherheitsrat. Räumliche Trennung von Schwarzen und Weißen (Homelands) und Konzessionen an die Schwarzen befriedigen das Land nicht.

5 Wegen der Apartheid verläßt Rhodesien das Commonwealth, soll SWA (Namibia) aus dem SAR-Mandat entlassen werden. Beide handeln darauf selbständig und gewinnen gemäßigte Führer der Schwarzen zu Interimsregierungen: in R. aus dem ANC (Afric. National Congress) Mugabe und Sithole, in SWA die Häuptlinge der Herero und Ovambo. Die Schwarzen bekommen die Mehrheit. Ausgeschlossen bleibt in R. Nkomo, in SWA die SWAPO (South-West African People Organisation). Beide operieren aus den Nachbarländern Mozambique bzw. Angola mit Boykott und Überfällen. Trotzdem finden in R. (26. 4. 79) und SWA (4. bis 8. 12. 79) Wahlen statt. (One man, one vote) Die Volksmehrheit ist analphabetisch und wahlungeübt. Die Prozeduren sind darum schwierig. In R. steht die Verfassung (Sonderrechte auf 10 Jahre für Weiße: 28 von 100 Parlamentssitzen, 5 Minister), in SWA eine verfassungsgebende Versammlung zur Abstimmung und bekommen große Mehrheiten. UN, Westmächte, Nkomo, SWAPO und die „Frontstaaten" hatten die Wahlen unter Aufsicht von UN-Truppen und Beteiligung der SWAPO bzw. Nkomos gefordert und verweigern diesen „internen Lösungen" weiterhin ihre Anerkennung.

Die Bevölkerungsexplosion ist in den unterentwickelten Ländern beson-
ders eruptiv und erzwingt die Hilfe der Industriestaaten. Deren stürmische
Entwicklung braucht neben den nicht unerschöpflichen Energiequellen
Wasser, Kohle und Öl die Atomkraft. Diese aber vermehrt die zu lange
unbeachtete Gefahr der Verseuchung von Wasser, Luft, Fauna und Flora.
Die Bewohnbarkeit der Erde ist bedroht, Umweltschutz vordringliche
Aufgabe. Naturwissenschaft, Medizin, Technik und Industrie haben der
Menschheit die Natur unterworfen, jetzt aber ist sie in Gefahr, „die Herrschaft über das Menschenwerk" (R. Guardini) zu verlieren und sich aus-
zurotten. Die Umweltfrage beschäftigt, verengt oft auf das Energiepro-
blem, die Öffentlichkeit. Bürgerinitiativen und neue Parteien entstehen.

1 *Wie kommt es zur Bevölkerungsexplosion? Welches sind ihre wesentlich-
sten Folgen?* **2** *Auf wessen Initiative und warum erfolgt Entwicklungshilfe,
was kann sie leisten?* **3** *Wie kommt es zur Abhängigkeit der Industriestaaten vom Erdöl, welche Folgen hat die Energiekrise von 1973?* **4** *Warum wird Umweltschutz nötig?* **5** *Welche Argumente sprechen gegen und
welche für die Errichtung von Kernkraftwerken (KKW)?*

1 Seit der Mitte des 19. Jh. vermindert sich infolge der Entwicklung von
Medizin und Hygiene, der sozialen Fürsorge und der Besserung der Lebensbedingungen die Kindersterblichkeit und erhöht sich die Lebenserwartung (1800: 35 Jahre, 1900: 42 Jahre, 1950: 68 Jahre). Die Weltbevölkerung wächst sprunghaft (1920: 1,9 Md.; 1960: 3,0 Md., 1975: 3,6 Md.).
Den größten Anteil haben die Entwicklungsländer (1960: 2/3). Auch dort
steigt die Lebenserwartung, aber die Geburtenziffer sinkt nicht. Die Ge-
burtenkontrolle kann sich wegen religiöser Tabus, Unwissenheit und anderer Hindernisse kaum durchsetzen. Armut, Verelendung und Analphabetentum breiten sich aus, vermehrt durch Naturkatastrophen (Mißernten,
Dürre, Überschwemmung, Seuchen), revolutionäre Entwicklungen und
Kriege. Neue Methoden der Tier- und Pflanzenzucht steigern die Produktion, damit die ständig wachsende Weltbevölkerung weiterhin ernährt
werden kann.

2 Die Satzung der UN will sozialen Fortschritt, Hebung des Lebensstandards
und die Freiheit der Völker fördern. Demgemäß gilt die Entwicklungshilfe
dem Gesundheits-, Bildungs- und Verkehrswesen, der Wirtschaft und der
staatlichen Ordnung rückständiger Gebiete, den 105 Entwicklungsländern.
Die Industriestaaten verfolgen neben humanitären auch andere Ziele:
wirtschaftlich wollen sie Handelspartner, politisch Anhänger gewinnen.
Da sie 86% des Weltsozialprodukts erzeugen, wollen sie einer sozialen
Weltrevolution vorbeugen. Die westlichen Industrieländer (OECD)
bringen zusammen mit Japan 90% der Entwicklungshilfe auf. Die For-

men der Hilfe sind mannigfaltig: fragwürdig ist Waffenhilfe, wirksam Maßnahmen, die die Entwicklungsländer zu eigenen Bildungseinrichtungen und Industrieanlagen wie zu besserer Wasser- und Bodenwirtschaft anleiten. „Entwicklungshelfer" ist ein Beruf geworden.

3 Öl hat das Aufblühen der Industrie ermöglicht. Öl ist weniger arbeitsintensiv in Förderung, Aufbereitung und Transport als Kohle, zudem sauberer. Es hat die Entwicklung des Verbrennungs- und Düsenmotors ermöglicht, das Bauwesen der Jahrhundertmitte (Fernheizung, Bedienungsvereinfachung, Billigkeit erlaubte Verzicht auf Wärmedämmung) revolutioniert, billige Kunststoffe entstehen aus Öl. Die Wende bringt der 4. Nahost-Krieg. Die Araber, die bedeutendsten Ölerzeuger, bedienen sich seiner als politische Waffe (Preiserhöhungen, Embargos gegen israelfreundliche Staaten). Fahrverbote und andere Sparmaßnahmen zeigen die Abhängigkeit der betroffenen Staaten vom Öl. Inflationen und Währungskrisen der 70er Jahre gehören zu den Folgen der Ölpreiserhöhungen.

4 Industrieabfälle bedrohen die Bewohnbarkeit der Erde. Abwässer aus Industrieunternehmen, auch aus Siedlungen ohne Kläranlagen, vernichten den Sauerstoff, den die Gewässer zur Selbstreinigung brauchen. Kühlwasser aus KKW erhöht die Temperatur der Gewässer, in die es geleitet wird, ebenso die Luft, deren Feuchtigkeit über Ballungsgebieten Dunstglocken und Smog erzeugen kann. Für die Verbesserung der landwirtschaftlichen Erträge unentbehrliche Schädlingsbekämpfungsmittel reichern den menschlichen Organismus über die Nahrungskette mit Giftstoffen an. Unfälle beim Öltransport (Tanker und Pipelines) gefährden das Grundwasser. Abgase verunreinigen die Luft. Die notwendigen Kläranlagen, die Verwendung „umweltfreundlicherer Rohstoffe" (Kohle) und die Erschließung neuer Hilfsmittel durch die Energieforschung müssen von der Industrie finanziert werden, so erhöhen sich Produktionskosten und Preise. Der Umweltschutz wird bedeutsamer Wirtschaftsfaktor. Die Bundesrepublik hat wegen besonders hoher Umweltverschmutzung eine umfassende Umweltschutzgesetzgebung. 25. 7. 74: Umweltbundesamt in Westberlin geschaffen. Die Kosten neuer Umweltschutzanlagen werden für die Jahre 1973/75 auf 36 Md. DM geschätzt.

5 a) Jedes KKW bedrohe die natürliche Umwelt, Katastrophen (Erdbeben, Betriebsstörungen, Kriege und Sabotage) könnten Hunderttausende töten. Gefahrlose Lagerung des Atommülls scheine nicht möglich, zudem sei die Energieversorgung auch ohne KKW möglich. b) Nur KKW könnte den Energiebedarf der Zukunft decken, sonst bleibe Deutschland hinter anderen Staaten, v. a. des Ostblocks zurück und werde von ihren KKW abhängig. Arbeitsplätze könne sie sichern und das industrielle Wachstum garantieren. Zudem sei die Aufbereitung von Kohle umweltfeindlicher als KKW, die man gegen alle Katastrophen sichern könne.

Zeittafel

Urgeschichte
seit 600 000 v. Chr.	Altsteinzeit
seit 5 000 v. Chr.	Jungsteinzeit

Der alte Orient, Ägypten und Vorderasien
seit 4. Jahrt. v. Chr.	Erste Hochkulturen
um 3000	Stadtstaaten der Sumerer in Mesopotamien
2850—2200	Altes Reich von Memphis
um 2350	Großreich des Sargon von Akkad in Mesopotamien
2050—1700	Mittleres Reich von Theben
um 1700	Hammurabi in Babylon
1570—1085	Neues Reich von Theben
um 1000	Eroberung Palästinas durch die Israeliten
587	Eroberung Jerusalems durch Nebukadnezar
seit 550	Aufstieg des Perserreiches unter Kyros

Die großen Wanderungen
seit 2000	1. indogermanische Wanderung
um 1425	Eroberung Kretas durch die Achäer, Mykenische Kultur
seit 1200	2. indogermanische Wanderung

Griechische Geschichte
750—550	Griechische Kolonisation
um 760	Verfassung des Lykurg in Sparta
621	Aufzeichnung des Rechtes durch Drakon in Athen
594	Reformen Solons
561—510	Tyrannis des Peisistratos und seiner Söhne
seit 550	Spartas Vormachtstellung; Peloponnesischer Bund
507	Verfassung des Kleisthenes in Athen
500—494	Ionischer Aufstand gegen die Perser—Zerstörung Milets
490	Rachezug der Perser — Marathon
480—479	Perserkrieg — Thermopylen, Salamis, Plataä, Himera
462—429	Blütezeit Athens unter Perikles
399	Tod des Sokrates
431—404	Peloponnesischer Krieg
386	Königsfriede
338	Sieg Philipps II. von Makedonien bei Chaironeia
336—323	Alexander der Große
333	Sieg über Darius bei Issos — Besetzung Syriens

Römische Geschichte
seit 1200	Italiker besiedeln Italien
10.—9. Jh.	Etrusker besiedeln Italien
753	Sagenhaftes Gründungsdatum Roms
510	Abschaffung des Königtums in Rom
um 450	Zwölftafelgesetz
um 390	Kelteneinfall
366	Zulassung der Plebejer zum Konsulat
264—241	1. Punischer Krieg
218—201	2. Punischer Krieg
216	Hannibals Sieg bei Cannä
202	Scipios Sieg bei Zama. Spanien römische Provinz (201)
146	Zerstörung Korinths und Karthagos
133	Rom erbt Pergamon — Provinz Asia
133—121	Reformen der Gracchen
113—101	Kämpfe gegen Kimbern und Teutonen — Marius

91—89	Bundesgenossenkrieg
82—79	Sulla Diktator
60	1. Triumvirat: Caesar, Pompejus, Crassus
58—52	Eroberung Galliens durch Caesar
48—44	Caesars Herrschaft
31	Octavians Sieg über Antonius bei Aktium
7/6 v. Chr.	Geburt Jesu in Bethlehem
31 v.Chr.—14 n.Chr.	Octavianus Augustus
9 n. Chr.	Niederlage des Varus im Teutoburger Wald
45—58 n. Chr.	Missionsreisen des Paulus
70	Titus zerstört Jerusalem
um 120	Vollendung des Limes
212	Constitutio Antoniniana
226	Begründung des Neupersischen Reiches (bis 642)
235—284	Soldatenkaiser: Decius, Valerian, Gallienus, Claudius, Aurelian
284—305	Diocletian
312	Konstantins Sieg an der Milvischen Brücke
313	Toleranzedikt für das Christentum
323—337	Konstantin Alleinherrscher
325	Konzil von Nicäa
391	Christentum Staatsreligion
354—430	Augustinus
451	Schlacht auf den Katalaunischen Feldern
476	Ende Westroms

Das Mittelalter

um 375	Beginn der germanischen Völkerwanderung
482—511	Frankenkönig Chlodwig, empfängt 496 die katholische Taufe
493—526	Theoderich König der Ostgoten in Italien
527—567	Kaiser Justinian
529	Benedict von Nursia begründet Monte Cassino
590—604	Papst Gregor d. Gr.
622	Mohammeds Flucht von Mekka nach Medina
634—644	Kalif Omar, Begründer des arabischen Weltreiches
711	Zerstörung des Westgotenreiches durch die Mauren
732	Karl Martell besiegt die Araber bei Tours und Poitiers
751	Königskrönung Pippins des Jüngeren
768—814	Karl der Große
800	Kaiserkrönung Karls in Rom
843	Vertrag von Verdun
911	Wahl Konrads von Franken im Ostreich
919	Wahl Heinrichs I.
936—973	Otto der Große, 962 Kaiserkrönung in Rom
955	Ottos I. Sieg über die Ungarn auf dem Lechfeld
968	Gründung des Erzbistums Magdeburg
982	Ottos II. Niederlage bei Cotrone — Slawenaufstand (983)
1046	Synode von Sutri
1059	Papstwahldekret
1073—1085	Papst Gregor VII.
1077	Heinrich IV. in Canossa
1096—1099	1. Kreuzzug. Eroberung Jerusalems
1122	Wormser Konkordat
1152—1190	Friedrich I. Barbarossa
1180	Absetzung Heinrichs des Löwen
1183	Friede von Konstanz
1190—1197	Heinrich VI.
1198—1216	Papst Innozenz III.

Zeittafel

1198	Doppelwahl: Philipp v. Schwaben — Otto IV.
1214	Schlacht bei Bouvines
1215	Magna Charta — Laterankonzil
1215—1250	Friedrich II.
1220, 1232	Confoederatio cum principibus ecclesiasticis — Statutum in favorem principum
1241	Mongolenschlacht bei Liegnitz
1254	Rheinischer Städtebund
1226—1283	Deutschordensritter erobern Preußen
1273—1291	König Rudolf von Habsburg
1338	Kurverein von Rhense
1347—1378	Karl IV. (Luxemburg)
1356	Goldene Bulle Karls IV.
1358	Gründung der Hanse
1370	Hansefriede von Stralsund
1410	Niederlage des Deutschritterordens bei Tannenberg — 1. Friede von Thorn
1414—1418	Konzil von Konstanz — Hus verbrannt
1419—1436	Hussitenkrieg
1431—1449	Konzil von Basel
1453	Die Türken vernichten das Oströmische Reich
1466	2. Friede von Thorn
1492	Ferdinand von Aragon und Isabella von Kastilien erobern Granada
1492	Columbus entdeckt Amerika
1493—1519	Kaiser Maximilian I.
1495	Reichsreform Maximilians I. auf dem Reichstag zu Worms
1519—1522	Erste Erdumseglung durch Ferdinand Magelhäes

Die Neuzeit — Reformation und Gegenreformation

1483—1546	Martin Luther
1484—1531	Ulrich Zwingli
1509—1564	Johann Calvin
1519—1556	Kaiser Karl V.
1491—1556	Ignatius von Loyola
1517	Luthers 95 Thesen
1521	Wormser Edikt
1522—1525	Aufstand der Reichsritter, Bauernkrieg
1530	Augsburger Bekenntnis
1534	Gründung des Jesuitenordens (1540 bestätigt)
1534	Suprematsakte Heinrichs VIII. von England
1545—1563	Konzil von Trient
1555	Augsburger Religionsfriede
1556—1598	Philipp II. von Spanien
1558—1603	Elisabeth I. von England — Reformation in England
1567—1648	Freiheitskampf der Niederlande (1581 Unabhängigkeitserklärung der Generalstaaten)
1588	Vernichtung der spanischen Armada
1562—1598	Hugenottenkriege (1572 Bartholomäusnacht)
1598	Edikt von Nantes
1618—1648	Dreißigjähriger Krieg
1618	„Prager Fenstersturz" — Aufstand in Böhmen
1629	Friede von Lübeck — Restitutionsedikt
1632	Tod Gustav Adolfs
1634	Wallensteins Absetzung und Tod
1648	Westfälischer Friede
1649	Hinrichtung König Karls I. von England
1651	Navigationsakte Cromwells
1679	Habeascorpusakte
1688/1689	Glorreiche Revolution in England — Declaration of rights

Zeittafel

Die Neuzeit — Zeitalter des Absolutismus

1624—1661	Richelieu und Mazarin leitende Minister
1661—1714	Regierungszeit Ludwigs XIV. (*1638)
1683	Die Türken vor Wien
1640—1688	Friedrich Wilhelm, der Große Kurfürst
1660	Friede von Oliva, Herzogtum Preußen souveräner Staat
1682—1725	Peter der Große reformiert Rußland
1700—1721	Zusammenbruch Schwedens im Nordischen Krieg
1713—1740	Friedrich Wilhelm I., der Soldatenkönig
1740—1786	Friedrich II., der Große. Aufgeklärter Absolutismus
1740—1780	Maria Theresia in Österreich
1756—1763	Siebenjähriger Krieg in Nordamerika, Indien und Europa
1769	James Watt erfindet die Dampfmaschine
1772	Erste Teilung Polens
1775/1786	Spinnmaschine und mechanischer Webstuhl in England

Die moderne Welt

1776, 4. Juli	Unabhängigkeitserklärung der Vereinigten Staaten
1775—1783	Amerikanischer Unabhängigkeitskrieg
1787	Verfassung der Vereinigten Staaten
1789	Französische Revolution — 14.7. Erstürmung der Bastille
1795	Sonderfriede von Basel — Direktorialverfassung — 3. Teilung Polens
1799, 9. Nov.	Staatsstreich Napoleons (18. Brumaire)
1803	Reichsdeputationshauptschluß
1804	Kaiserkrönung Napoleons — Österreich Kaisertum
1805	Sieg der Engländer bei Trafalgar — Sieg Napoleons bei Austerlitz
1806	Rheinbund — Auflösung des Heiligen Römischen Reiches Deutscher Nation — Jena und Auerstedt
1807	Friede von Tilsit — Kontinentalsperre
1807/08	Reformen des Freiherrn vom Stein
1810	Gründung der Universität Berlin (W. v. Humboldt)
1812	Katastrophe der Großen Armee in Rußland
1813—1815	Befreiungskriege
1815	Wiener Kongreß
seit 1810	Erhebungen der spanischen Kolonien in Südamerika (Bolivar)
1817	Wartburgfest der Deutschen Burschenschaft
1818	Verfassungen in Süddeutschland
1819	Karlsbader Beschlüsse
1821—1829	Griechischer Befreiungskampf
1823	Monroedoktrin („Amerika den Amerikanern")
1830	Französische Julirevolution
1832	Parlamentsreform in England
1834	Deutscher Zollverein
1835	Erste deutsche Eisenbahnlinie (Nürnberg—Fürth)
1837	Göttinger Sieben
1847	Karl Marx: Das Kommunistische Manifest
1848	Revolution: Februar in Frankreich — März in Deutschland
1850	Vertrag von Olmütz
1848	Napoleon Präsident und (1852) Kaiser der Franzosen
1853—1856	Krimkrieg
1859	Italienischer Einigungskrieg — 1861 Königreich Italien
1837—1901	Königin Victoria von England
1861—1865	Amerikanischer Bürgerkrieg
1858—1888	Wilhelm I. (bis 1861 Prinzregent, 1871 Deutscher Kaiser)
1862	Bismarck Ministerpräsident (*1815)

Zeittafel

1863/1864	Allgemeiner Deutscher Arbeiterverein (Lassalle) — Internationale Arbeiterassoziation (Marx)
1864	Krieg Österreichs und Preußens gegen Dänemark
1866	Krieg Preußens gegen Österreich und Bundesgenossen
1867	Doppelmonarchie Österr.-Ungarn — Norddeutscher Bund
1869	Gründung der Sozialdemokratischen Arbeiterpartei
1870	1. Vatikanisches Konzil — Ende des Kirchenstaates
1870—1871	Deutsch-Französischer Krieg
1871	Reichsgründung
1878	Sozialistengesetz (bis 1890)
1878	Berliner Kongreß
1879	Zweibund Deutschlands mit Österreich-Ungarn
1883—1889	Sozialgesetzgebung Bismarcks
1887	Rückversicherungsvertrag mit Rußland
1890	Entlassung Bismarcks — Rückversicherungsvertrag nicht erneuert
1891	Erfurter Programm der Sozialdemokratie
1898	Faschoda — Krieg der USA gegen Spanien — Beginn der Weltpolitik der USA
1894	Französisch-russisches Bündnis
1902	Englisch-japanisches Bündnis
1904—1907	Ententen Englands mit Frankreich und Rußland
1905—1913	Balkan- und Marokkokrisen
1911	Revolution in China
1914	Mord von Sarajewo, Beginn des 1. Weltkrieges

Die Zeitgeschichte

1917	Friedensversuche — Kriegseintritt der USA — Russische Revolutionen
1918	Frieden von Brest-Litowsk — Zusammenbruch der Mittelmächte
1919	Versailler Vertrag und Pariser Vorortverträge — Völkerbund
1922	Mussolinis „Marsch auf Rom"
1922	Vertrag des Deutschen Reiches mit der UdSSR in Rapallo
1923	Ruhrkampf — Stresemann — Hitlerputsch — Rentenmark
1924	Tod Lenins — Stalin
1925	Locarno — Briand/Stresemann — Wahl Hindenburgs
1929	Stresemanns Tod — Weltwirtschaftskrise
1930—1932	Brüning Reichskanzler — Notverordnungen
1932	Wiederwahl Hindenburgs — Regierungen Papen und Schleicher
1933	Hitler Reichskanzler
1935	Allgemeine Wehrpflicht — Nürnberger Gesetze
1938	Einverleibung Österreichs und des Sudetenlandes
1939	„Protektorat Böhmen und Mähren" — Pakt Deutschlands mit der UdSSR
1939	Ausbruch des Zweiten Weltkrieges — Überfall Deutschlands auf Polen — Kriegseintritt Englands und Frankreichs
1941	Angriff auf Rußland — Überfall Japans auf Pearl Harbour — deutsche Kriegserklärung an die USA
1943	Deutsche Kapitulation in Stalingrad und Tunis — Casablanca-Konferenz — Kapitulation Italiens
1944	Zweite Front in Nordfrankreich
20. 7. 1944	Erhebung der Widerstandsbewegung gegen Hitler

Anders als bei den früheren Abschnitten kann es sich beim Gegenwartsgeschehen nur mehr um Daten handeln, die der Information und der Zuordnung von Ereignissen der Tagespolitik dienen.

1945	Kapitulation Deutschlands — Atombombe auf Hiroshima und Nagasaki — Kapitulation Japans — Gründung der Vereinten Nationen — Konferenz von Potsdam
1945/46	Bodenreform und volkseigene Betriebe (VEB) in der SBZ
1946, 21.—24. Apr.	In der SBZ Vereinigung von KPD und SPD zur SED
1946, 13. Okt.	Verfassung der 4. Republik in Frankreich
1947, 1. Jan.	Brit. und amerikanische Zone zur Bizone vereinigt, Wirtschafts- und Zolleinigung der Benelux-Länder (29. 5.)
1947, März/Apr.	Außenministerkonferenz der Siegerstaaten in Moskau
1947, 5. Juni	UdSSR lehnt Teilnahme am Marshall-Plan ab
1947, 15. Aug.	Indien und Pakistan im Commonwealth selbständig
1948, 17. März	5-Mächte-Vertrag von Brüssel, West-Union
1948, 6. Apr.	Beistandspakt UdSSR—Finnland
1948, 16. Apr.	Gründung des Europäischen Wirtschaftsrates (OEEC) in Paris
1948, 30. Apr.	Verteidigungsbündnis amerikanischer Staaten (OAS) gegründet
1948, 14. Mai	Staat Israel ausgerufen, UN-Generalsekretär Bernadotte ermordet
1948, 20. Juni	Währungsreform für die westdeutschen Besatzungszonen
1948, 23. Juni	UdSSR verfügt Währungsreform für SBZ und Groß-Berlin, Berlin-Blockade, Luftbrücke
1948, 1. Sept.	Parlamentarischer Rat in Bonn
1949, 25. März	Rat für Gegenseitige Wirtschaftshilfe (RGW = Comecon) im Ostblock
1949, 4. Apr.	Gründung der NATO (North-Atlantic-Organisation)
1949, 5. Mai	Gründung des Europa-Rats
1949, 23. Mai	Besatzungsstatut für Trizone, Grundgesetz verabschiedet
1949, 30. Mai	Deutscher Volkskongreß beschließt Verfassung der DDR
1949, 14. Aug.	1. Bundestagswahl. Regierung Adenauer (CDU/CSU, FDP, DP)
1949, 21. Sept.	Mao Tse-Tung proklamiert VR China
1949, 13. Okt.	Deutscher Gewerkschaftsbund (DGB) gegründet (Hans Böckler)
1950, 24. Febr.	Freundschafts- und Beistandspakt der UdSSR mit VR China
1950, 6. Juni	DDR und Polen erkennen die Oder-Neiße-Linie als Grenze an
1950, 23. Juni	DDR in RGW aufgenommen
1950, 25. Juni	Truppen Nordkoreas dringen in Südkorea ein, Korea-Krieg
1950, 12.—23. Sept.	Außenministerkonferenz der Westmächte in New York: Die Regierung der Bundesrepublik als einzige deutsche Regierung anerkannt
1950, 15. Okt.	Wahlen in der DDR nach Einheitsliste
1951, 18. Apr.	Frankreich, Italien, Benelux und Bundesrepublik gründen die Montanunion

Zeittafel

1951, 9. Juli	Kriegszustand zwischen Deutschland und den Westmächten beendet
1952, 27. Mai	Deutschlandvertrag, Europäische Verteidigungsgemeinschaft
1953, 20. Jan.	Eisenhower Präsident der USA (—1961)
1953, 5. März	Stalin gestorben
1953, 17. Juni	Volksaufstand in der DDR
1953, 18. Juni	Nach einem Militärputsch wird Ägypten zur Republik erklärt
1953, 27. Juli	Waffenstillstand in Korea
1954, 26. Apr.—21. Juni	Indochina-Konferenz in Genf
1954, 9. Aug.	Beistandspakt zwischen Jugoslawien, Griechenland und Türkei auf 20 Jahre
1954, 8. Sept.	SEATO (South-East Asia Treaty Organisation) USA, Frankreich, Australien, Neuseeland, Philippinen, Thailand, Pakistan
1954, 23. Okt.	Italien und Bundesrepublik treten der WEU in den Pariser Verträgen bei. Bundesrepublik souverän
1955, 15. Jan.	UdSSR beendet Kriegszustand mit Deutschland
1955, 18.—24. Apr.	Bandung-Konferenz von 29 blockfreien Staaten
1955, 9. Mai	Bundesrepublik in der NATO
1955, 14. Mai	Warschauer Pakt der UdSSR mit Polen, Ungarn, ČSR, Rumänien, Bulgarien und DDR
1955, 15. Mai	Staatsvertrag über Österreichs Neutralität
1955, 9.—13. Sept.	Adenauer in Moskau
1956, 18. Jan.	Gesetz über die Nationale Volksarmee der DDR
1956, 24./25. Febr.	20. Parteitag der KPdSU: Verurteilung des Stalinismus
1956, 28. Juni	Aufstand in Polen
1956, 7. Juli	Allgemeine Wehrpflicht in der Bundesrepublik
1956, 26. Juli	Suez-Krise
1956, 23. Okt.	Aufstand in Ungarn
1957, 1. Jan.	Saargebiet 10. Bundesland
1957, 25. März	Römische Verträge, EWG und Euratom
1957, 29. Juli	Berlin-Erklärung der 3 Westmächte und der Bundesrepublik für freie Wahlen zur Wiedervereinigung
1957, 4. Okt.	1. Weltraumflug Gagarins (UdSSR)
1958, 1. Febr.	Ägypten und Syrien „Vereinigte Arabische Republik" (—1961)
1958, 27. März	Chruschtschow Generalsekretär und Ministerpräsident (—1964)
1958, 13. Mai	Militärputsch in Algerien. de Gaulle Ministerpräsident
1958, 13. Mai	UdSSR schlägt deutsche Wiedervereinigung durch Verhandlungen zwischen DDR und Bundesrepublik vor
1958, 28. Sept.	5. Republik in Frankreich, neue Verfassung
1958, 10. Nov.	UdSSR fordert für West-Berlin Status einer „entmilitarisierten Freien Stadt"
1959, 4.—6. Jan.	Beginn der Unruhen im Belgischen Kongo
1959, 1. Juli	Lübke zum Bundespräsidenten gewählt (bis 1969)
1959, 5. Aug.	Genfer Außenminister-Konferenz der Vier Mächte gescheitert
1959, 16. Sept.	Algerien wird Selbstbestimmung zugesichert
1959, Aug.—Okt.	Indisch-chinesischer Grenzkonflikt

Zeittafel

1960, 4. Jan.	EFTA — Europäische Freihandelszone: England, Schweden, Norwegen, Österreich, Portugal, Schweiz
1960, 7. Juni	Pieck gestorben, Ulbricht Vorsitzender des Staatsrats
1960, 14. Juni	nur noch Landwirtschaftliche Produktionsgenossenschaften in der DDR
1960, Juni/Aug.	Französische Kolonien in Afrika werden selbständig
1960, 16. Aug.	engl. Kronkolonie Cypern selbständig
1961, 21. Jan.	John F. Kennedy USA-Präsident
1961, 13. Aug.	Errichtung der Mauer in Berlin
1961, 1. Sept.	Konferenz der 29 Blockfreien in Belgrad
1961, 7. Nov.	Bundestagswahlen, 4. Kabinett Adenauer, Koalition mit FDP
1962, 23. Juli	Laos-Konferenz in Genf: Neutralität für Laos
1962, 23./24. Okt.	Höhepunkt der Kuba-Krise
1963, 22. Jan.	Deutsch-Französischer Freundschaftsvertrag unterzeichnet
1963, 5. Aug.	Atomstopvertrag in Moskau unterzeichnet
1963, 17. Okt.	Erhardt Bundeskanzler (bis 1966), Koalition CDU/CSU-FDP
1963, 22. Nov.	Kennedy ermordet, Johnson Präsident der USA (bis 1968)
1963, 4. Dez.	Unruhen auf Cypern, UN-Friedenstruppe eingesetzt
1964, 27. Jan.	Frankreich erkennt VR China an
1964, 17. Sept.	Jugoslawien dem Warschauer Pakt assoziiert
1964, 14. Okt.	Breschnew Generalsekretär, Kossygin Ministerpräsident, Podgorny Präsident des Obersten Sowjet
1964, 15. Okt.	Wilson (Labour Party) Premierminister
1965, 9. April	Verjährungsfrist für Kriegsverbrechen — Bundesgesetz verlängert
1966, 11. März	Frankreich löst seine Streitkräfte vom NATO-Kommando, NATO-Rat nach Brüssel verlegt
1966, Sommer	de Gaulle in UdSSR, Asienreise
1966, 1. Dez.	Große Koalition: Regierung Kiesinger—Brandt
1967, 21. April	Militärdiktatur in Griechenland, Gegenputsch Konstantins II. scheitert (Dez.)
1967, 15. Mai	Zwischenfälle an der israelisch-jordanischen und syrischen Grenze
1967, 17. Mai	Abzug der UN-Truppen auf Verlangen Ägyptens
1967, 21. Mai	Ägypten blockiert Golf von Akaba
1967, 5. Juni	Ausbruch des 3. israelischen Krieges („Sechstagekrieg"); Arabischer Ausfuhrstop für Öl nach USA, England, Bundesrepublik (bis 1. 9.)
1967, 8. Aug.	Asean gegründet
1968, 9. Apr.	Neue Verfassung der DDR
1968, 29. Mai	Notstandgesetze in der Bundesrepublik
1968, 1. Juli	Atomsperrvertrag; Zollunion zwischen den EWG-Ländern
1968, 20. Aug.	Einmarsch von Truppen der UdSSR, Polens, Ungarns, Bulgariens und der DDR in der ČSSR, deren KP protestiert

Zeittafel

1968, 13. Sept.	Albanien tritt aus dem Warschauer Pakt aus
1968, 16. Okt.	ČSSR anerkennt die Besatzung in einem Stationierungsvertrag
1968, 21.—27. Dez.	10 Mondumkreisungen durch Anders, Bormann und Lovell (USA)
1969, 1. Jan.	ČSSR: Föderation aus tschechischer und slowakischer Republik
1969, 5. März	Heinemann zum Bundespräsidenten gewählt
1969, 28. Apr.	Rücktritt de Gaulles
1969, Juni	Grenzkonflikt UdSSR/VR China am Ussuri
1969, 21. Juli	Erste Mondlandung durch Armstrong und Aldrin (USA)
1969, 28. Sept.	Bundestagswahl
1969, 22. Okt.	1. sozial-liberale Koalition — Regierung Brandt—Scheel
1969, 17. Nov.	Beginn der Verhandlungen über SALT in Helsinki
1969, 16. Dez.	Ausgleich Italien/Österreich über Südtirol
1970, 19. März, 21. Mai	Treffen Brandt—Stoph in Kassel und Erfurt
1970, 26. März	Beginn der Viermächteverhandlungen um Westberlin
1970, 19. Juni	Waffenruhe am Suezkanal
1970, 12. Aug.	Moskauer Vertrag UdSSR/Bundesrepublik
1970, 7. Dez.	Warschauer Vertrag Polen/Bundesrepublik
1971, 7. Febr.	Frauenstimmrecht in der Schweiz eingeführt
1971, 15. Febr.	Dezimalwährung in Großbritannien
1971, 27. Mai	Vertrag UdSSR/Ägypten über Ausbildung und Bewaffnung der ägyptischen Armee
1971, 3. Sept.	Viermächteabkommen über Berlin
1971, 16.—18. Sept.	Brandt und Breschnew auf der Krim (Oreanda-Treffen) Weltwährungskrise
1971, 25.—30. Okt.	Breschnew in Paris
1971, 26. Okt.	VR China in den UN, National-China ausgeschlossen
1971, 24. Nov.	Großbritannien erkennt die Unabhängigkeitserklärung Rhodesiens von 1965 an
1971, 10. Dez.	Brandt erhält den Friedensnobelpreis
1972, 12. Jan.	Ost-Pakistan selbständig als Bangla-Desh
1972, 22. Jan.	Großbritannien, Irland, Dänemark EG-Mitglieder, wirksam 1. 1. 1973
1972, 21.—28. Febr.	Nixon in der VR China
1972, 30. März	US-Bomben auf Hanoi als Antwort auf kommunistische Offensive
1972, 21. Apr.	5. US-Mondlandung durch Young, Mattingly und Duke
1972, 27. Apr.	Mißtrauensantrag gegen Brandt abgelehnt
1972, 10. Mai	US-Flotte vermint nordvietnamesische Wasserstraßen
1972, 14. Mai	US-Raumlabor Skylab 1 gestartet
1972, 17. Mai	Annahme der Ostverträge im Bundestag
1972, 22.—29. Mai	Nixon in Moskau
1972, 25. Mai—22. Juni	Skylab 2, 28 Tage im Weltraum mit Conrad, Kerwin und Weitz (USA)
1972, 17. Juni	Einbruch bei der Demokratischen Partei der USA im Watergate-Hotel
1972, 23. Juni	Bundestag verringert Wehrdienstzeit auf 15 Monate
1972, 28. Juli—25. Sept.	Skylab-Besatzung Garriot, Lousma, Bean 59 Tage im Weltraum
1972, 16. Aug.	Beginn der Verhandlungen über einen Grundvertrag mit der DDR
1972, 5. Sept.	Überfall arabischer Terroristen auf die israelische Olympiamannschaft
1972, 20./22. Sept.	Vertrauensfrage und Rücktritt Brandts — Bundestagsauflösung

Zeittafel

1972, 5. Nov.	Deutschland-Erklärung der Vier Mächte
1972, 16. Nov.—8. Febr.	Skylab-Besatzung 82 Tage im Weltraum
1972, 19. Nov.	Bundestagswahl
1972, 14. Dez.	2. sozial-liberale Koalition, 2. Regierung Brandt—Scheel
1972, 21. Dez.	Grundvertrag Bundesrepublik/DDR unterzeichnet
1973, 20. Jan.	Beginn der 2. Amtsperiode Präsident Nixons
1973, 27. Jan.	Unterzeichnung des Waffenstillstandsabkommen für Vietnam
1973, 26. Febr.	Beginn der Internationalen Vietnam-Konferenz in Paris
1973, 11. Mai	Bundestag nimmt Grundvertrag mit der DDR an
1973, 18. Mai	Breschnew in Bonn
1973, 31. Mai	UdSSR-Dekret, Ansiedlung an der chinesischen Grenze zu fördern
1973, 1. Juni	Griechenland wird Republik
1973, 5. Juni	Bundesverfassungsgericht lehnt einstweilige Verfügung gegen Grundvertrag ab
1973, 17.—23. Juni	Breschnew in USA
1973, 21. Juni	Grundvertrag mit der DDR tritt in Kraft
1973, 3.—7. Juli	Außenministerkonferenz als 1. Phase der europäischen Sicherheitskonferenz (KSZE)
1973, 31. Juli	Urteil des Bundesverfassungsgerichts über den Grundvertrag
1973, 1. Aug.	Ulbricht gest., Stoph Vorsitzender des Staatsrats der DDR (2. 10.)
1973, 22. Aug.	Parlament von Chile stellt Verfassungsverletzung Allendes fest
1973, 5.—9. Sept.	Konferenz der bündnisfreien Staaten in Algier
1973, 11. Sept.	Militärputsch in Chile, Tod des Präsidenten Allende
1973, 11.—17. Sept.	Pompidou in der VR China und im Iran
1973, 18. Sept.	UNO-Vollversammlung: Aufnahme beider deutscher Staaten
1973, 18. Sept.—14. Dez.	2. Phase der KSZE in Genf
1973, 6.—25. Okt.	4. arabisch-israelischer Krieg
1973, 7. Okt.	Ölerzeugende Staaten (OAPEC) beschließen Ölboykott
1973, 6. Nov.	Nahosterklärung der EG-Staaten
1973, 11. Nov.	Waffenstillstandsabkommen im 4. arabisch-israelischen Krieg
1973, 26.—28. Nov.	arabische Gipfelkonferenz
1974, 19. Jan.	Vertrag über Truppenentflechtung zwischen Ägypten und Israel
1974, 14. Febr.	Solschenizyn aus der UdSSR ausgewiesen
1974, 28. Febr.	Unterhauswahlen in England, Minderheitenregierung Wilson
1974, 2. Apr.	Pompidou gest.
1974, 25. Apr.	Putsch in Portugal, Militärregierung
1974, 26. Apr.	Spionagefall Guillaume; 5. Mai Rücktritt Brandts
1974, 15. Mai	Scheel zum Bundespräsidenten gewählt
1974, 16. Mai	Regierung Schmidt—Genscher
1974, 19. Mai	Giscard d'Estaing franz. Staatspräsident
1974, 25. Mai	Indien zündet Atombombe — wird 6. Atommacht
1974, 12. Juni	Kaiser Haile Selassi von Äthiopien abgesetzt, Machtergreifung durch die Armee
1974, 15. Juli	Beginn des Konflikts auf Cypern, 22. 7. Waffenstillstand
1974, 23. Juli	Rücktritt der Militärjunta in Griechenland
1974, 8. Aug.	Nixon tritt zurück, Ford Präsident der USA
1974, 22. Nov.	Die PLO (Palest. Liberation Organisation) erhält Beobachter-Status bei der UN

Zeittafel

1974, 3. Dez.	1. spektakuläre Finanzaktion infolge der Ölkrise; Kuwait kauft 14% der Mercedes-Benz-Aktien
1974, 8. Dez.	In der Bundesrepublik 800000 Arbeitslose, Ende Januar-1975 ca. 150000 mehr
1975, 26. Febr.	Bundesverfassungsgericht erklärt die ,,Fristenregelung'' (§ 218) für verfassungswidrig
1975, 28. Febr.	Entführung des Berliner CDU-Vorsitzenden Lorenz
1975, 15. März	Banken in Portugal verstaatlicht
1975, 19. Apr.	Kambodscha kapituliert vor den Roten Khmer, Saigon am 1. 5.
1975, 25. Apr.	Wahlen in Portugal
1975, 21. Mai	Beginn des Prozesses gegen Baader und Meinhof
1975, 7. Juni	Volksabstimmung in Großbritannien entscheidet für die EG
1975, 27. Juni	Indira Ghandi schaltet, wegen Wahlvergehens verurteilt, die Opposition aus
1975, 17. Juli	Apollo und Sojus im All gekoppelt (Start am 15. 7.)
1975	KSZE-Abkommen in Helsinki unterzeichnet;
30. Juli—2. Aug.	Abkommen über Kreditgewährung und Rentenzahlung der Bundesrepublik Deutschland an Polen
1975, 7. Sept.	Bürgerkriegsartige Kämpfe zwischen Christen und Moslems im Libanon
1975, 29. Okt.	Helmut Schmidt bei Mao Tse Tung in China
1975, 5. Nov.	Urteil des Bundesverfassungsgerichts: Abgeordneten-Diäten steuerpflichtig
1975, 11. Nov.	Beschluß der UN-Vollversammlung: ,,Zionismus ist Rassismus'' Angola von Portugal unabhängig
1975, 20. Nov.	Franco gestorben — Juan Carlos I. König v. Spanien
1975, 2. Dez.	Südmolukken überfallen Nahverkehrszug in Holland
1975, 21. Dez.	Terroristenüberfall auf OPEC-Tagung in Wien. Geiselnahme
1976, 15. Jan.	Albrecht Min.Präs. von Niedersachsen
1976, 26. Jan.	,,Freiwillige'' aus Kuba in Angola eingesetzt
1976, 15. März	Ägypten kündigt den Freundschaftsvertrag von 1971 mit der SU
1976, 18. März	Mitbestimmungsgesetz verabschiedet
1976, 2. Apr.	Neue Verfassung Portugals in Kraft. Freie Präsidentenwahlen am 27. 6.: A. Eanes mit 61,5% der Stimmen gewählt
1976, 4. Juli	Israelis befreien Geiseln in Entebbe (Uganda)
1976, 16.—19. Aug.	5. Konferenz der 86 Blockfreien in Colombo
1976, 8. Sept.	Mao Tse Tung 82jährig gest.
1976, 22. Sept.	Portugal 19. Mitglied des Europa-Rates
1976, 3. Okt.	Bundestagswahl (Union 48,6, SPD 42,6, FDP 7,9%)
1976, 9. Okt.	Hua-Kuo-Feng Nachfolger Maos
1976, 21. Okt.	Bundesrepublik Deutschland für zwei Jahre im Weltsicherheitsrat
1976, 28. Okt.	Rhodesien-Konferenz in Genf eröffnet
1976, 16. Nov.	Biermann von der DDR ausgebürgert
1976, 15. Dez.	2. Regierung Schmidt—Genscher
1977, 20. Jan.	J. Carter 39. Präsident der USA
1977, 20. März	Wahlsieg der indischen Opposition. Indira Ghandi gestürzt
1977, 7. Apr.	Generalbundesanwalt Buback und zwei Begleiter ermordet

Zeittafel

1977, 22. Apr.—21. Mai	Angola-Guerillas mit Hilfe marokkanischer Truppen aus der Shaba-Provinz von Zaire vertrieben
1977, 3. Mai	Erste Ministergespräche zwischen Vietnam und USA seit 1975
1977, 23. Mai	Geiselnahme südmollukkischer Terroristen in den Niederlanden
1977, 16. Juni	Breschnew wird Staatsoberhaupt der SU
1977, 29. Juni	Verfassungsbeschwerde der Arbeitgeber gegen das Mitbestimmungsgesetz
1977, 30. Juli	Mord an Jürgen Ponto, Vorstandsvorsitzenden der Dresdener Bank
1977, 1. Sept.	Wiederaufnahme diplomatischer Beziehungen zwischen USA und Kuba
1977, 5. Sept.	Dr. H. M. Schleyer, Präsident d. dtsch. Arbeitgeberverbände, in Köln entführt, vier Begleiter ermordet
1977, 7. Okt.	Neue Verfassung in der SU
1977, 13. Okt.	Entführung einer Lufthansamaschine, Befreiung in Mogadischu
1977, 19. Okt.	H. M. Schleyer ermordet
1977, 19. Nov.	Sadats Friedensvorschlag in Jerusalem
1977, 5. Dez.	Ägypten bricht Beziehungen zu Syrien, Lybien, Algerien und VR Jemen ab
1977, 10. Dez.	DDR-Regierung verfügt Schließung des „Spiegel"-Büros in Ost-Berlin
1977, 15. Dez.	Einigung zwischen Smith und drei gemäßigten Nationalistenführern in Rhodesien — 21. 3. gemeinsame Regierung
1978, 9. März	Abschluß des 1. Folgetreffens der KSZE in Belgrad (Beginn 4. 10. 77)
1978, 3. Apr.	VR China und EG unterzeichnen Handelsabkommen
1978, 4.—7. 5.	Breschnew in der Bundesrepublik Deutschland
1978, 8. Juni	FDP bei Landtagswahlen in Hamburg und Niedersachsen unter 5 %
1978, 6./7. Juli	EG-Gipfeltreffen in Bremen: Währungsverbund
1978, 15./16. Juli	Weltwirtschaftskonferenz in Bonn
1978, 25.—30. Juli	Blockfreienkonferenz in Belgrad
1978, 12. Aug.	Vertrag für Frieden und Freundschaft zwischen VR China und Japan
1978, 30. Aug.—1. Sept.	Hua in Rumänien und Jugoslawien sowie Persien
1978, 5.—17. Sept.	Begin und Sadat in Camp David
1978, 3. Nov.	Freundschafts- und Kooperationsvertrag zwischen SU und Vietnam
1978, 13. Okt.	Beginn der ägypt.-israelischen Verhandlungen in Washington
1978, 6. Nov.	Unruhen in Persien, Militärregierung eingesetzt
1978, 15. Nov.	Verkehrsvereinbarungen zwischen Bundesrepublik und DDR
1978, 17. Nov.	Bundesrat stimmt Steuerreform zu
1978, 25. Nov.	Bundesregierung beschließt, Vietnam-Flüchtlinge aufzunehmen
1978, 28. Nov.	Beginn der Verhandlungen über die Mitbestimmungsklage beim Bundesgericht
1978, 29. Nov.	Freundschafts- und Kooperationsvertrag zwischen DDR und Äthiopien
1978, 4.—8. Dez.	„interne Wahlen" in Namibia (Südwestafrika)
1978, 5. Dez.	EWS (Ecu) Europäische Währungseinheit beschlossen
1978, 17. Dez.	Obwohl der in Camp David festgelegte Stichtag für den ägypt.-israel. Friedensvertrag verstrichen ist, wird Verhandlungsfortsetzung beschlossen

Zeittafel

1978, 28. Dez.	Boumedienne (Staatschef Algeriens) gest.
1978, 31. Dez.	Schah setzt in Persien Zivilregierung ein
1979, 16. Jan.	Schah Reza verläßt Persien
1979, 27. Jan.	Deng Xiaping trifft in USA ein
1979, 31. Jan.	Khomeini, Oberhaupt der Schiiten, kehrt aus dem Exil nach Persien zurück
1979, 11. Febr.	Regierung Bazargan in Persien durchgesetzt
1979, 17. Febr.	Angriff Chinas auf Vietnam
1979, 19. Febr.	Wiederbeginn der israelisch-ägyptischen Friedensgespräche in Camp David
1979, 1. März	Bundesverfassungsgericht verkündet Urteil über Mitbestimmungsgesetz
1979, 7.—13. März	US-Präsident Carter in Ägypten und Israel
1979, 12. März	„Wirtschaftsgipfel "in Paris
1979, 26. März	Friedensvertrag zwischen Ägypten und Israel in Washington unterzeichnet
1979, 4. Mai	Parlamentswahlen in Österreich — Sieg der SPÖ
1979, 5. Mai	Parlamentswahlen in Großbritannien — Sieg der Konservativen
1979, 23. Mai	Wahl des 5. Bundespräsidenten (Prof. Dr. Carstens)
1979, 1. Juni	Neue Verfassung in Rhodesien. Namensänderung: Simbabwe
1979, 10. Juni	1. Direktwahl zum Europa-Parlament

Bundestagswahlen 1949—1972

1949, 14. Aug.	Bundestagswahl: CDU/CSU 31 %; SPD 29,2 %; FDP 11,5 %; KPD 5,7 %; BP 4,2 %; DP 4 %; Sonstige 14 % Reg.-Koalition CDU/CSU, FDP, DP
1953, 6. Sept.	Bundestagswahl: CDU/CSU 45,2 %; SPD 28,8 %; FDP 9,5 %; BHE 5,9 %; DP 3,3 %; Sonstige 7,3 % Reg.-Koalition: CDU/CSU, FDP, BHE, DP
1957, 15. Sept.	Bundestagswahl: CDU/CSU 50,2 %; SPD 31,8 %; FDP 7,7 %; DP 3,4 %; Sonstige 6,9 %; Reg.-Koalition: Union, DP
1961, 15. Sept.	Bundestagswahl: Union 45,4 %; SPD 36,2 %; FDP 12,6 %; alle anderen unter 5 %. Reg.-Koalition: Union, FDP
1965, 19. Sept.	Bundestagswahl: Union 47,6 %, SPD 39,3 %; FDP 5,8 %; Sonstige (3,6) unter 5 %
1969, 28. Sept.	Bundestagswahl: Union 46,1 %; SPD 42,7 %; FDP 5,8 %; Sonstige (5,4) unter 5 %
1972, 19. Nov.	Bundestagswahl: Union 44,9 %; SPD 45,8 %; FDP 8,4 %; Sonstige (0,9) unter 5 %

Grundwissen Grundgesetz

Das »Grundwissen Grundgesetz«
enthält als Kern den Verfassungstext.
Dazu sind den einzelnen Artikeln
oder Abschnitten knappe Erläuterun-
gen beigegeben, die zum besseren
Verständnis des Textes dienen sollen.
Um den Informationswert der einzelnen Artikel zu erhöhen, sind im Text an
vielen Stellen Verweise auf andere
Artikel gebracht, die miteinander in
Verbindung stehen. Außerdem dienen
zur Information auch die am Schluß
des Buches stehenden Worterklä-
rungen.

Ernst Klett Verlag
Klettbuch Nr. 1008